MICHEL BROUSSEAU

GÉOGRAPHIE - 1er CYCLE DU SECONDAIRE

# ATLAS
## DU MONDE ACTUEL

DES TERRITOIRES ORGANISÉS

DES ENJEUX TERRITORIAUX

DES RÉALITÉS GÉOGRAPHIQUES D'ORDRE PLANÉTAIRE

**ERPi**
ÉDITIONS DU RENOUVEAU PÉDAGOGIQUE INC.

5757, RUE CYPIHOT
SAINT-LAURENT (QUÉBEC)
H4S 1R3

TÉLÉPHONE : (514) 334-2690
TÉLÉCOPIEUR : (514) 334-4720
erpidlm@erpi.com

**Éditrice**
Johanne La Ferrière

**Chargées de projet**
Madeleine Dufresne
Sophie Lamontre
Dominique Page
Marie-Claude Rioux

**Correcteurs d'épreuves**
Lucie Bernard
Jean-Pierre Paquin
Marie-Claude Piquion

**Recherchistes documentaires**
Denise Riou
Martine Vadeboncœur

**Recherchiste (photos et droits)**
Pierre Richard Bernier

**Recherchistes (toponymes)**
Lucie Bernard
Jean-Pierre Paquin

**Rédactrice (fiches statistiques)**
Denise Riou

**Réviseur scientifique**
Guy Dorval

**Directrice artistique**
Hélène Cousineau

**Coordonnateurs graphiques**
François Lambert
Denise Landry

**Couverture**
Benoit Pitre

**Conception graphique et édition électronique**
Frédérique Bouvier
Philippe-Alexandre Campeau

**Cartographie (géomatique et direction artistique)**
Groupe Colpron

**Illustratrice (pictogrammes des territoires)**
Lyse-Anne Roy

**Crédits photographiques (couverture)**
De gauche à droite : CORBIS : P.A. Souders ;
CORBIS/B.S.P.I. ; CORBIS : Setboun ;
CORBIS/zefa : H.P. Merten ; CP IMAGES.

Dépôt légal-Bibliothèque et Archives nationales
du Québec, 2007
Dépôt légal-Bibliothèque et Archives Canada, 2007

Imprimé au Canada          1234567890 FR 0987
ISBN 978-2-7613-2012-2     10772 ABCD     StUM14

# TABLE DES MATIÈRES

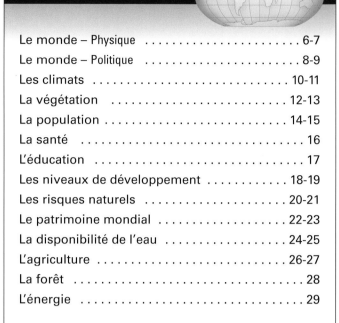

L'ATLAS DU MONDE ACTUEL est un ouvrage de référence accessible à tous. Il a été conçu pour permettre aux utilisateurs de :

- mieux connaître le monde qui les entoure ;
- s'ouvrir à différents types de territoires ;
- comprendre des enjeux territoriaux ;
- découvrir des réalités qui se manifestent aux quatre coins du globe.

Cet atlas comprend une grande variété de cartes de géographie, tant humaine que physique, ainsi que des textes, des photographies, des graphiques, des schémas et des tableaux qui développent et enrichissent les sujets abordés. Il constitue une source d'information unique et permet notamment d'observer la répartition spatiale de diverses réalités géographiques, de situer et de repérer des lieux, de comparer des territoires, de faire des liens et de tirer des conclusions.

## LA TABLE DES MATIÈRES ET L'INDEX : DEUX OUTILS ESSENTIELS POUR REPÉRER L'INFORMATION

### ■ La table des matières : pour rechercher un sujet

La table des matières, présentée aux pages 2 et 3 de l'atlas, est le moyen le plus rapide de repérer un sujet. Chaque section se caractérise par une couleur distincte qui est reprise dans les pages correspondantes de l'atlas. La première section porte sur le monde ; les autres sections concernent chacune une partie du monde en particulier. Ces dernières comportent, entre autres, des territoires appartenant à l'un des territoires types suivants : territoire urbain, territoire région, territoire agricole, territoire protégé et territoire autochtone. Chaque territoire type est représenté par un pictogramme distinct.

Une carte de localisation permet de situer le continent traité par rapport au reste du monde.

La couleur rouge est associée à cette section en particulier.

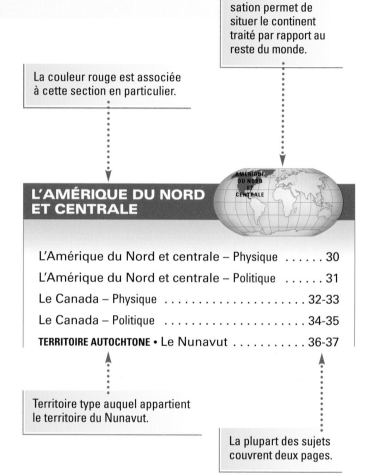

Territoire type auquel appartient le territoire du Nunavut.

La plupart des sujets couvrent deux pages.

**Pictogrammes des territoires types**

**Territoire urbain**

**Territoire région**

**Territoire agricole**

**Territoire protégé**

**Territoire autochtone**

### ■ L'index : pour trouver un lieu sur une carte

L'index, présenté aux pages 159 à 165, est le moyen le plus rapide de trouver un toponyme (ou nom de lieu) sur une carte. Il contient, dans l'ordre alphabétique, la plupart des toponymes qui figurent sur les cartes de l'atlas. Grâce aux indications données à chaque entrée de l'index, il est possible de connaître la nature du toponyme, la page où il est le mieux représenté et les coordonnées alphanumériques qui permettent de le repérer sur la carte. Pour utiliser l'index et comprendre les indications données à chaque entrée, il suffit de se reporter à la méthode énoncée à la page 159.

# APERÇU DES PRINCIPAUX ÉLÉMENTS CONTENUS
# DANS LES PAGES DE L'ATLAS

Dans le coin supérieur gauche, on trouve le **sujet** traité dans la ou les pages.

Chaque sujet est l'objet d'un **texte de présentation** qui donne souvent matière à réflexion.

Des **encadrés de couleur** contiennent de l'information pertinente sur le sujet abordé.

L'**échelle** indique le rapport entre l'espace représenté sur la carte et sa superficie réelle.

Des **fiches statistiques sur les 194 pays du monde** sont présentées à la fin de l'atlas pour aider à cerner les différences entre pays.

La **légende de la carte** explique les symboles qui figurent sur la carte.

Des **photos**, accompagnées de leur **légende**, décrivent des lieux indiqués sur la carte ou des éléments liés au sujet traité.

Des **cartes de localisation** situent dans un espace plus vaste les territoires présentés.

Chaque **titre de section** est inscrit dans une bande dont la couleur est propre à la section.

Un **pictogramme** représente chacun des cinq territoires types.

La **rose des vents** indique la direction des points cardinaux et des points intermédiaires.

Les **chiffres** et les **lettres**, inscrits sur le cadre vert, servent à repérer rapidement un lieu sur une carte à l'aide de l'index.

Les **textes précédés d'un titre bleu** sont autant d'occasions de voir comment des personnes, des groupes, des États, etc., parviennent à relever des défis ou à résoudre des problèmes.

S'il y a lieu, un **texte** aide à comprendre le contenu des graphiques et des tableaux.

Des **graphiques** et des **tableaux** présentent des données actuelles qui permettent de comparer les divers aspects d'une réalité.

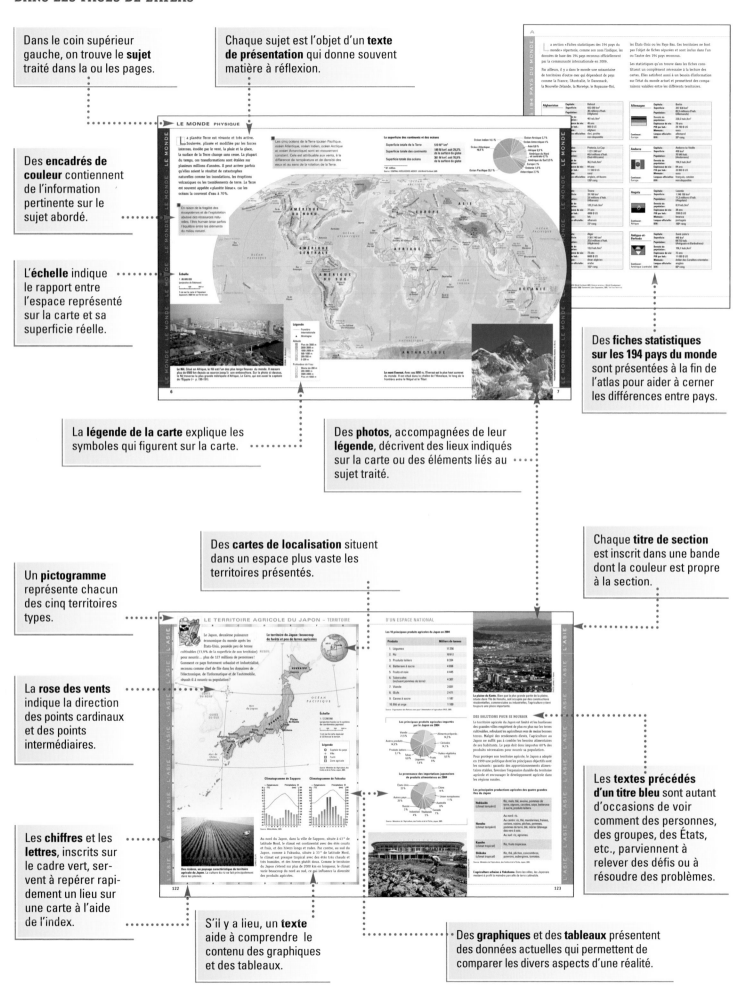

La planète Terre est vivante et très active. Soulevée, plissée et modifiée par les forces internes, érodée par le vent, la pluie et la glace, la surface de la Terre change sans cesse. La plupart du temps, ces transformations sont étalées sur plusieurs millions d'années. Il peut arriver parfois qu'elles soient le résultat de catastrophes naturelles comme les inondations, les éruptions volcaniques ou les tremblements de terre. La Terre est souvent appelée « planète bleue », car les océans la couvrent d'eau à 70 %.

En raison de la fragilité des écosystèmes et de l'exploitation abusive des ressources naturelles, l'être humain brise parfois l'équilibre entre les éléments du milieu naturel.

Les cinq océans de la Terre (océan Pacifique, océan Atlantique, océan Indien, océan Arctique et océan Antarctique) sont en mouvement constant. Cela est attribuable aux vents, à la différence de température et de densité des eaux et au sens de la rotation de la Terre.

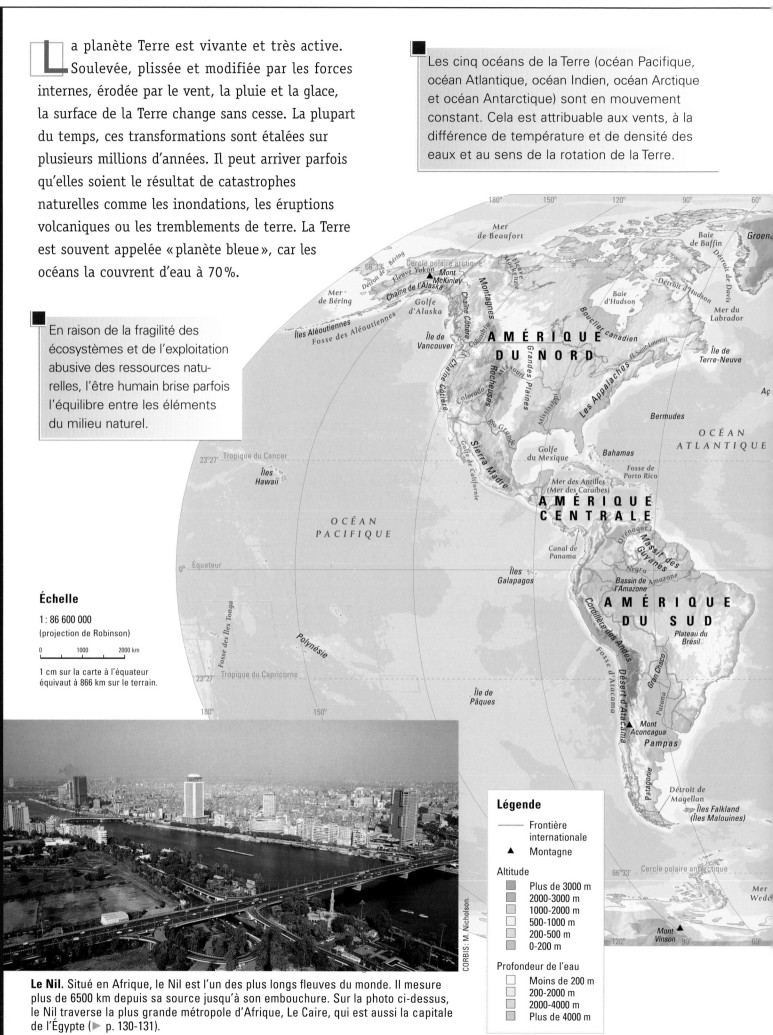

**Échelle**

1 : 86 600 000

(projection de Robinson)

0    1000    2000 km

1 cm sur la carte à l'équateur équivaut à 866 km sur le terrain.

**Légende**

—— Frontière internationale

▲ Montagne

**Altitude**
- Plus de 3000 m
- 2000-3000 m
- 1000-2000 m
- 500-1000 m
- 200-500 m
- 0-200 m

**Profondeur de l'eau**
- Moins de 200 m
- 200-2000 m
- 2000-4000 m
- Plus de 4000 m

CORBIS: M. Nicholson.

**Le Nil.** Situé en Afrique, le Nil est l'un des plus longs fleuves du monde. Il mesure plus de 6500 km depuis sa source jusqu'à son embouchure. Sur la photo ci-dessus, le Nil traverse la plus grande métropole d'Afrique, Le Caire, qui est aussi la capitale de l'Égypte (▶ p. 130-131).

## La superficie des continents et des océans

| | |
|---|---|
| Superficie totale de la Terre | 510 M* km² |
| Superficie totale des continents | 149 M km², soit 29,2 % de la surface du globe |
| Superficie totale des océans (y compris lacs et cours d'eau) | 361 M km², soit 70,8 % de la surface du globe |

\* M : million.

Sources : CENTRAL INTELLIGENCE AGENCY. *CIA World Factbook 2005* ; Quid, 2005 ; Encarta, 2005.

Océan Indien 14,1 %
Océan Arctique 2,7 %
Océan Antarctique 4 %
Océan Atlantique 16,9 %
Asie 8,6 %
Afrique 5,9 %
Amérique du Nord et centrale 4,7 %
Amérique du Sud 3,5 %
Europe 2 %
Océanie 1,8 %
Océan Pacifique 33,1 %
Antarctique 2,7 %

**Le mont Everest.** Avec ses 8850 m, l'Everest est le plus haut sommet du monde. Il est situé dans la chaîne de l'Himalaya, le long de la frontière entre le Népal et le Tibet.

PONOPRESSE INTERNATIONAL/Gamma : A. Orand.

En 1950, on comptait 82 pays dans le monde. En 2006, on en comptait 194. La plupart sont membres de l'Organisation des Nations unies (ONU)[1]. Mais qu'est-ce qu'un pays? Un pays est un territoire habité, délimité par des frontières internationales et administré par un gouvernement souverain, c'est-à-dire qui a les pleins pouvoirs. Un pays peut être agrandi, réduit ou peut même disparaître s'il fusionne avec un autre pays. Il n'est donc pas étonnant de constater que la carte du monde change si souvent.

1. Organisation internationale qui a pour but d'assurer le maintien de la paix et de la sécurité dans le monde.

## Les 10 plus grands pays du monde

1. Russie
2. Canada
3. Chine
4. États-Unis
5. Brésil
6. Australie
7. Inde
8. Argentine
9. Kazakhstan
10. Soudan

## Les Antilles

**L'Europe**

NORVÈGE  FINLANDE  SUÈDE  ESTONIE  RUSSIE  Mer du Nord  DANEMARK  LETTONIE  LITUANIE  RUSSIE  BIÉLORUSSIE  IRLANDE  ROYAUME-UNI  PAYS-BAS  ALLEMAGNE  POLOGNE  UKRAINE  BELGIQUE  RÉPUBLIQUE TCHÈQUE  SLOVAQUIE  LUXEMBOURG  LIECHTENSTEIN  AUTRICHE  HONGRIE  MOLDAVIE  FRANCE  SUISSE  SLOVÉNIE  CROATIE  ROUMANIE  SAINT-MARIN  BOSNIE-HERZÉGOVINE  SERBIE  MONACO  MONTÉNÉGRO  BULGARIE  Mer Noire  ANDORRE  ITALIE  ALBANIE  PORTUGAL  ESPAGNE  VATICAN  ANCIENNE RÉPUBLIQUE YOUGOSLAVE DE MACÉDOINE  Mer Méditerranée  GRÈCE  TURQUIE

OCÉAN ARCTIQUE  Cercle polaire arctique  66°33'

Spitzberg (Norv.)  ISLANDE  Îles Féroé (Dan.)  NORVÈGE  SUÈDE  FINLANDE  RUSSIE  Mer d'Okhotsk  ROYAUME-UNI  Mer du Nord  POLOGNE  BIÉLORUSSIE  IRLANDE  ALLEMAGNE  UKRAINE  FRANCE  ROUMANIE  KAZAKHSTAN  Mer d'Aral  MONGOLIE  ITALIE  Mer Noire  GÉORGIE  OUZBÉKISTAN  CORÉE DU NORD  PORTUGAL  ESPAGNE  GRÈCE  TURQUIE  ARMÉNIE  Mer Caspienne  TURKMÉNISTAN  KIRGHIZSTAN  CHINE  Mer du Japon  AZERBAÏDJAN  TADJIKISTAN  CORÉE DU SUD  JAPON  MALTE  CHYPRE  SYRIE  IRAK  IRAN  AFGHANISTAN  Madère (Port.)  TUNISIE  Mer Méditerranée  LIBAN  ISRAËL  OCÉAN PACIFIQUE  Îles Canaries (Esp.)  JORDANIE  KOWEÏT  PAKISTAN  BHOUTAN  Sahara-Occidental  ALGÉRIE  LIBYE  ÉGYPTE  ARABIE SAOUDITE  BAHREÏN  NÉPAL  TAIWAN  Tropique du Cancer  23°27'  Golfe Persique  QATAR  INDE  BANGLADESH  MAURITANIE  Mer Rouge  ÉRYTHRÉE  ÉMIRATS ARABES UNIS  OMAN  MYANMAR (Birmanie)  LAOS  Îles Mariannes (É.-U.)  MARSHALL  VERT  MALI  NIGER  TCHAD  SOUDAN  YÉMEN  Mer d'Oman  VIETNAM  Mer de Chine méridionale  SÉNÉGAL  BURKINA FASO  DJIBOUTI  THAÏLANDE  PHILIPPINES  MICRONÉSIE  MBIE  NÉE-SAU  GUINÉE  NIGERIA  ÉTHIOPIE  Golfe du Bengale  CAMBODGE  PALAOS (Palau)  KIRIBATI  ERRA LEONE  GHANA  BÉNIN TOGO  RÉPUBLIQUE CENTRAFRICAINE  SOMALIE  SRI LANKA  BRUNEI  Équateur  0°  LIBERIA  CÔTE D'IVOIRE  CAMEROUN  GUINÉE ÉQUATORIALE  SAO TOMÉ-ET-PRINCIPE  OUGANDA  KENYA  MALDIVES  MALAISIE  SINGAPOUR  PAPOUASIE-NOUVELLE-GUINÉE  NAURU  Golfe de Guinée  GABON  CONGO  RÉPUBLIQUE DÉMOCRATIQUE DU CONGO  RWANDA  BURUNDI  TANZANIE  INDONÉSIE  TUVALU  Enclave de Cabinda (Ang.)  SEYCHELLES  TIMOR ORIENTAL  SALOMON  Île de Sainte-Hélène (R.-U.)  ANGOLA  ZAMBIE  COMORES  VANUATU  FIDJI  NAMIBIE  MALAWI  MADAGASCAR  MAURICE  La Réunion (Fr.)  Nouvelle-Calédonie (Fr.)  ZIMBABWE  MOZAMBIQUE  OCÉAN INDIEN  Tropique du Capricorne  23°27'  BOTSWANA  AUSTRALIE  Tristan da Cunha (R.-U.)  AFRIQUE DU SUD  SWAZILAND  LESOTHO  NOUVELLE-ZÉLANDE  Tasmanie  Îles Kerguelen (Fr.)  Méridien de Greenwich  îles Sandwich-du-Sud (R.-U.)  OCÉAN ANTARCTIQUE  Cercle polaire antarctique  66°33'  ANTARCTIQUE

**Les 10 plus petits pays du monde**

1. Vatican
2. Monaco
3. Nauru
4. Tuvalu
5. Saint-Marin
6. Liechtenstein
7. Marshall
8. Saint-Kitts-et-Nevis
9. Maldives
10. Malte

**Échelle**

1 : 86 600 000

(projection de Robinson)

| 0 | 1000 | 2000 km |

1 cm sur la carte à l'équateur équivaut à 866 km sur le terrain.

9

# LES CLIMATS

Des pôles à l'équateur, la Terre présente une mosaïque de climats. Ceux-ci exercent une influence sur les plantes et les animaux, mais aussi sur le mode de vie des gens, leurs types d'habitations et même sur les vêtements qu'ils portent. Il y a trois principales zones climatiques : la zone chaude, la zone tempérée et la zone froide. Chaque zone est caractérisée par une diversité de climats.

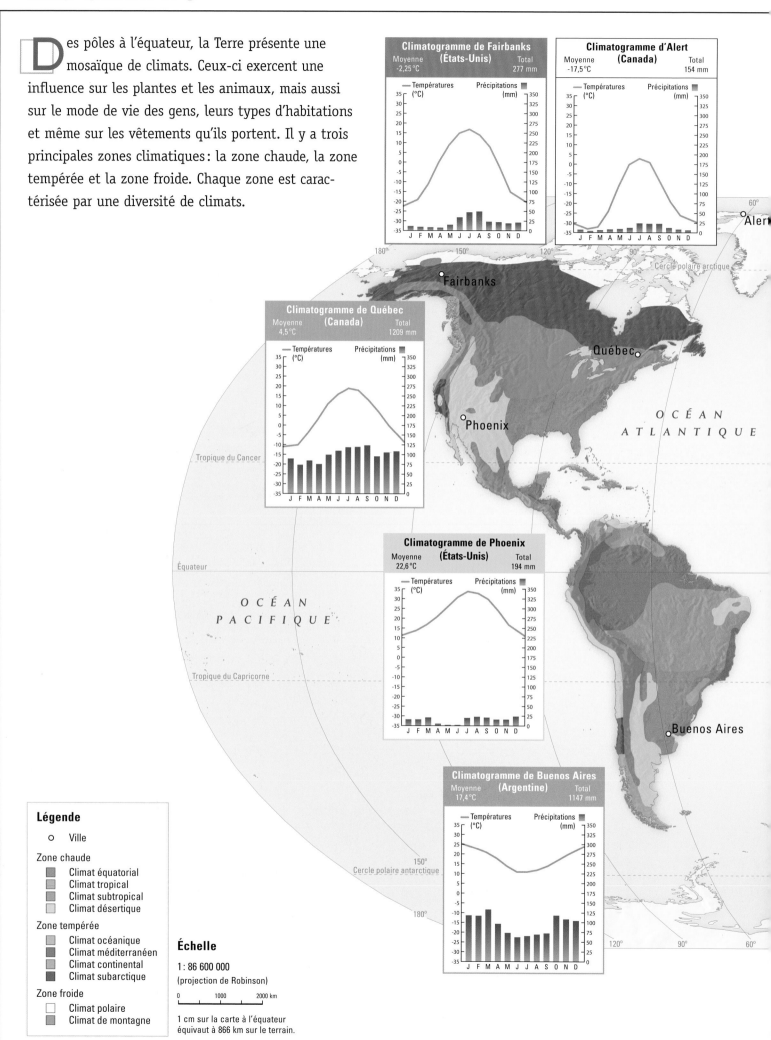

**Légende**

o  Ville

Zone chaude
- Climat équatorial
- Climat tropical
- Climat subtropical
- Climat désertique

Zone tempérée
- Climat océanique
- Climat méditerranéen
- Climat continental
- Climat subarctique

Zone froide
- Climat polaire
- Climat de montagne

**Échelle**

1 : 86 600 000
(projection de Robinson)

0      1000      2000 km

1 cm sur la carte à l'équateur équivaut à 866 km sur le terrain.

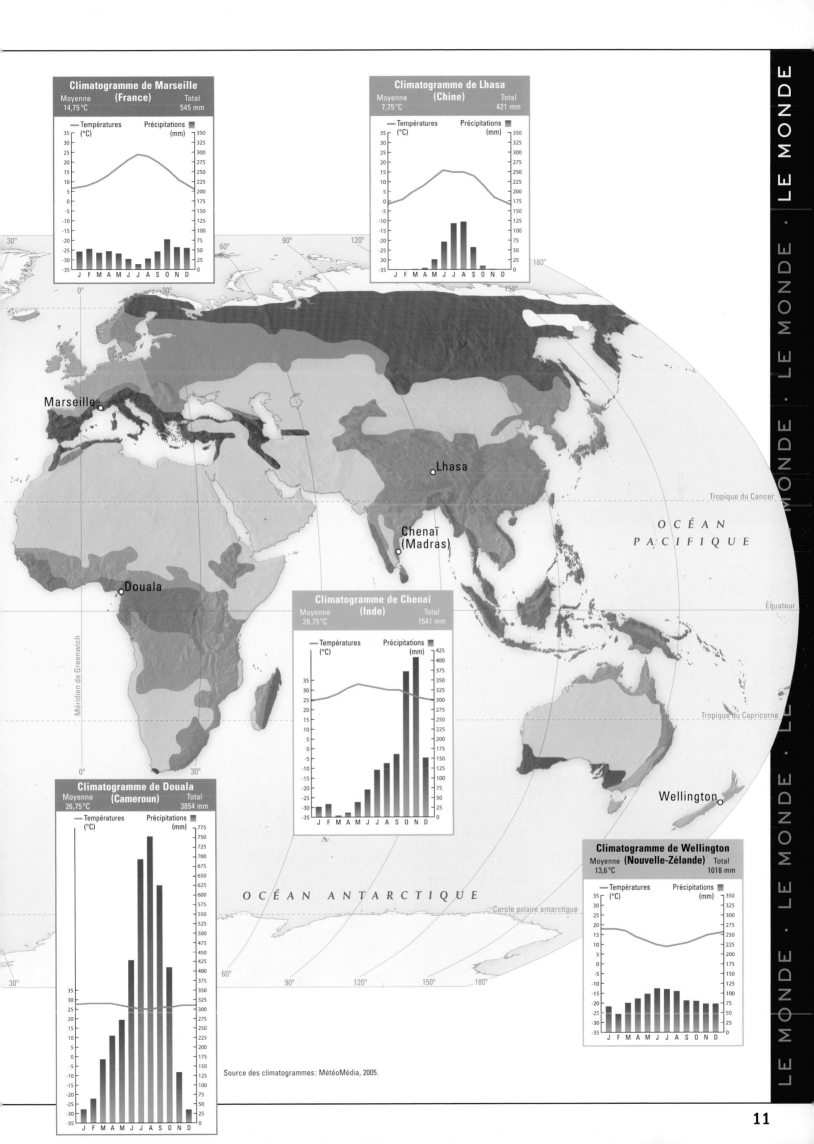

## Climatogramme de Marseille (France)
Moyenne 14,75 °C | Total 545 mm

— Températures (°C)  Précipitations (mm)

## Climatogramme de Lhasa (Chine)
Moyenne 7,75 °C | Total 421 mm

— Températures (°C)  Précipitations (mm)

## Climatogramme de Chenaï (Inde)
Moyenne 28,75 °C | Total 1541 mm

— Températures (°C)  Précipitations (mm)

## Climatogramme de Douala (Cameroun)
Moyenne 26,75 °C | Total 3854 mm

— Températures (°C)  Précipitations (mm)

## Climatogramme de Wellington (Nouvelle-Zélande)
Moyenne 13,6 °C | Total 1018 mm

— Températures (°C)  Précipitations (mm)

Marseille

Lhasa

Chenaï (Madras)

Douala

Wellington

Tropique du Cancer

OCÉAN PACIFIQUE

Équateur

Méridien de Greenwich

Tropique du Capricorne

OCÉAN ANTARCTIQUE

Cercle polaire antarctique

Source des climatogrammes: MétéoMédia, 2005.

# LA VÉGÉTATION

Diverses zones de végétation existent sur la Terre. Les composantes du climat, comme la lumière, la chaleur et les précipitations, auxquelles s'ajoutent le relief et la nature des sols, maintiennent la répartition des essences végétales à la surface de la Terre. Toute perturbation notable de l'une de ces composantes entraîne une modification du paysage végétal. Certaines activités humaines, comme l'urbanisation, l'agriculture intensive et l'exploitation forestière, modifient la vie végétale.

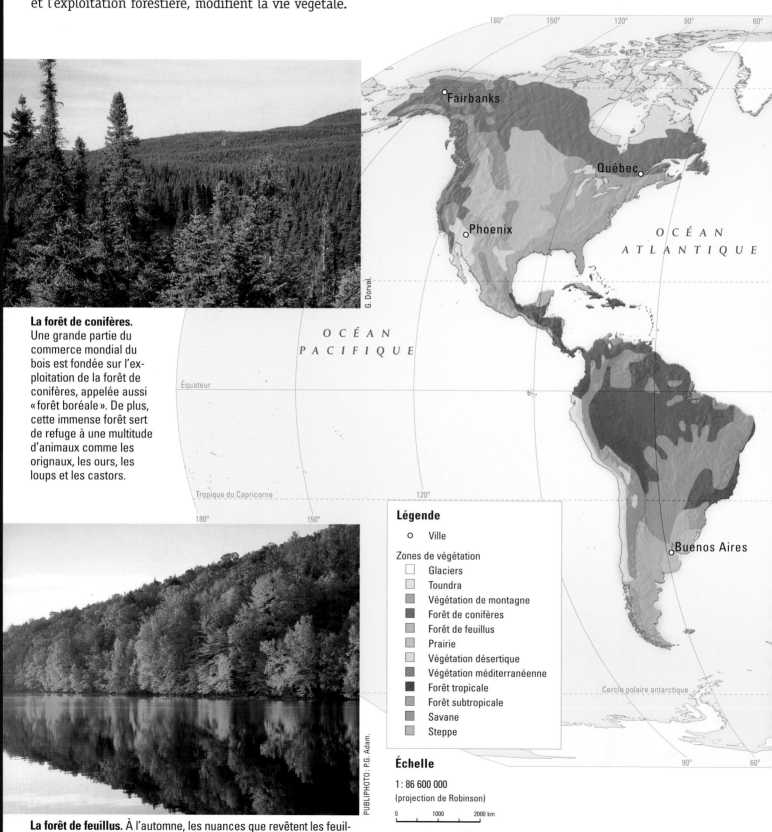

G. Dorval.

**La forêt de conifères.** Une grande partie du commerce mondial du bois est fondée sur l'exploitation de la forêt de conifères, appelée aussi «forêt boréale». De plus, cette immense forêt sert de refuge à une multitude d'animaux comme les orignaux, les ours, les loups et les castors.

PUBLIPHOTO : P.G. Adam.

**La forêt de feuillus.** À l'automne, les nuances que revêtent les feuillus constituent un spectacle grandiose, caractéristique des forêts d'Europe, des régions orientales d'Asie et d'Amérique du Nord.

OCÉAN ATLANTIQUE

OCÉAN PACIFIQUE

Équateur

Tropique du Capricorne

Cercle polaire antarctique

**Légende**

○ Ville

Zones de végétation

☐ Glaciers
☐ Toundra
☐ Végétation de montagne
☐ Forêt de conifères
☐ Forêt de feuillus
☐ Prairie
☐ Végétation désertique
☐ Végétation méditerranéenne
☐ Forêt tropicale
☐ Forêt subtropicale
☐ Savane
☐ Steppe

**Échelle**

1 : 86 600 000
(projection de Robinson)

0        1000        2000 km

1 cm sur la carte à l'équateur
équivaut à 866 km sur le terrain.

**La toundra.** Le paysage désolé, dénudé et glacé de la toundra ne s'anime que pendant l'été quand poussent les lichens, les mousses et les arbustes.

CORBIS/Momatiuk-Eastcott.

OCÉAN ARCTIQUE

Cercle polaire arctique

Marseille

Lhasa

Tropique du Cancer

OCÉAN PACIFIQUE

Chenaï (Madras)

Douala

Équateur

OCÉAN INDIEN

Méridien de Greenwich

Tropique du Capricorne

Wellington

**La végétation désertique.** Adaptés à l'aridité du climat désertique, les cactus possèdent de larges tiges charnues contenant des réserves d'eau. Leurs feuilles sont réduites à des épines pour limiter les pertes d'eau.

PHOTOTHÈQUE ERPI.

**La forêt tropicale.** De part et d'autre de l'équateur, les températures chaudes et les précipitations abondantes et régulières favorisent la croissance d'une végétation si dense dans cette forêt que les arbres poussent en étages superposés pour rejoindre la lumière.

G. Dorval.

# LA POPULATION

La population est répartie inégalement dans le monde. Certaines régions sont très peuplées, alors que d'autres sont presque désertes.

En 2005, il y avait 6,5 milliards d'habitants sur la planète. Environ 75 % d'entre eux étaient concentrés dans quelques zones à forte densité de population[1] (plus de 1000 hab./km$^2$). Ces zones représentent les grands foyers de population[2].

En résumé, près des trois quarts de la population mondiale vivent sur un dixième de la surface terrestre, si bien que les deux tiers des terres sont presque inhabitées.

1. La densité de population est le rapport entre le nombre d'habitants et la superficie d'un espace.
2. Un foyer de population est une zone où il y a une importante concentration d'habitants.

## Les 10 pays les plus peuplés du monde

1. Chine
2. Inde
3. États-Unis
4. Indonésie
5. Brésil
6. Pakistan
7. Bangladesh
8. Russie
9. Nigeria
10. Japon

Source : Organisation des Nations unies (ONU), 2005.

## Les 10 pays les moins peuplés du monde

1. Vatican
2. Tuvalu
3. Nauru
4. Palaos (Palau)
5. Saint-Marin
6. Monaco
7. Liechtenstein
8. Saint-Kitts-et-Nevis
9. Marshall
10. Dominique

Source : Organisation des Nations unies (ONU), 2005.

## Les 5 agglomérations[3] les plus peuplées du monde

| | |
|---|---|
| 1. Tokyo (Japon) | 33,4 millions d'hab. |
| 2. New York (États-Unis) | 24,1 millions d'hab. |
| 3. Mexico (Mexique) | 21,7 millions d'hab. |
| 4. Séoul (Corée du Sud) | 20,2 millions d'hab. |
| 5. Sao Paulo (Brésil) | 19,2 millions d'hab. |

3. Une agglomération est le regroupement d'une ville et de sa banlieue.
Source : Organisation des Nations unies (ONU), 2005.

## La densité de population mondiale et les grands foyers de population

### Échelle

1 : 112 500 000

(projection de Robinson)

0        2500 km

1 cm sur la carte à l'équateur équivaut à 1125 km sur le terrain.

### Légende

— Frontière internationale

○ Agglomération de 10 millions d'habitants et plus (avec sa population)

⬭ Foyer de population

Densité de population (nombre d'habitants par km$^2$)

- ☐ Moins de 1
- ☐ De 1 à 25
- ☐ De 26 à 50
- ☐ De 51 à 100
- ☐ Plus de 100

## L'évolution de la population mondiale depuis l'an 1000

Années    1000      1100      1200      1300

## La répartition de la population urbaine et de la population rurale depuis 1950

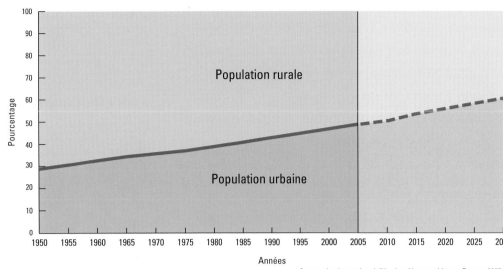

Source : Institut national d'études démographiques, France, 2005.

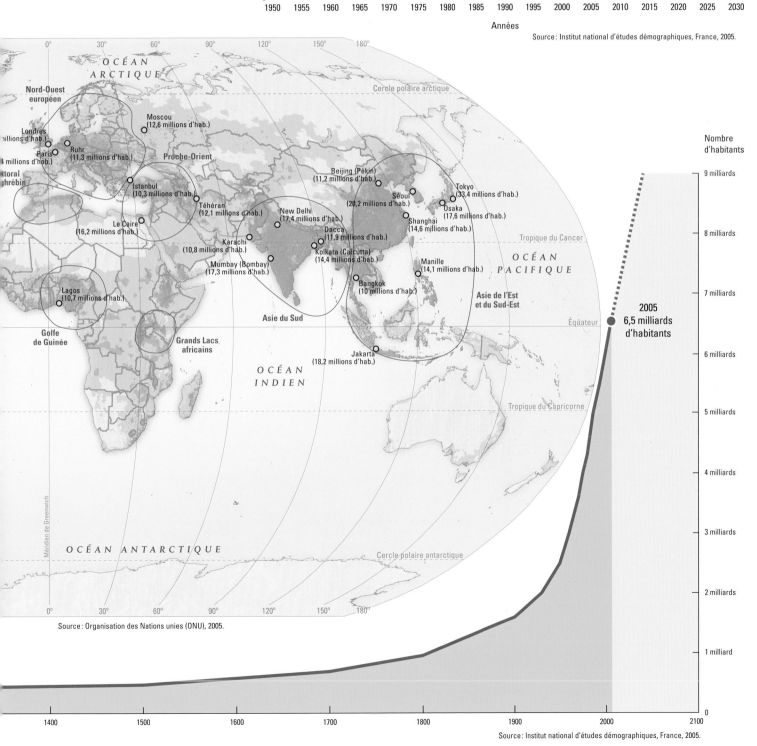

Source : Organisation des Nations unies (ONU), 2005.

Source : Institut national d'études démographiques, France, 2005.

# LA SANTÉ

La durée de vie des êtres humains est très variable. Elle a beaucoup augmenté, passant de 46 ans, en 1950, à 67 ans, en 2005. Des inégalités subsistent cependant entre pays riches et pays pauvres par rapport à l'espérance de vie. Ainsi, les habitants des pays pauvres vivent encore en moyenne 15 ans de moins que ceux des pays riches. Les pays pauvres n'ont généralement pas assez de moyens ni de médecins pour surveiller de près la santé des gens.

Par exemple, en Éthiopie, un pays très pauvre d'Afrique, il n'y a en moyenne qu'un médecin pour s'occuper de 33 000 habitants. En France, un pays riche d'Europe, un médecin ne s'occupe en moyenne que d'un peu plus de 300 habitants. C'est 110 fois moins qu'en Éthiopie. L'écart entre pays riches et pays pauvres n'est pas toujours aussi grand, mais il est toujours très important. La santé est-elle à la portée de tout le monde ?

Le tourisme, l'émigration, la forte concentration d'habitants dans les villes et le surpeuplement des bidonvilles favorisent la propagation rapide de maladies infectieuses, parfois mortelles.

Le sida a tué plus de 25 millions de personnes depuis l'apparition de la maladie, en 1981. Il s'agit de l'une des pires épidémies de l'histoire. En 2005 seulement, 570 000 enfants de moins de 5 ans sont morts du sida.

**Le sida[1] dans le monde en 2005**

| Parties du monde | Nombre de personnes vivant avec le VIH[2] | Nombre de nouvelles infections au VIH | Nombre de décès attribuables au sida[3] |
|---|---|---|---|
| Afrique | 26,2 millions | 3,25 millions | 2,45 millions |
| Asie | 8,9 millions | 1,4 million | 560 000 |
| Océanie | 74 000 | 8 200 | 3 600 |
| Amérique du Sud | 1,8 million | 200 000 | 66 000 |
| Amérique du Nord et centrale | 1,5 million | 73 000 | 42 000 |
| Europe | 1,84 million | 158 000 | 33 000 |
| **Total** | **40,3 millions** | **5,1 millions** | **3,1 millions** |

1. Maladie très grave, souvent mortelle, qui se caractérise par la disparition des défenses immunitaires de l'organisme.
2. Sigle de « virus d'immunodéficience humaine ». Il s'agit du virus responsable du sida.
3. Sigle de « syndrome d'immunodéficience acquise ».

Source : ONUSIDA, 2005.

## Le nombre de médecins dans le monde (pour 1000 habitants)

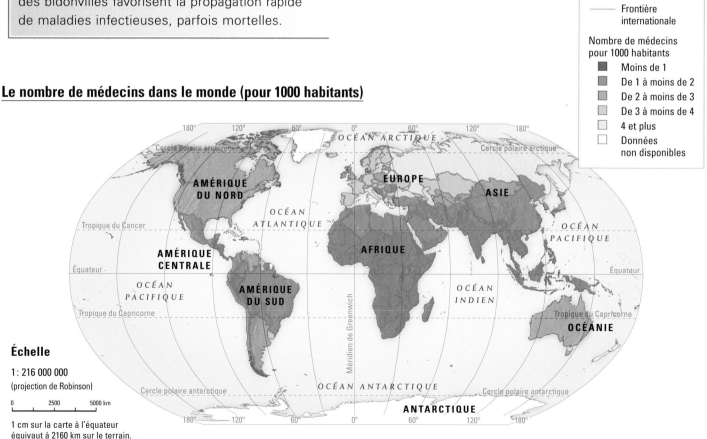

**Légende**

— Frontière internationale

Nombre de médecins pour 1000 habitants

- Moins de 1
- De 1 à moins de 2
- De 2 à moins de 3
- De 3 à moins de 4
- 4 et plus
- Données non disponibles

**Échelle**

1 : 216 000 000
(projection de Robinson)

0    2500    5000 km

1 cm sur la carte à l'équateur équivaut à 2160 km sur le terrain.

Sources : Éco-Santé OCDE 2005 ; Programme des Nations unies pour le développement (PNUD), 2005.

# L'ÉDUCATION

En 2005, plus de 100 millions d'enfants dans le monde n'allaient pas à l'école. Comme 771 millions d'adultes, ils sont condamnés à l'analphabétisme, c'est-à-dire à ne savoir ni lire ni écrire. Les analphabètes sont majoritairement des femmes, dans une proportion de 64%.

La grande majorité des pays pauvres n'a pas les moyens d'offrir au moins l'enseignement primaire à tous les jeunes. Les classes sont surchargées, les enseignants ne sont pas assez nombreux, les fournitures scolaires sont insuffisantes et les locaux sont inadéquats.

De plus, près de 250 millions d'enfants en âge d'aller à l'école travaillent et pratiquent toutes sortes de métiers. Environ 15% d'entre eux sont des « enfants des rues », sans famille, obligés de se débrouiller pour survivre.

**Le taux de scolarisation dans le monde en 2005**

| Parties du monde | Enseignement primaire | Enseignement secondaire | Enseignement supérieur |
|---|---|---|---|
| Afrique | 67% | 30% | 8% |
| Amérique du Nord et centrale | 94% | 74% | 26% |
| Amérique du Sud | 97% | 71% | 29% |
| Asie | 87% | 69% | 27% |
| Europe | 95% | 88% | 52% |
| Océanie | 91% | 72% | 31% |

Sources: Institut de statistique de l'Unesco, 2005; Agence canadienne de développement international, 2005.

## L'alphabétisation dans le monde en 2005

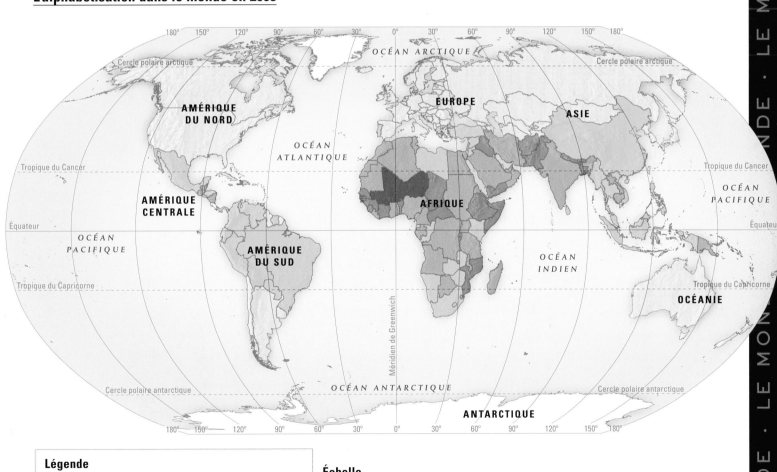

**Légende**

— Frontière internationale

Taux d'alphabétisation de la population âgée de plus de 15 ans
- ☐ 95% et plus
- ☐ De 80 à 94%
- ☐ De 50 à 79%
- ☐ De 25 à 49%
- ■ De 0 à 24%
- ☐ Données non disponibles

**Échelle**

1 : 160 000 000
(projection de Robinson)

0    2000    4000 km

1 cm sur la carte à l'équateur équivaut à 1600 km sur le terrain.

Sources: Institut de statistique de l'Unesco, 2005; Agence canadienne de développement international, 2006.

# LES NIVEAUX DE DÉVELOPPEMENT

## LE DÉVELOPPEMENT HUMAIN

Le niveau de développement humain des pays se mesure au moyen d'une méthode de calcul qui a été mise au point par le Programme des Nations unies pour le développement (PNUD), en 1990: l'indicateur de développement humain (IDH).

L'IDH tient compte de trois critères de base. Le premier concerne la santé et la longévité de la population, mesurées d'après l'espérance de vie à la naissance. Le deuxième a trait au niveau d'éducation, mesuré par le taux d'alphabétisation des adultes et le taux de scolarisation. Le troisième porte sur le niveau de vie de la population, mesuré à l'aide du PIB (produit intérieur brut) par habitant. Le PIB correspond à la valeur totale des richesses produites par un pays, divisée par le nombre de ses habitants.

À partir de l'IDH, le PNUD a classé en trois catégories les niveaux de développement humain des pays: élevé, moyen et faible. En 2003, selon ce classement, 60 pays avaient un niveau de développement humain élevé, 98, un niveau de développement humain moyen et 35, un niveau de développement humain faible.

La différence est énorme entre les cinq pays ayant le niveau le plus élevé et les cinq pays ayant le niveau le plus faible. Par contre, l'écart entre les cinq pays ayant le niveau le plus élevé est minime. En effet, si la valeur de l'IDH était exprimée en pourcentage, la Norvège aurait 96,3 % et le Canada 94,9 %. Du côté des pays ayant l'IDH le moins élevé, le Tchad aurait 34,1 % et le Niger 28,1 %. La moyenne mondiale serait alors de 74,1 % (indicateur de 0,741). C'est l'écart entre les deux groupes de pays qu'il faut réduire pour améliorer la qualité de vie des pays dont le niveau de développement humain est faible.

### Les pays ayant l'IDH le plus élevé en 2003

| Rang mondial | Pays | IDH |
|---|---|---|
| 1er | Norvège | 0,963 |
| 2e | Islande | 0,956 |
| 3e | Australie | 0,955 |
| 4e | Luxembourg | 0,949 |
| 5e | Canada | 0,949 |

### Les pays ayant l'IDH le moins élevé en 2003[1]

| Rang mondial | Pays | IDH |
|---|---|---|
| 173e | Tchad | 0,341 |
| 174e | Mali | 0,333 |
| 175e | Burkina Faso | 0,317 |
| 176e | Sierra Leone | 0,298 |
| 177e | Niger | 0,281 |

1. En 2003, il y avait 192 pays dans le monde, mais les données étaient incomplètes pour 15 d'entre eux.

### Légende

— Frontière internationale
☐ Pays à développement humain élevé
◻ Pays à développement humain moyen
◼ Pays à développement humain faible
☐ Données non disponibles

### Échelle

1 : 216 000 000
(projection de Robinson)

0 ———— 5000 km

1 cm sur la carte à l'équateur équivaut à 2160 km sur le terrain.

## L'indicateur de développement humain (IDH) dans le monde en 2003

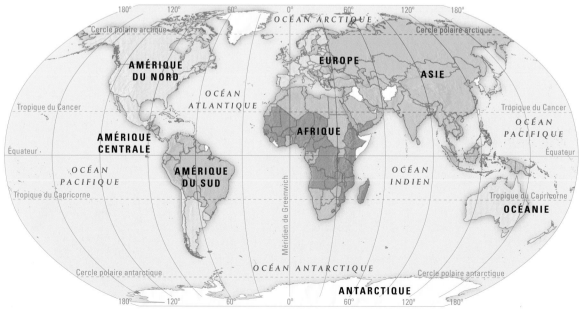

Source : Programme des Nations unies pour le développement (PNUD), 2005, données de 2003 (pour les données comprises sur la carte et l'ensemble des données sur l'IDH contenues dans la page).

## LE DÉVELOPPEMENT ÉCONOMIQUE

Les pays en voie de développement aspirent à faire progresser leur économie en s'industrialisant, c'est-à-dire en se dotant d'industries. Mais les pays ne s'industrialisent pas tous au même rythme. C'est pourquoi on parle de pays industrialisés et développés (comme les États-Unis), de pays en voie de développement (comme le Brésil) et de pays moins avancés (comme le Pakistan). Il y a un grand écart entre le petit groupe de pays riches et les autres pays qui tentent de développer leur économie. Par ailleurs, on associe souvent le développement économique d'un pays à son produit intérieur brut par habitant.

**Les six plus grandes multinationales[1] dans le monde en 2005**

| Multinationales | Secteur d'activité | Chiffre d'affaires | Nombre d'employés |
|---|---|---|---|
| 1. Wal-Mart (États-Unis) | Vente au détail | 348 milliards $ CA | 1 700 000 |
| 2. BP (Royaume-Uni) | Pétrole | 345 milliards $ CA | 103 000 |
| 3. ExxonMobil (États-Unis) | Pétrole | 328 milliards $ CA | 86 000 |
| 4. Royal Dutch/Shell Group (Royaume-Uni) | Pétrole | 326 milliards $ CA | 114 000 |
| 5. General Motors (États-Unis) | Automobile | 235 milliards $ CA | 324 000 |
| 6. DaimlerChrysler (Allemagne) | Automobile | 214 milliards $ CA | 385 000 |

1. Entreprises ayant des activités dans plusieurs pays.

Source : *Fortune*, 2006.

À l'heure de la mondialisation, les multinationales figurent parmi les acteurs de premier plan de l'économie mondiale. Pour se maintenir dans la course, ces entreprises visent à devenir de plus en plus compétitives. Elles délocalisent leur production, c'est-à-dire qu'elles déplacent leurs activités de production vers des pays en voie de développement. Ces pays leur offrent des avantages multiples, comme une main-d'œuvre abondante et bon marché, et un débouché important pour leurs produits.

Deux régions industrielles, indiquées sur la carte ci-dessous, sont présentées dans l'atlas : la région des Grands Lacs américains et canadiens (▶ p. 46-47) ainsi que la région de la Montérégie, dans la province de Québec (▶ p. 64-65).

## Le produit intérieur brut (PIB) dans le monde en 2005

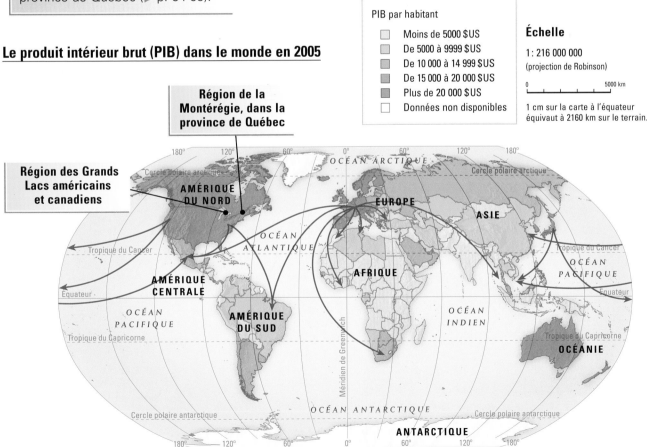

**Légende**

— Frontière internationale

→ Déplacement des multinationales

PIB par habitant

- ☐ Moins de 5000 $US
- ☐ De 5000 à 9999 $US
- ☐ De 10 000 à 14 999 $US
- ☐ De 15 000 à 20 000 $US
- ☐ Plus de 20 000 $US
- ☐ Données non disponibles

**Échelle**

1 : 216 000 000

(projection de Robinson)

0 ——— 5000 km

1 cm sur la carte à l'équateur équivaut à 2160 km sur le terrain.

**Région de la Montérégie, dans la province de Québec**

**Région des Grands Lacs américains et canadiens**

Source : CENTRAL INTELLIGENCE AGENCY, *CIA World Factbook 2005*.

# LES RISQUES NATURELS

Les probabilités de catastrophes naturelles existent presque partout sur la Terre. Plus de deux milliards de personnes vivent dans des zones où des typhons, des tornades, des inondations, des séismes ou des éruptions volcaniques peuvent se produire. Devant la menace que constituent les risques naturels, des inégalités existent entre les pays riches et les pays pauvres. Les villes des pays riches disposent de moyens financiers pour se protéger des risques naturels et s'organiser. Ce n'est pas le cas des villes des pays pauvres, qui n'ont pas le même niveau de développement économique. Les populations de ces villes sont davantage préoccupées par d'autres problèmes comme se nourrir, se loger et combattre les maladies. Les conséquences des catastrophes naturelles ne sont donc pas les mêmes.

San Francisco (▶ p. 86-87), Quito (▶ p. 96-97) et Manille (▶ p. 124-125), représentées sur la carte ci-dessous, sont des exemples de villes qui doivent composer avec des risques naturels. Elles ont des différences sur le plan de leur niveau de développement économique. Les catastrophes naturelles n'y ont donc pas les mêmes conséquences.

CORBIS : J. Sugar.

**Le volcan Kilauea, à Hawaii, en pleine éruption.** Les éruptions volcaniques sont parmi les catastrophes naturelles les plus meurtrières et les plus destructrices. Malgré tout, dans certaines régions, elles ont des effets bénéfiques, notamment sur la fertilisation des sols.

### Légende

- ——— Limite des plaques tectoniques
- ● Ville soumise à un ou à plusieurs risques naturels
- ▲ Zone de volcans en activité
- 🌀 Trajectoire habituelle des typhons*
- ▨ Zone densément peuplée
- ▨ Ceinture de feu du Pacifique
- ◯ Risque de tornades
- 🌊 Risque de tsunamis
- ▨ Zone d'activité sismique
- ▨ Zone inondable

\* En Amérique, les typhons sont appelés « ouragans ».

### Échelle

1 : 86 600 000

(projection de Robinson)

0    1000    2000 km

1 cm sur la carte à l'équateur équivaut à 866 km sur le terrain.

Sources : Organisation des Nations unies (ONU), 2006 ; Centre for Research on the Epidemiology of Disasters (CRED), 2006.

**Les conséquences du séisme survenu à Kobe, au Japon, en janvier 1995.** Le Japon est un pays développé qui dispose de moyens financiers importants. Malgré le lourd bilan du séisme (5000 décès, 500 000 personnes blessées ou délogées et 100 milliards de dollars de dommages matériels), la ville de Kobe s'est relevée assez rapidement.

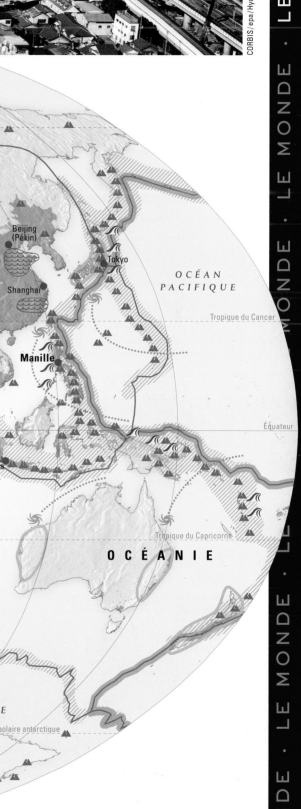

CORBIS/epa/Hyogo Prefectural Government.

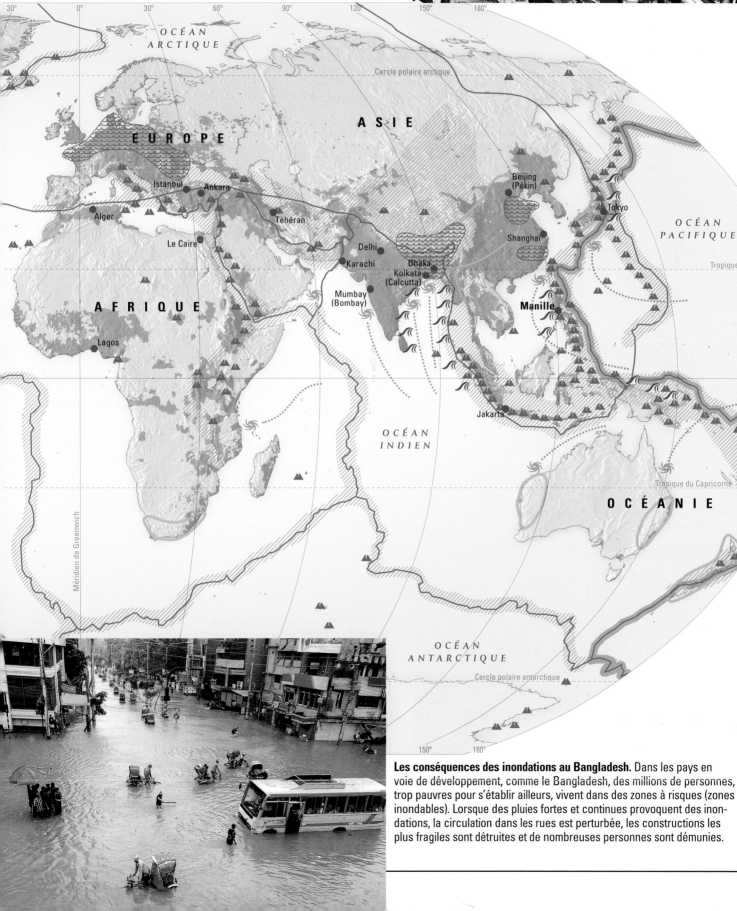

OCÉAN ARCTIQUE

Cercle polaire arctique

EUROPE

ASIE

Istanbul
Ankara
Alger
Téhéran
Le Caire
Delhi
Karachi
Beijing (Pékin)
Tokyo
Shanghai
Dhaka
Kolkata (Calcutta)
Mumbay (Bombay)
Manille

AFRIQUE

Lagos

OCÉAN PACIFIQUE

Tropique du Cancer

Équateur

Jakarta

OCÉAN INDIEN

OCÉANIE

Tropique du Capricorne

Méridien de Greenwich

OCÉAN ANTARCTIQUE

Cercle polaire antarctique

**Les conséquences des inondations au Bangladesh.** Dans les pays en voie de développement, comme le Bangladesh, des millions de personnes, trop pauvres pour s'établir ailleurs, vivent dans des zones à risques (zones inondables). Lorsque des pluies fortes et continues provoquent des inondations, la circulation dans les rues est perturbée, les constructions les plus fragiles sont détruites et de nombreuses personnes sont démunies.

# LE PATRIMOINE MONDIAL

Aux quatre coins du monde, des sites ont marqué l'histoire, d'autres ont été façonnés par elle. Ces témoins du passé ont une valeur exceptionnelle pour l'humanité. Mais tout précieux qu'ils soient, ces biens ne sont pas éternels. Certains sont en réel danger ; beaucoup sont déjà perdus. Les menaces ne manquent pas : pollution, guerre, pauvreté, urbanisation non planifiée, tourisme incontrôlé, ignorance et irresponsabilité, pour n'en nommer que quelques-unes. Voilà pourquoi l'Unesco[1] encourage l'identification, la protection et la préservation du patrimoine culturel et naturel dans le monde entier.

1. Organisation des Nations unies pour l'éducation, la science et la culture.

Au début de 2006, il y avait 812 sites inscrits sur la Liste du patrimoine mondial de l'Unesco. Chacun de ces sites correspond à un point sur le planisphère ci-dessous. Les sites mentionnés sont représentés ici ou dans les pages indiquées.

**Arrondissement historique de Québec**
▶ p. 74-77

**Parcs des montagnes Rocheuses canadiennes**
▶ p. 42-43

**Îles Galapagos**
▶ p. 98-99

**Machu Picchu au Pérou**

Cercle polaire arctique

CANADA

AMÉRIQUE DU NORD

Québec

ÉTATS-UNIS

OCÉAN ATLANTIQUE

Tropique du Cancer

MEXIQUE

AMÉRIQUE CENTRALE

Antilles

OCÉAN PACIFIQUE

Équateur

Polynésie

PÉROU

AMÉRIQUE DU SUD

BRÉSIL

Tropique du Capricorne

ARGENTINE

OCÉAN ANTARCTIQUE

Cercle polaire antarctique

ANTARCTIQUE

### Échelle

1 : 86 600 000

(projection de Robinson)

0    1000    2000 km

1 cm sur la carte à l'équateur équivaut à 866 km sur le terrain.

### Légende

—— Frontière internationale
● Site naturel
● Site culturel
● Site naturel et culturel

Source : Liste du patrimoine mondial de l'Unesco, 2006.

CORBIS/zefa : L.D. Gordon.

**Le Machu Picchu, au Pérou.** Inscrit sur la Liste du patrimoine mondial de l'Unesco en 1983, le Machu Picchu est une ancienne cité inca perchée sur les hauteurs de la cordillère des Andes.

**La Grande Muraille de Chine.** Inscrite sur la Liste du patrimoine mondial de l'Unesco en 1987, elle est le plus gigantesque ouvrage de génie militaire du monde.

CORBIS/Free Agents Limited.

**Rives de la Seine à Paris** ▶ p. 104-105

**Centre historique de Rome** ▶ p. 110-111

**Acropole d'Athènes** ▶ p. 112-113

**Grande Muraille de Chine**

**Palais d'été de Beijing** ▶ p. 120-121

**Parc national de Serengeti, en Tanzanie** ▶ p. 132-133

OCÉAN ARCTIQUE

Cercle polaire arctique

SUÈDE

ROYAUME-UNI

FRANCE

ESPAGNE

PORTUGAL

MAROC

TUNISIE

ÉGYPTE

ÉGAL

AFRIQUE

CÔTE D'IVOIRE

AFRIQUE DU SUD

Méridien de Greenwich

EUROPE

RUSSIE

ASIE

CHINE

INDE

TAIWAN

JAPON

THAÏLANDE

PHILIPPINES

SINGAPOUR

INDONÉSIE

SEYCHELLES

OCÉAN INDIEN

La Réunion

OCÉAN PACIFIQUE

OCÉANIE

AUSTRALIE

Tropique du Cancer

Équateur

Tropique du Capricorne

SUPERSTOCK: J. Urbach.

**Le parc national de Serengeti, en Tanzanie.** Ce parc figure dans la Liste du patrimoine mondial de l'Unesco depuis 1981. Il abrite la plus grande concentration d'animaux des plaines d'Afrique.

# LA DISPONIBILITÉ DE L'EAU

L'accès à l'eau, est-ce un droit ou un privilège ? L'eau coule en abondance sur la Terre, mais tout le monde n'y a pas accès. Cela est particulièrement vrai là où il y a de fortes concentrations de population, comme dans les métropoles des pays en voie de développement. Plus d'un milliard de personnes sont exposées quotidiennement aux dangers et aux humiliations liés à un approvisionnement en eau potable insuffisant (aqueduc) ou à des installations d'assainissement inadéquates (égout). Chaque année, les maladies liées à la consommation d'une eau impropre font près de 10 millions de victimes dans le monde. C'est autant de victimes que ferait l'écrasement de 80 gros avions bondés de gens, chaque jour !

« Malgré son importance et son caractère souvent sacré, l'eau continue partout dans le monde à être gaspillée et souillée, dans les villes comme dans les campagnes. À ce jour, 18 % de la population mondiale n'a pas l'eau potable ; 40 % n'a pas de moyens d'hygiène élémentaires ; chaque jour, les maladies causées par l'eau souillée font 6000 morts, surtout des enfants. »

Source : Extrait du message du Secrétaire général de l'Organisation des Nations unies (ONU), Kofi Annan, à l'occasion de la Journée mondiale de l'eau, 22 mars 2006.

## Légende

- ● Métropole
- ◊ Disponibilité en eau douce par continent (en pourcentage du total)
- ◯ Population (en pourcentage de la population mondiale)
- ▽ Population disposant de l'eau potable (en pourcentage)
- ♦ Population disposant d'installations sanitaires (en pourcentage)

### Les ressources en eau disponibles et leur utilisation

| ◊ | ◯ | ▽ | ♦ |
|---|---|---|---|
| 15 % | 8 % | 95 % | 90 % |

**La consommation d'eau par secteur**

Industrie 47 %
Usage domestique 13 %
Agriculture 40 %

### Les ressources en eau disponibles et leur utilisation

| ◊ | ◯ | ▽ | ♦ |
|---|---|---|---|
| 26 % | 6 % | 89 % | 75 % |

**La consommation d'eau par secteur**

Industrie 9 %
Usage domestique 19 %
Agriculture 72 %

OCÉAN ARCTIQUE

Cercle polaire arctique

AMÉRIQUE DU NORD

Montréal
New York

OCÉAN ATLANTIQUE

Mexico

AMÉRIQUE CENTRALE

Tropique du Cancer

Équateur

OCÉAN PACIFIQUE

AMÉRIQUE DU SUD

Tropique du Capricorne

Cercle polaire antarctique

OCÉAN ANTARCTIQUE

ANTARCTIQUE

CORBIS/Reuters.

**La rareté de l'eau.** Des femmes et des enfants attendent l'approvisionnement en eau, en période de sécheresse. Dans les pays en voie de développement, les femmes et les enfants consacrent en moyenne de quatre à six heures par jour à la recherche d'eau.

## Échelle

1 : 86 600 000
(projection de Robinson)

0      1000      2000 km

1 cm sur la carte à l'équateur équivaut à 866 km sur le terrain.

Sources des statistiques : BANQUE MONDIALE, *World Development Indicators 2005*, et ONU/WWAP (Nations unies/Programme mondial pour l'évaluation des ressources en eau), *L'eau pour les hommes, L'eau pour la vie*, 2003 (pour les statistiques accompagnant les pictogrammes); Organisation des Nations unies pour l'alimentation et l'agriculture (FAO), 2005 (pour les statistiques des graphiques circulaires).

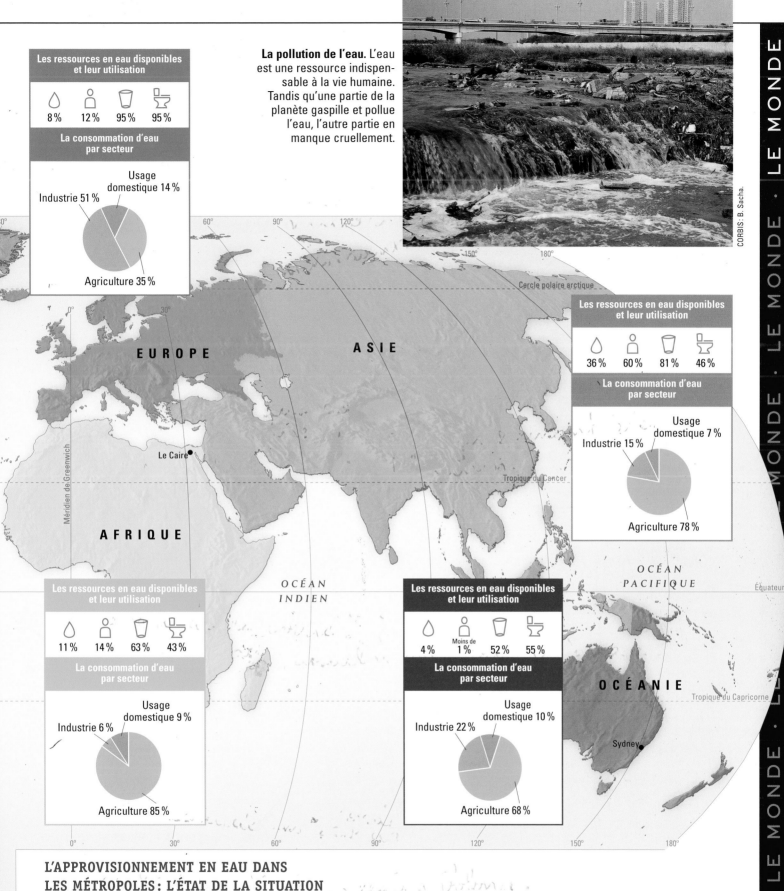

**Les ressources en eau disponibles et leur utilisation**

| | | | |
|---|---|---|---|
| 8 % | 12 % | 95 % | 95 % |

**La consommation d'eau par secteur**

Usage domestique 14 %
Industrie 51 %
Agriculture 35 %

**La pollution de l'eau.** L'eau est une ressource indispensable à la vie humaine. Tandis qu'une partie de la planète gaspille et pollue l'eau, l'autre partie en manque cruellement.

CORBIS: B. Sacha.

**Les ressources en eau disponibles et leur utilisation**

| | | | |
|---|---|---|---|
| 36 % | 60 % | 81 % | 46 % |

**La consommation d'eau par secteur**

Usage domestique 7 %
Industrie 15 %
Agriculture 78 %

**Les ressources en eau disponibles et leur utilisation**

| | | | |
|---|---|---|---|
| 11 % | 14 % | 63 % | 43 % |

**La consommation d'eau par secteur**

Usage domestique 9 %
Industrie 6 %
Agriculture 85 %

**Les ressources en eau disponibles et leur utilisation**

| | | | |
|---|---|---|---|
| 4 % | Moins de 1 % | 52 % | 55 % |

**La consommation d'eau par secteur**

Usage domestique 10 %
Industrie 22 %
Agriculture 68 %

EUROPE
ASIE
AFRIQUE
Le Caire
OCÉAN INDIEN
OCÉAN PACIFIQUE
OCÉANIE
Sydney

Cercle polaire arctique
Tropique du Cancer
Équateur
Tropique du Capricorne
Méridien de Greenwich

## L'APPROVISIONNEMENT EN EAU DANS LES MÉTROPOLES : L'ÉTAT DE LA SITUATION

Les besoins en eau douce sont de plus en plus grands avec la croissance de la population mondiale, particulièrement celle des métropoles. Depuis 50 ans, l'explosion urbaine, avec une croissance de plus de 100 millions de personnes par an, a multiplié par 5 la consommation de l'eau dans les villes.

L'eau est devenue plus rare, sa consommation croît et les coûts liés à son traitement augmentent. Ces difficultés sont accentuées dans les pays en voie de développement où l'urbanisation effrénée n'est pas maîtrisée. Chaque personne doit être mise à contribution dans la recherche de solutions en faisant d'abord et avant tout des gestes pour éviter de gaspiller l'eau potable. L'eau est un enjeu planétaire qui concerne tout le monde. L'accès à l'eau est un droit humain, non un privilège.

# L'AGRICULTURE

La terre fournit une quantité et une diversité considérables de produits alimentaires de qualité. Pour augmenter la productivité de leurs terres, les agriculteurs font appel à des pratiques agricoles hautement performantes qui ne sont pas sans risques pour l'environnement. Notre planète doit faire face à des enjeux de taille. À l'heure où des millions de personnes sont au bord de la famine, il faut s'assurer que la distribution des ressources alimentaires soit faite avec plus d'équité. Il faut aussi chercher à concilier la productivité agricole avec le respect de l'environnement.

CORBIS- R. Holmes.

**La viticulture en Californie.** La culture de la vigne dans l'État de la Californie, aux États-Unis, est pratiquée de manière intensive.

## Le territoire occupé par des terres cultivées dans le monde en 2000

**Échelle**

1 : 216 000 000

(projection de Robinson)

0   2500   5000 km

1 cm sur la carte à l'équateur équivaut à 2160 km sur le terrain.

Sources: ORGANISATION DES NATIONS UNIES POUR L'ALIMENTATION ET L'AGRICULTURE (FAO), *Annuaire statistique de la FAO, 2005-2006.*

**Légende**

—— Frontière internationale

Pourcentage du territoire occupé par des terres cultivées

☐ De 0 à 14 %
☐ De 15 à 29 %
☐ De 30 à 49 %
☐ 50 % et plus
☐ Données non disponibles

La superficie des terres cultivées dans le monde est limitée, et ce, en raison de plusieurs facteurs. Par exemple, un relief en pente, une saison végétative trop courte, le manque d'eau et l'infertilité des sols ne sont pas des facteurs favorables à la pratique de l'agriculture.

À l'échelle mondiale, plus de 40 % de la population vit de l'agriculture. Dans les pays à développement humain élevé, cette proportion baisse et atteint une moyenne de 5 %. On y pratique une agriculture commerciale à l'aide d'une machinerie spécialisée. Dans les pays à développement humain faible, la proportion s'élève à une moyenne de 75 %. On y pratique généralement une agriculture de subsistance destinée principalement à nourrir ceux et celles qui la pratiquent. Elle est caractérisée notamment par l'absence de machinerie et un faible rendement des terres.

## La population vivant de l'agriculture dans quelques pays en 2004
### (en pourcentage de la population totale du pays)

| Pays à développement humain élevé[1] | | Pays à développement humain moyen | | Pays à développement humain faible | |
|---|---|---|---|---|---|
| Grèce | 12 % | Chine | 66 % | Burkina Faso | 92 % |
| Argentine | 9 % | Guatemala | 47 % | Burundi | 90 % |
| Espagne | 6 % | Thaïlande | 46 % | Niger | 87 % |
| Australie | 4 % | Indonésie | 41 % | Éthiopie | 81 % |
| Italie | 4 % | Pérou | 28 % | Mali | 79 % |
| Japon | 3 % | Mexique | 21 % | Mozambique | 76 % |
| France | 3 % | Colombie | 19 % | Afghanistan | 66 % |
| Allemagne | 2 % | Brésil | 14 % | Haïti | 60 % |
| Canada | 2 % | Afrique du Sud | 12 % | Sierra Leone | 60 % |
| États-Unis | 2 % | Russie | 9 % | Bangladesh | 52 % |

1. Le classement des pays, selon leur développement humain, a été fait à partir de l'indicateur de développement humain (IDH). Il s'agit d'une méthode de calcul mise au point par le Programme des Nations unies pour le développement (PNUD) en 1990. Cet indicateur tient compte de l'espérance de vie, du niveau d'éducation et du revenu des habitants par pays. (Voir aussi les pages 18 et 19 de l'atlas.)

Source: ORGANISATION DES NATIONS UNIES POUR L'ALIMENTATION ET L'AGRICULTURE (FAO), *La situation mondiale de l'alimentation et de l'agriculture*, 2005.

**L'alimentation dans le monde en 2004 (en fonction du nombre de calories absorbées chaque jour par habitant dans chaque pays)**

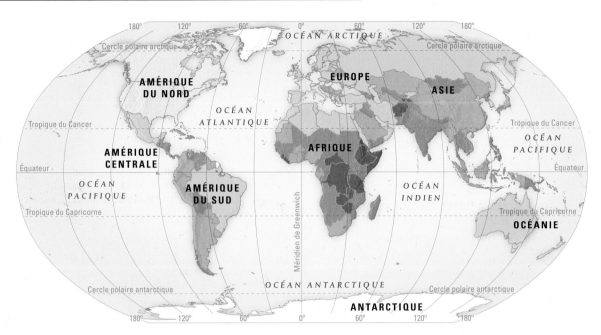

En moyenne, la ration alimentaire quotidienne qui permet à une personne adulte de vivre en bonne santé est de 2400 calories. Au-dessous de cette moyenne, une population souffre de sous-alimentation. L'Organisation des Nations unies (ONU) estime qu'un Africain sur quatre, un Asiatique sur quatre et un Sud-Américain sur sept sont sous-alimentés, soit environ un milliard de personnes dans le monde ! La planète n'a jamais produit autant de nourriture et... on n'a jamais compté autant de personnes affamées. L'élimination du problème de la faim et de la malnutrition dans le monde est l'un des grands défis à relever.

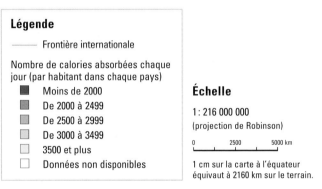

**Légende**

—— Frontière internationale

Nombre de calories absorbées chaque jour (par habitant dans chaque pays)

- Moins de 2000
- De 2000 à 2499
- De 2500 à 2999
- De 3000 à 3499
- 3500 et plus
- Données non disponibles

**Échelle**

1 : 216 000 000
(projection de Robinson)

0      2500      5000 km

1 cm sur la carte à l'équateur équivaut à 2160 km sur le terrain.

Source : Organisation des Nations unies pour l'alimentation et l'agriculture (FAO), Division de la statistique, 2006.

### DES RISQUES POUR L'ENVIRONNEMENT

Les activités agricoles exercent des pressions sur l'environnement par l'utilisation d'engrais chimiques, de pesticides et d'antibiotiques qui permettent d'obtenir de meilleurs rendements des terres agricoles et des élevages d'animaux. Mais ces pratiques polluent les sols, les cours d'eau et les eaux souterraines, et nuisent à la santé des travailleurs agricoles et des consommateurs.

Dans les zones équatoriales, comme en Amazonie, on supprime des forêts entières pour obtenir de nouvelles terres à cultiver. La déforestation a toutefois de fâcheuses conséquences : par exemple, de nombreuses espèces animales et végétales disparaissent, et les sols dénudés et érodés perdent leur productivité et aggravent les inondations.

Enfin, les systèmes d'irrigation mis en place pour rentabiliser certaines cultures contribuent à l'épuisement des ressources en eau. Ils peuvent aussi provoquer, à certains endroits, la transformation en désert d'un espace fertile, un phénomène appelé « désertification ».

AFP/Getty.

**Rizières inondées au Bangladesh.** Des dangers guettent certains territoires agricoles dans le monde. Au Bangladesh, par exemple, les cyclones tropicaux et la mousson d'été amènent des pluies torrentielles qui provoquent d'importantes inondations. Celles-ci emportent tout : les personnes, les habitations et les récoltes.

# LA FORÊT

La forêt constitue une ressource naturelle importante. Elle est à la base du développement économique de plusieurs régions dans le monde et elle fournit des milliers d'emplois. Mais la forêt n'est pas inépuisable. Son exploitation intensive a des conséquences sur l'environnement et soulève des discussions à l'échelle de la planète. Le déboisement des forêts, par exemple, provoque la disparition d'habitats, c'est-à-dire de milieux propres à la vie de diverses espèces animales ou végétales. Il est nécessaire d'exercer une gestion responsable de la ressource pour en assurer le développement à long terme. Outre l'exploitation, il importe de préserver aussi la forêt pour le bénéfice des populations qui y pratiquent des activités récréotouristiques. Par ailleurs, plus de quatre milliards d'hectares[1] sont occupés par des forêts sur la planète. Cela représente 30 % de la superficie totale du globe.

Comme le montre la carte, les forêts sont inégalement réparties dans le monde. La Russie comprend 21 % des forêts, le Brésil 14 %, le Canada 6 %, les États-Unis 5 % et la Chine 4 %. À eux seuls, ces 5 pays possèdent 50 % des forêts de la planète.

> Sur la carte ci-dessous, trois territoires forestiers sont représentés. Pour en savoir plus sur ces territoires et sur la façon dont on y gère la forêt, se reporter aux pages de l'atlas qui sont données en référence.

1. L'hectare (symbole : ha) est une unité de mesure de superficie qui équivaut à 10 000 m².

## Les forêts dans le monde

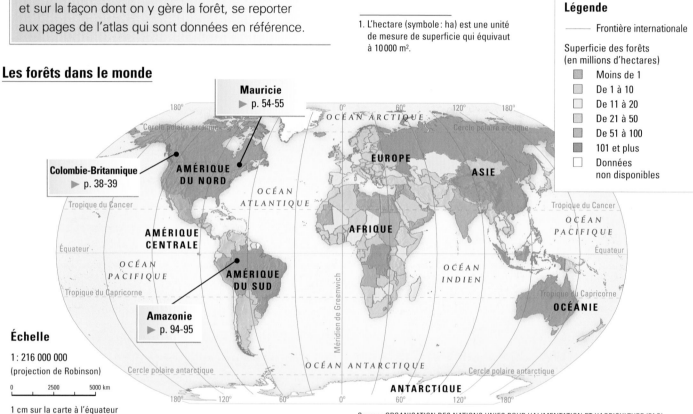

Mauricie ▶ p. 54-55

Colombie-Britannique ▶ p. 38-39

Amazonie ▶ p. 94-95

**Légende**

— Frontière internationale

Superficie des forêts (en millions d'hectares)

- Moins de 1
- De 1 à 10
- De 11 à 20
- De 21 à 50
- De 51 à 100
- 101 et plus
- Données non disponibles

**Échelle**

1 : 216 000 000
(projection de Robinson)

0      2500      5000 km

1 cm sur la carte à l'équateur équivaut à 2160 km sur le terrain.

Source : ORGANISATION DES NATIONS UNIES POUR L'ALIMENTATION ET L'AGRICULTURE (FAO), *Situation des forêts du monde*, 2005.

CORBIS/Reuters : R. Rogers.

**La déforestation en Amazonie, vaste région de l'Amérique du Sud.**
Surnommée le « poumon de la planète » en raison des grandes quantités de gaz carbonique qu'elle absorbe, l'Amazonie est la plus grande forêt du monde. Le déboisement qu'on y pratique constitue, entre autres, une menace majeure pour la vie végétale et animale.

TESSIMA : Y. Tessier.

**Le récréotourisme dans la région de la Mauricie, au Québec.**
Dans de nombreux pays, la forêt est devenue un atout touristique important. Des parcs sont aménagés pour accueillir la population qui pratique des activités de plein air.

# L'ÉNERGIE

Les ressources énergétiques varient en quantité d'une région du monde à une autre. Certains pays en ont en abondance, d'autres en manquent et doivent s'en procurer. Les énergies fossiles, c'est-à-dire le pétrole, le gaz naturel et le charbon, sont les plus utilisées et, de ce fait, les plus convoitées. Elles représentent 85 % de la consommation mondiale d'énergie.

Les pays développés, c'est-à-dire fortement industrialisés, sont les plus grands consommateurs d'énergie. Les pays récemment industrialisés ou en voie de l'être en consomment de plus en plus.

La demande énergétique augmente donc constamment. Or, la production et l'utilisation des énergies fossiles sont à l'origine de la pollution et du réchauffement climatique lié à l'effet de serre. De nouvelles sources d'énergie, à la fois renouvelables et non polluantes, permettraient-elles de respecter davantage l'équilibre écologique de la planète ?

Sur la carte ci-dessous, quatre territoires énergétiques sont représentés par des points noirs : l'Alberta, la Côte-Nord, la Jamésie et le golfe Persique. Pour en savoir plus sur ces territoires et sur la façon dont ils gèrent l'exploitation, la commercialisation ou la consommation de leurs principales ressources énergétiques, on peut se reporter aux pages mentionnées de l'atlas.

## La consommation annuelle d'énergie dans le monde en 2005

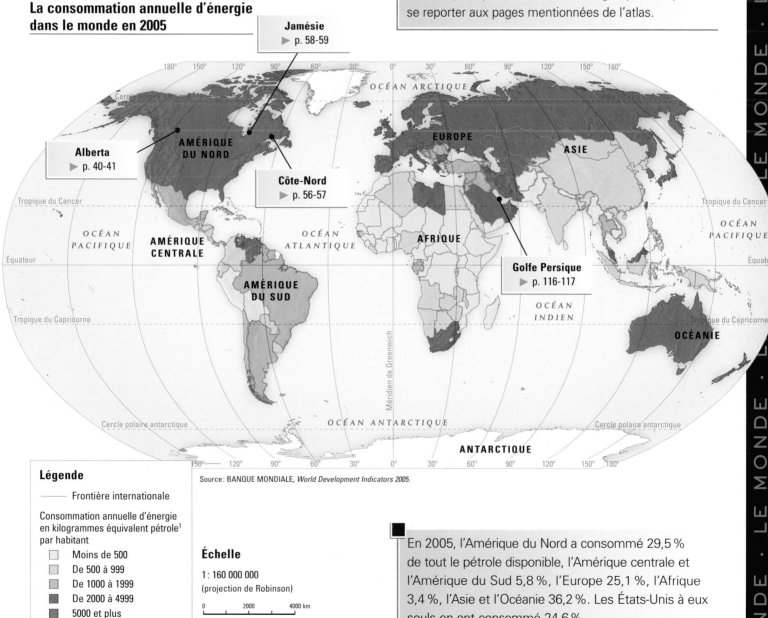

Jamésie
▶ p. 58-59

Alberta
▶ p. 40-41

Côte-Nord
▶ p. 56-57

Golfe Persique
▶ p. 116-117

Source : BANQUE MONDIALE, *World Development Indicators 2005.*

### Légende

— Frontière internationale

Consommation annuelle d'énergie en kilogrammes équivalent pétrole[1] par habitant

- ☐ Moins de 500
- ☐ De 500 à 999
- ☐ De 1000 à 1999
- ☐ De 2000 à 4999
- ■ 5000 et plus
- ☐ Données non disponibles

### Échelle

1 : 160 000 000
(projection de Robinson)

0      2000      4000 km

1 cm sur la carte à l'équateur équivaut à 1600 km sur le terrain.

En 2005, l'Amérique du Nord a consommé 29,5 % de tout le pétrole disponible, l'Amérique centrale et l'Amérique du Sud 5,8 %, l'Europe 25,1 %, l'Afrique 3,4 %, l'Asie et l'Océanie 36,2 %. Les États-Unis à eux seuls en ont consommé 24,6 %.

Source : BP Statistical Review of World Energy 2006.

1. Pour comparer les sources d'énergie entre elles, on utilise le kilogramme équivalent pétrole. Un kilogramme équivalent pétrole, c'est la quantité d'énergie contenue dans un kilogramme de pétrole.

L'Amérique du Nord est bordée à l'est par l'océan Atlantique, au nord par l'océan Arctique, à l'ouest par l'océan Pacifique et au sud par l'isthme de Tehuantepec, situé au sud du Mexique et séparant l'Amérique du Nord de l'Amérique centrale. Celle-ci est formée d'un isthme qui relie l'Amérique du Nord et l'Amérique du Sud, et d'un groupe d'îles, les Antilles, qui baignent dans la mer du même nom.

Le Groenland est considéré comme la plus grande île du monde. La majeure partie du territoire est recouverte de glace.

Le point culminant de l'Amérique du Nord est le mont McKinley, situé en Alaska (États-Unis). Il fait partie du parc national de Denali depuis 1980.

Le continent américain porte le prénom d'Amerigo Vespucci, navigateur italien ayant effectué des expéditions dans le Nouveau Monde entre 1499 et 1502.

**Légende**

— Frontière internationale
▲ Montagne
□ Calotte glaciaire

Altitude
Plus de 3000 m
2000-3000 m
1000-2000 m
500-1000 m
200-500 m
0-200 m

Profondeur de l'eau
Moins de 200 m
200-2000 m
2000-4000 m
Plus de 4000 m

**Échelle**

1 : 45 500 000
(projection de Lambert)

0     500     1000 km

1 cm sur la carte équivaut à 455 km sur le terrain.

# L'AMÉRIQUE DU NORD ET CENTRALE POLITIQUE

Trois pays, le Canada, les États-Unis et le Mexique, ainsi qu'un territoire, le Groenland, occupent la plus grande portion de l'Amérique du Nord. L'Amérique centrale compte sept pays dans sa partie continentale, et, dans sa partie insulaire, ou Antilles, 13 pays et de nombreux territoires appartenant à divers États.

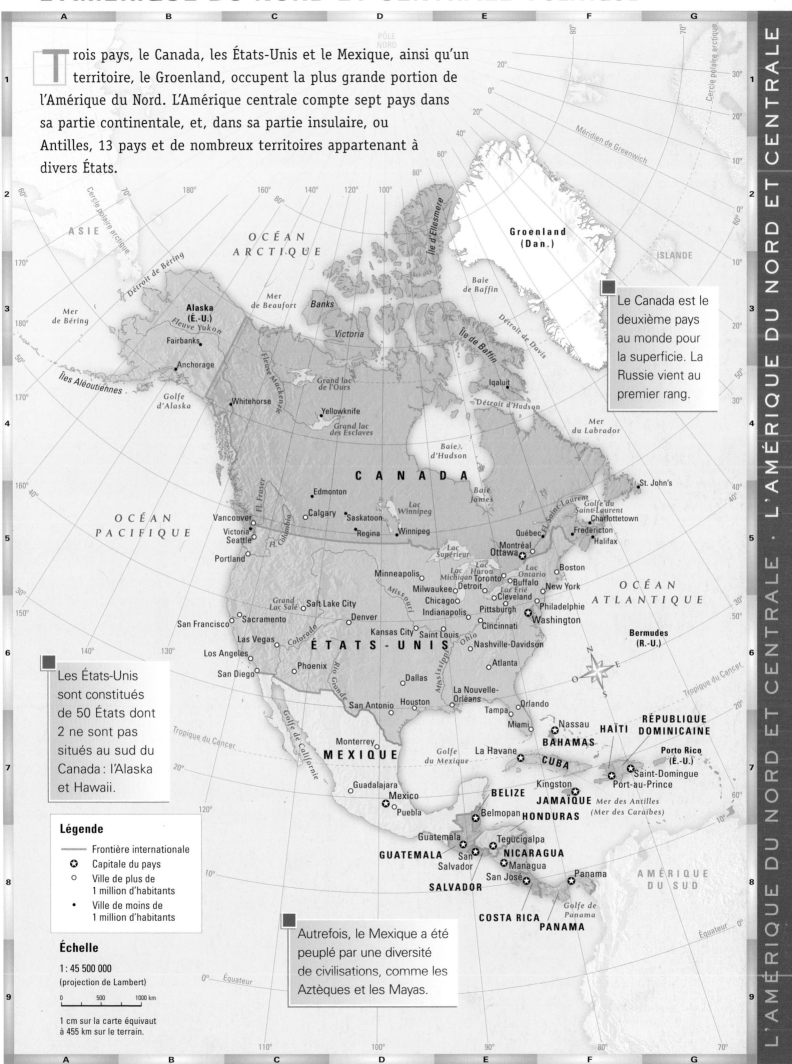

Le Canada est le deuxième pays au monde pour la superficie. La Russie vient au premier rang.

Les États-Unis sont constitués de 50 États dont 2 ne sont pas situés au sud du Canada : l'Alaska et Hawaii.

Autrefois, le Mexique a été peuplé par une diversité de civilisations, comme les Aztèques et les Mayas.

## Légende

— Frontière internationale

⊛ Capitale du pays

○ Ville de plus de 1 million d'habitants

• Ville de moins de 1 million d'habitants

## Échelle

1 : 45 500 000

(projection de Lambert)

0    500    1000 km

1 cm sur la carte équivaut à 455 km sur le terrain.

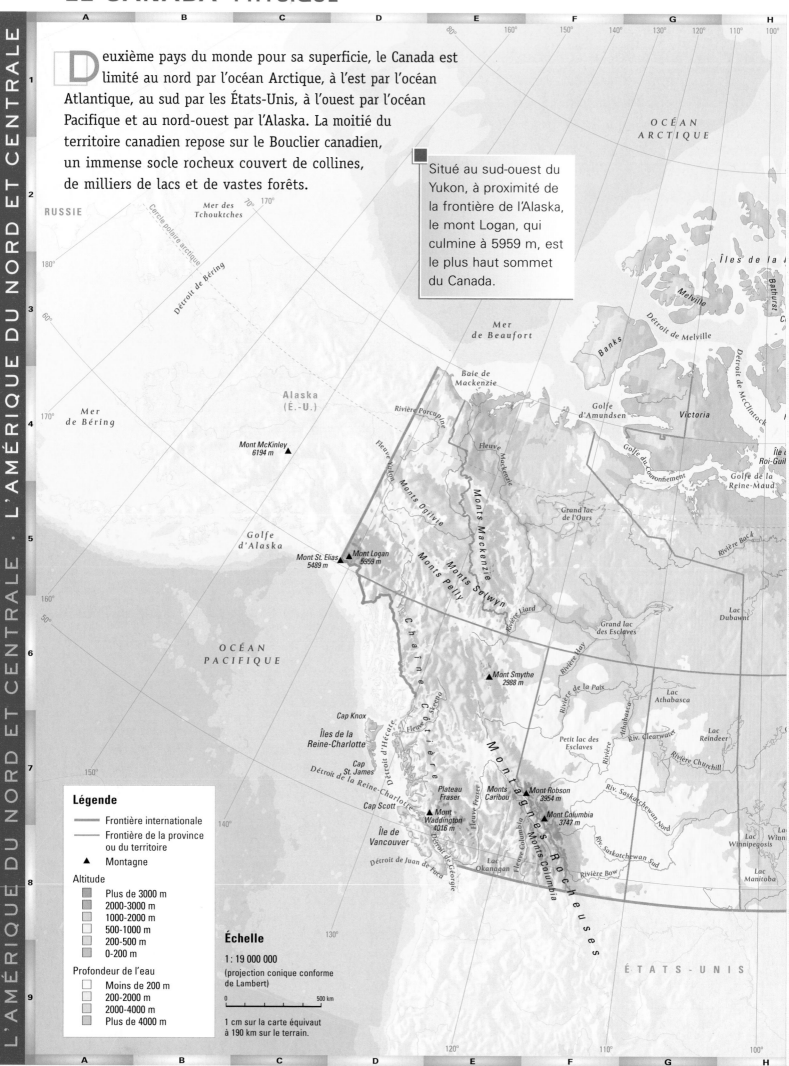

**D**euxième pays du monde pour sa superficie, le Canada est limité au nord par l'océan Arctique, à l'est par l'océan Atlantique, au sud par les États-Unis, à l'ouest par l'océan Pacifique et au nord-ouest par l'Alaska. La moitié du territoire canadien repose sur le Bouclier canadien, un immense socle rocheux couvert de collines, de milliers de lacs et de vastes forêts.

Situé au sud-ouest du Yukon, à proximité de la frontière de l'Alaska, le mont Logan, qui culmine à 5959 m, est le plus haut sommet du Canada.

**Légende**

— Frontière internationale
— Frontière de la province ou du territoire
▲ Montagne

**Altitude**
- Plus de 3000 m
- 2000-3000 m
- 1000-2000 m
- 500-1000 m
- 200-500 m
- 0-200 m

**Profondeur de l'eau**
- Moins de 200 m
- 200-2000 m
- 2000-4000 m
- Plus de 4000 m

**Échelle**

1 : 19 000 000
(projection conique conforme de Lambert)

0 ———————— 500 km

1 cm sur la carte équivaut à 190 km sur le terrain.

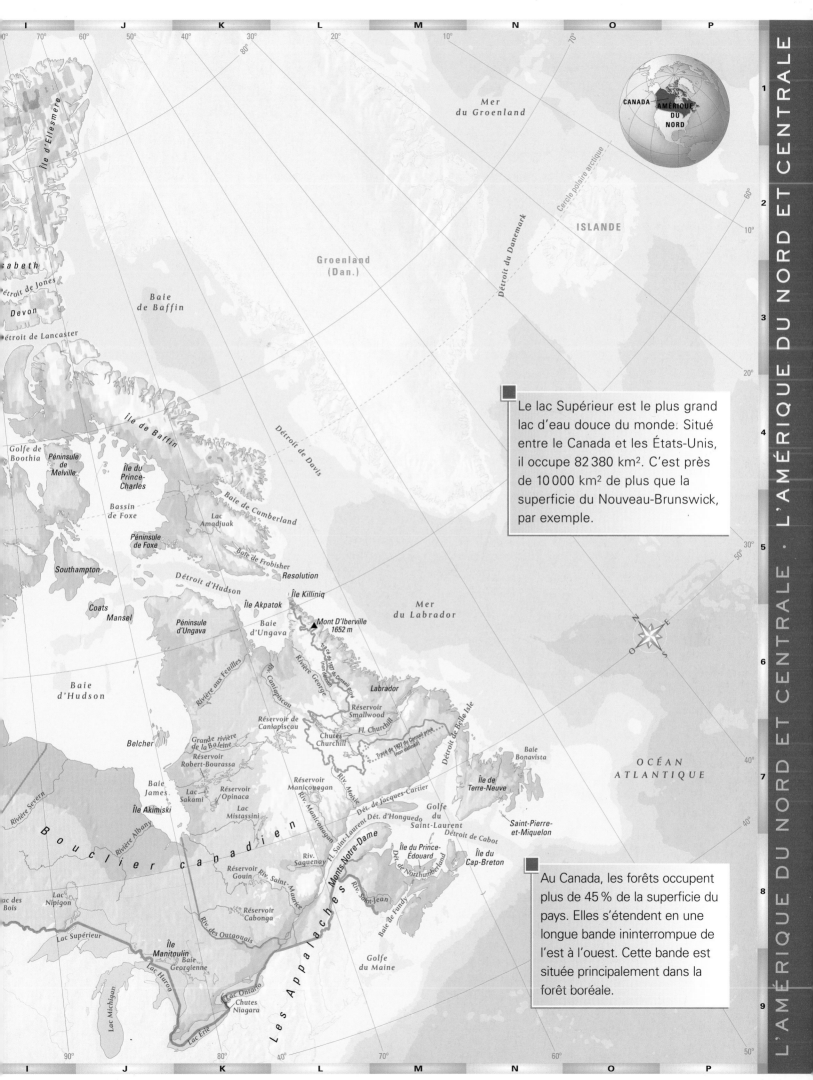

Mer du Groenland

CANADA AMÉRIQUE DU NORD

ISLANDE

Cercle polaire arctique

Île d'Ellesmere

80°

sabeth

Détroit de Jones

Devon

Détroit de Lancaster

Baie de Baffin

Groenland (Dan.)

Détroit du Danemark

Golfe de Boothia

Péninsule de Melville

Île du Prince-Charles

Île de Baffin

Bassin de Foxe

Lac Amadjuak

Baie de Cumberland

Détroit de Davis

Péninsule de Foxe

Baie de Frobisher

Le lac Supérieur est le plus grand lac d'eau douce du monde. Situé entre le Canada et les États-Unis, il occupe 82 380 km². C'est près de 10 000 km² de plus que la superficie du Nouveau-Brunswick, par exemple.

Southampton

Détroit d'Hudson

Resolution

Île Killiniq

Île Akpatok

Mer du Labrador

Coats

Mansel

Péninsule d'Ungava

Baie d'Ungava

Mont D'Iberville 1652 m

Baie d'Hudson

Rivière aux Feuilles

Riv. Caniapiscau

Rivière George

Tracé de 1927 du Conseil privé (non définitif)

Labrador

Réservoir Smallwood

Belcher

Réservoir de Caniapiscau

Grande rivière de la Baleine

Chutes Churchill

Fl. Churchill

Détroit de Belle Isle

Baie Bonavista

OCÉAN ATLANTIQUE

Tracé de 1927 du Conseil privé (non définitif)

Réservoir Robert-Bourassa

Réservoir Manicouagan

Riv. Moisie

Île de Terre-Neuve

Baie James

Lac Sakami

Réservoir Opinaca

Riv. Manicouagan

Dét. de Jacques-Cartier

Saint-Pierre-et-Miquelon

Île Akimiski

Lac Mistassini

Dét. d'Honguedo

Golfe du Saint-Laurent

Détroit de Cabot

Rivière Severn

Rivière Albany

B o u c l i e r   c a n a d i e n

Fl. Saint-Laurent

Riv. Saguenay

Riv. Saint-Maurice

Monts Notre-Dame

Île du Prince-Édouard

Dét. de Northumberland

Île du Cap-Breton

Lac des Bois

Lac Nipigon

Réservoir Gouin

Riv. des Outaouais

Riv. Saint-Jean

Baie de Fundy

Au Canada, les forêts occupent plus de 45 % de la superficie du pays. Elles s'étendent en une longue bande ininterrompue de l'est à l'ouest. Cette bande est située principalement dans la forêt boréale.

Lac Supérieur

Île Manitoulin

Baie Georgienne

Réservoir Cabonga

L e s   A p p a l a c h e s

Golfe du Maine

Lac Michigan

Lac Huron

Chutes Niagara

Lac Ontario

Lac Érié

Le Canada est divisé en 10 provinces et en 3 territoires (Territoire du Yukon, Territoires du Nord-Ouest et Nunavut) qui s'étendent de l'océan Atlantique à l'océan Pacifique. Au cours de son histoire, le Canada a créé de nombreux liens avec le reste du monde. Le savoir-faire des Canadiens a dépassé les frontières du pays, conférant graduellement au Canada une renommée internationale. Le Cirque du Soleil, Céline Dion, Bombardier, Alcan, Spar Aerospace, entre autres, sont ainsi reconnus de par le monde.

Le 1er janvier 2006, la population du Canada était de 32,4 millions d'habitants. Les deux tiers des habitants sont concentrés dans les grandes villes comme Toronto, Montréal et Vancouver.

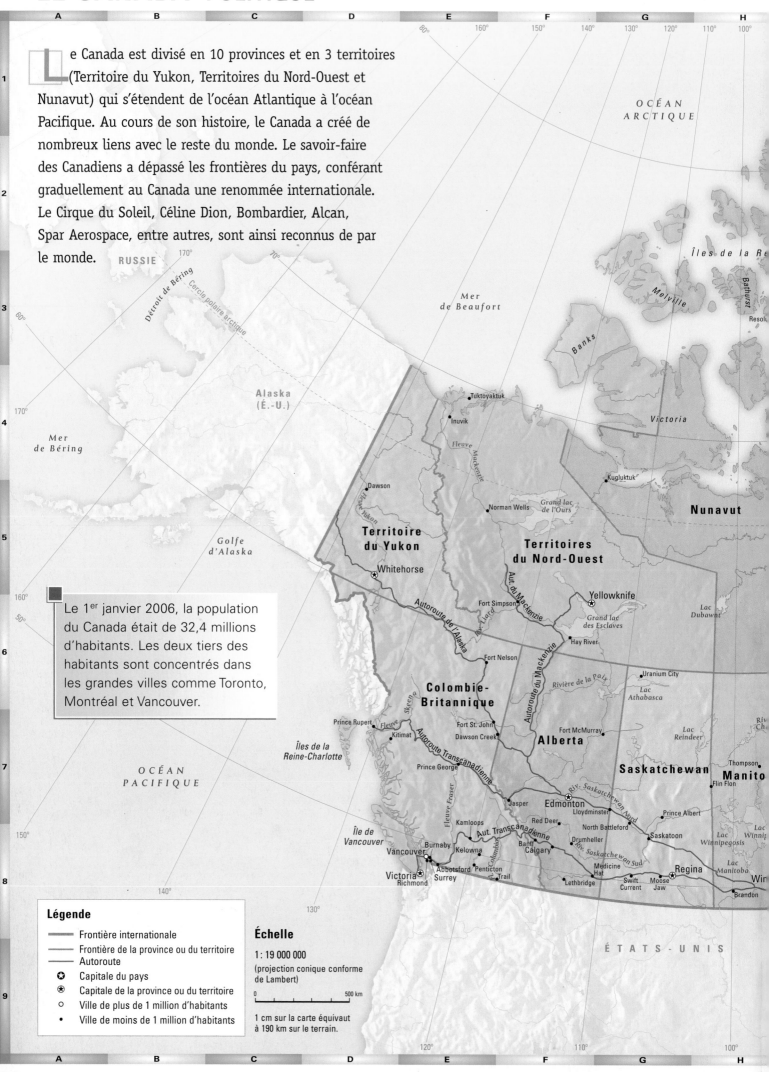

**Légende**

Frontière internationale
Frontière de la province ou du territoire
Autoroute
✪ Capitale du pays
✪ Capitale de la province ou du territoire
○ Ville de plus de 1 million d'habitants
• Ville de moins de 1 million d'habitants

**Échelle**

1 : 19 000 000
(projection conique conforme de Lambert)

0          500 km

1 cm sur la carte équivaut à 190 km sur le terrain.

CANADA — AMÉRIQUE DU NORD

Alert

Île d'Ellesmere

abeth

Devon

Baie
de Baffin

Groenland
(Dan.)

ISLANDE

Cercle polaire arctique

Arctic Bay

Île de Baffin

Golfe de
Boothia

Pangnirtung

Détroit de Davis

Au Canada, l'anglais est la langue maternelle de plus de 60 % des gens et le français est la langue maternelle de près de 25 % de la population.

Bassin
de Foxe

Repulse Bay

Iqaluit

Southampton

Détroit d'Hudson

Coats

Mansel

Salluit

Mer
du Labrador

Kangirsuk

Baie
d'Ungava

chill

Baie
d'Hudson

Inukjuak

Kuujjuaq

Riv. aux Feuilles

Riv. Caniapiscau

Tracé de 1927 du Conseil privé
(non défini)

Terre-Neuve-et-Labrador

OCÉAN
ATLANTIQUE

Belcher

Schefferville

Réservoir
Smallwood
Goose Bay

Baie
James

Réservoir
Robert-Bourassa

Québec

Labrador City

Fermont

Tracé de 1927 du Conseil privé
(non défini)

Détroit de Belle Isle

Gander

St. John's

Rivière Severn

Chisasibi

Réservoir
Manicouagan

Riv. Moisie

Corner Brook

Eastmain

Lac
Mistassini

Riv. Manicouagan

Sept-Îles

Île
d'Anticosti

Golfe
du
Saint-Laurent

Waskaganish

Port-Cartier

Saint-Pierre-et-Miquelon
(Fr.)

Rivière Albany

Chibougamau

Baie-Comeau

Gaspé

Île du Cap-Breton

Red Lake

Lac
Nipigon

Ontario

Hearst

Amos

Val-d'Or

Rivière
Saguenay

Réservoir
Gouin

Saguenay

Rivière
Saint-Maurice

Rimouski

Rivière-
du-Loup

Nouveau-
Brunswick

Bathurst

Sydney

Île-du-
Prince-
Édouard

Charlottetown

Moncton

nora
Lac
es Bois

Autoroute

Transcanadienne

Timmins

Kirkland Lake

Rouyn-Noranda

Québec

Lévis

Shawinigan

Trois-Rivières

Fredericton

Saint-Jean

Nouvelle-Écosse

Dartmouth

Halifax

Thunder Bay

Michipicoten

Riv. des Outaouais

Sherbrooke

Yarmouth

Lac Supérieur

Sudbury

North Bay

Laval

Longueuil

Montréal

Sault Ste. Marie

Baie
Georgienne

Gatineau

Ottawa

Golfe
du Maine

Lac Huron

Toronto

Kingston

Peterborough

Lac Ontario

Lac Michigan

Brampton

Oshawa

Kitchener

Mississauga

London

St. Catharines-Niagara

Hamilton

Windsor

Lac Érié

Selon le recensement de 2001, près d'un million de personnes, soit environ 3 % de la population canadienne, ont déclaré être des Autochtones.

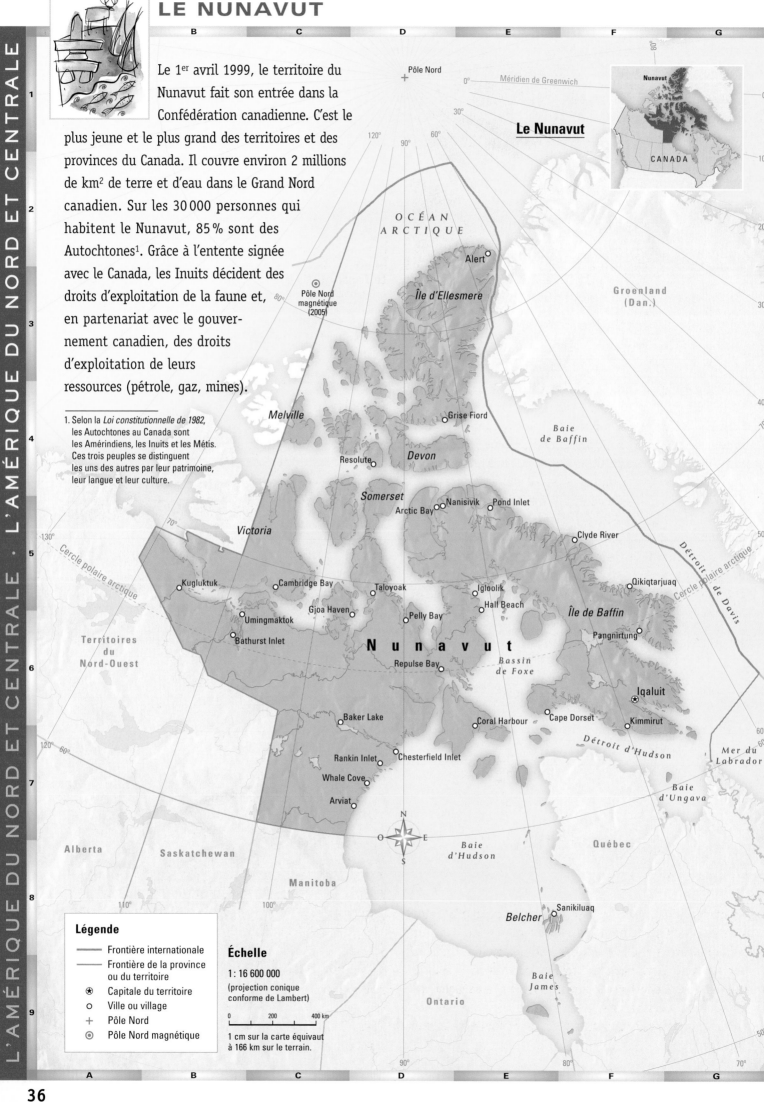

Le 1er avril 1999, le territoire du Nunavut fait son entrée dans la Confédération canadienne. C'est le plus jeune et le plus grand des territoires et des provinces du Canada. Il couvre environ 2 millions de km² de terre et d'eau dans le Grand Nord canadien. Sur les 30 000 personnes qui habitent le Nunavut, 85 % sont des Autochtones[1]. Grâce à l'entente signée avec le Canada, les Inuits décident des droits d'exploitation de la faune et, en partenariat avec le gouvernement canadien, des droits d'exploitation de leurs ressources (pétrole, gaz, mines).

1. Selon la *Loi constitutionnelle de 1982*, les Autochtones au Canada sont les Amérindiens, les Inuits et les Métis. Ces trois peuples se distinguent les uns des autres par leur patrimoine, leur langue et leur culture.

Le Nunavut

Nunavut

CANADA

OCÉAN ARCTIQUE

Pôle Nord

Méridien de Greenwich

Groenland (Dan.)

Alert

Île d'Ellesmere

Pôle Nord magnétique (2005)

Grise Fiord

Baie de Baffin

Melville

Devon

Resolute

Somerset

Nanisivik

Pond Inlet

Arctic Bay

Clyde River

Victoria

Cercle polaire arctique

Qikiqtarjuaq

Cercle polaire arctique

Kugluktuk

Cambridge Bay

Taloyoak

Igloolik

Île de Baffin

Gjoa Haven

Hall Beach

Détroit de Davis

Umingmaktok

Pelly Bay

Pangnirtung

Bathurst Inlet

**Nunavut**

Territoires du Nord-Ouest

Repulse Bay

Bassin de Foxe

Iqaluit

Baker Lake

Coral Harbour

Cape Dorset

Kimmirut

Rankin Inlet

Chesterfield Inlet

Détroit d'Hudson

Mer du Labrador

Whale Cove

Baie d'Ungava

Arviat

O      E

N      S

Baie d'Hudson

Québec

Alberta

Saskatchewan

Manitoba

Sanikiluaq

Belcher

Baie James

Ontario

**Légende**

── Frontière internationale
── Frontière de la province ou du territoire
⊛ Capitale du territoire
○ Ville ou village
+ Pôle Nord
⊙ Pôle Nord magnétique

**Échelle**

1 : 16 600 000

(projection conique conforme de Lambert)

0      200      400 km

1 cm sur la carte équivaut à 166 km sur le terrain.

Iqaluit. Située au sud-est de l'île de Baffin, Iqaluit est la capitale et la ville la plus peuplée du Nunavut. Elle compte environ 6000 habitants. La population est jeune et composée de 60 % d'Inuits.

Le drapeau du Nunavut. L'*inukshuk* est l'emblème du Nunavut. Il symbolise les monuments de pierre qui guident les gens sur leur chemin. L'étoile représente l'étoile Polaire. Les couleurs bleu et or symbolisent les richesses de la terre, de la mer et du ciel. Le rouge représente le Canada.

Source: Gouvernement du Nunavut, 2006.

## LE DROIT À L'AUTODÉTERMINATION

Répartis en 5000 ethnies, les Autochtones sont environ 300 millions à vivre dans plus de 70 pays. Ils représentent presque 4 % de la population mondiale. Bien que ce pourcentage soit faible à l'échelle planétaire, les nations autochtones sont présentes sur la scène politique mondiale depuis le milieu des années 1970. Des organisations autochtones internationales et le Groupe de travail sur les populations autochtones (GTPA), fondé en 1982 par les Nations unies, ont contribué à faire entendre leur voix. Pour les Autochtones, dont font partie les Inuits, la terre est le fondement de la vie et de la culture. Leurs revendications portent donc principalement sur la reconnaissance des droits ancestraux et territoriaux ainsi que sur la capacité de décider de manière autonome de la gestion des ressources naturelles.

Nunavut signifie « notre terre » en inuktitut, la langue des Inuits.

### Climatogramme d'Iqaluit

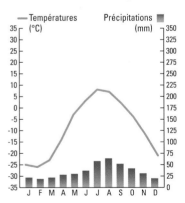

Source: MétéoMédia, 2006.

Le climat d'Iqaluit est polaire. Les hivers sont très longs et très froids alors que les étés sont frais et courts. Les précipitations ne sont pas très fortes en raison de la faible évaporation. Vivre dans une région arctique où le sol est gelé en permanence pose un grand défi pour l'aménagement d'infrastructures. En effet, la construction de routes et de logements ainsi que l'aménagement des égouts nécessitent des travaux de terrassement du sol.

L'art inuit. Depuis des temps reculés, la stéatite (pierre à savon) et l'ivoire des morses et des baleines sont utilisés pour la sculpture de figurines animalières, notamment. La communauté de Pangnirtung est connue mondialement pour ses tapisseries, ses sculptures et ses gravures.

Province canadienne de la côte du Pacifique, la Colombie-Britannique est reconnue pour ses paysages montagneux et ses fjords[1] spectaculaires. Près de la moitié du territoire est couvert de forêts qui produisent les plus grands arbres du Canada. Environ 40 % du bois canadien exploité provient de cette province.

L'économie de la Colombie-Britannique dépend en partie de l'industrie du bois d'œuvre[2]. Mais dans le contexte des discussions à l'échelle mondiale sur la déforestation, l'effet de serre et le réchauffement de la planète, les Canadiens sont de plus en plus conscients de l'importance de leurs forêts.

1. Anciennes vallées glaciaires envahies par la mer.
2. Bois rond (ou bille de bois) qui a été scié, déroulé et tranché.

## La forêt et les autres terres boisées en Colombie-Britannique

Territoire du Yukon

Juneau

Alaska (É.-U.)

Prince Rupert

Îles de la Reine-Charlotte

OCÉAN PACIFIQUE

CANADA
Colombie-Britannique

Territoires du Nord-Ouest

Colombie-Britannique

Prince George

Chaîne Côtière

Fleuve Fraser

Montagnes Rocheuses

Fl. Columbia

Alberta

Île de Vancouver

Campbell River

Kamloops

Vernon

Nanaimo

Vancouver

Kelowna

Victoria

Seattle

ÉTATS-UNIS

### Légende

— Frontière internationale
— Frontière provinciale
⊛ Capitale de la province ou de l'État
○ Ville

Pourcentage de la superficie occupée par la forêt et les autres terres boisées

☐ De 0 à 19 %
☐ De 20 à 59 %
☐ De 60 à 100 %

### Échelle

1 : 11 200 000

(projection transverse de Mercator)

0   100   200   300 km

1 cm sur la carte équivaut à 112 km sur le terrain.

Source : Service canadien des forêts, gouvernement du Canada.

CORBIS/zefa : D. Rose.

**La chaîne Côtière.** Des forêts de conifères longent la chaîne Côtière, qui s'étend sur 1200 km entre Vancouver, au sud, et Juneau, en Alaska. Elles accueillent de nombreuses exploitations forestières.

CORBIS/Gunter Marx Photography.

**Les pins Douglas.** Une grande partie du commerce mondial du bois est fondée sur l'exploitation des forêts de conifères, comme cette forêt de pins Douglas située en Colombie-Britannique. Lorsqu'ils ne sont pas coupés, ces arbres géants peuvent vivre 800 ans.

**La forêt et son exploitation en Colombie-Britannique**

| Information générale | |
| --- | --- |
| Superficie de la province | 94,5 millions ha[1] |
| Forêt et autres terres boisées | 64,25 millions ha |
| Parcs provinciaux et nationaux | 10,3 millions ha |
| **Ressource** | |
| Propriété de la forêt | |
| – Provinciale | 96 % |
| – Fédérale | 1 % |
| – Privée | 3 % |
| Types de forêts | |
| – Forêt de conifères | 82 % |
| – Forêt de feuillus | 5 % |
| – Forêt mixte | 13 % |
| Récolte de bois rond | 87 millions m$^3$ |
| Superficie récoltée | 189 277 ha |
| Superficie plantée | 155 405 ha |
| **Industrie** | |
| Valeur des exportations | 14,7 milliards $ |
| Principal client | États-Unis (65 %) |
| Valeur des livraisons | |
| – Fabrication des produits du bois | 10,3 milliards $ |
| – Fabrication du papier | 5,6 milliards $ |
| Nombre d'établissements | |
| – Fabrication des produits du bois | 911 |
| – Fabrication du papier | 83 |
| Emplois directs | 79 800 |

1. L'hectare (symbole : ha) est une unité de mesure de superficie qui équivaut à 10 000 m$^2$.

Source : Service canadien des forêts, 2005 (données de 2004).

**La sylviculture en Colombie-Britannique.** La sylviculture désigne l'ensemble des pratiques qui permettent d'assurer l'approvisionnement en bois de manière raisonnée et durable. Le reboisement est une de ces pratiques.

### LE DÉVELOPPEMENT FORESTIER DURABLE

L'exploitation durable des forêts dans le but d'en assurer la pérennité devient une préoccupation de plus en plus présente dans l'opinion publique, en Colombie-Britannique comme ailleurs au Canada. Les manifestations des groupes écologistes, des Amérindiens et des habitants des communautés rurales qui vivent de la forêt en témoignent. Une part croissante des Canadiens est préoccupée par les méthodes d'exploitation de l'industrie, de même que par la régénération des ressources forestières.

Le développement forestier durable vise donc à maintenir et à améliorer la santé à long terme des écosystèmes forestiers, tout en assurant aux générations actuelles et futures de bonnes perspectives écologiques, économiques, sociales et culturelles.

**Une diversité d'activités.** Le territoire forestier de la Colombie-Britannique se prête aussi à la pratique d'activités récréotouristiques comme les loisirs de plein air.

**L'exploitation désordonnée.** Malgré l'abondance de la ressource forestière, les coupes à blanc peuvent être le point de départ de la déforestation qui cause, entre autres, l'érosion des sols et nuit à la biodiversité.

# L'ALBERTA – TERRITOIRE ÉNERGÉTIQUE

Sur le plan énergétique, l'Alberta est une province très riche. Elle possède les plus grandes réserves de pétrole et de gaz naturel du Canada. De plus, ses sables bitumineux constituent l'une des plus importantes réserves pétrolifères du monde. L'Alberta est la province canadienne qui produit le plus de pétrole, de gaz naturel et de charbon. Elle consomme environ 25 % du pétrole qu'elle produit.

Les autres provinces canadiennes ne sont pas aussi autonomes en matière d'énergie. Certaines dépendent en bonne partie du pétrole et du gaz naturel albertains pour satisfaire leurs besoins énergétiques. Un réseau d'oléoducs et de gazoducs achemine ces produits dans tout le pays (Colombie-Britannique, Saskatchewan, Territoires du Nord-Ouest, Est canadien), et vers le principal importateur de pétrole albertain : les États-Unis.

## L'Alberta, province énergétique

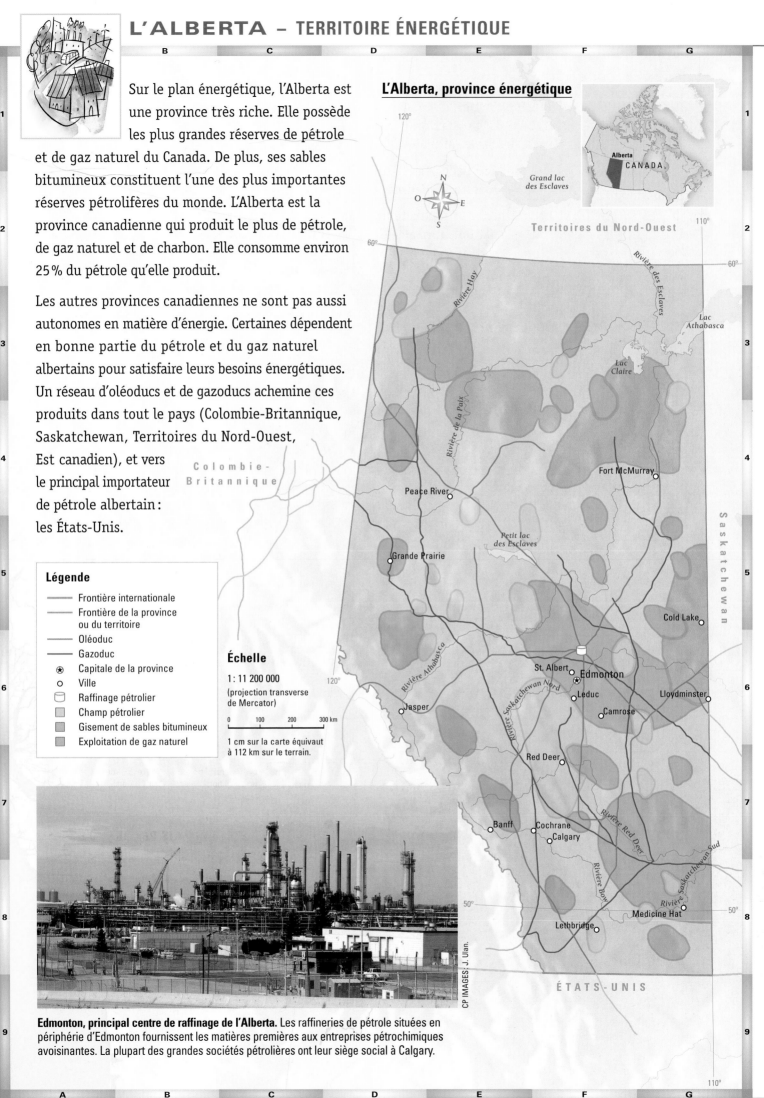

### Légende

- —— Frontière internationale
- —— Frontière de la province ou du territoire
- —— Oléoduc
- —— Gazoduc
- ✳ Capitale de la province
- ○ Ville
- ⬚ Raffinage pétrolier
- ▢ Champ pétrolier
- ▢ Gisement de sables bitumineux
- ▢ Exploitation de gaz naturel

### Échelle

1 : 11 200 000
(projection transverse de Mercator)

0    100    200    300 km

1 cm sur la carte équivaut à 112 km sur le terrain.

CP IMAGES : J. Ulan.

**Edmonton, principal centre de raffinage de l'Alberta.** Les raffineries de pétrole situées en périphérie d'Edmonton fournissent les matières premières aux entreprises pétrochimiques avoisinantes. La plupart des grandes sociétés pétrolières ont leur siège social à Calgary.

## L'ÉNERGIE EN ALBERTA EN 2004

- L'Alberta a fourni 66 % de la production canadienne de pétrole conventionnel, 80 % du gaz naturel et la majeure partie du pétrole tiré des sables bitumineux.

- L'Alberta a vendu 60 % de sa production de pétrole et de gaz naturel aux États-Unis, et le reste, au Canada.

- Grâce à l'Alberta, le Canada était le 9e producteur mondial de pétrole et le 3e de gaz naturel, ainsi que le 2e exportateur de gaz naturel.

Source : Gouvernement de l'Alberta, ministère du Développement économique, 2006.

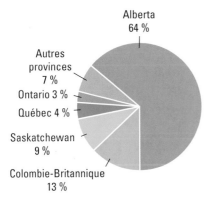

**La production d'énergie au Canada en 2004**

Alberta 64 %
Autres provinces 7 %
Ontario 3 %
Québec 4 %
Saskatchewan 9 %
Colombie-Britannique 13 %

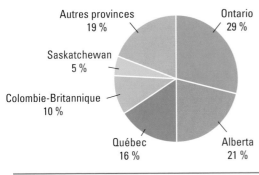

**La consommation d'énergie au Canada en 2004**

Autres provinces 19 %
Ontario 29 %
Saskatchewan 5 %
Colombie-Britannique 10 %
Québec 16 %
Alberta 21 %

Source : Statistique Canada, 2006.

**L'extraction des sables bitumineux.** Les sables bitumineux contiennent un pétrole lourd : le bitume. Les procédés utilisés pour l'exploiter nuisent à la qualité de l'eau, de l'air et du sol. De plus, l'exploitation des sables bitumineux produit deux fois plus de gaz à effet de serre que celle des champs pétrolifères.

CP IMAGES : J. McIntosh.

**Le paysage pétrolier albertain.** La tour de forage, ou derrick, fait partie du paysage pétrolier de l'Alberta. En effet, partout où les champs pétrolifères sont exploités, on peut voir cette structure métallique destinée à pomper le pétrole jusqu'à la surface des puits.

**Les réserves[1] mondiales de pétrole en 2006**

| Pays | Réserve de pétrole (en milliards de barils) | Répartition des réserves mondiales |
|---|---|---|
| Arabie saoudite | 266,8 | 20,6 % |
| Canada | 178,8 | 13,8 % |
| Iran | 132,5 | 10,3 % |
| Irak | 115,0 | 8,9 % |
| Koweït | 104,0 | 8,0 % |
| Émirats arabes unis | 97,8 | 7,6 % |
| Venezuela | 79,7 | 6,2 % |
| Russie | 60,0 | 4,6 % |
| Libye | 39,1 | 3,0 % |
| Nigeria | 35,9 | 2,8 % |
| Autres pays | 183,0 | 14,2 % |
| **Total** | **1292,6** | **100 %** |

1. L'ensemble du pétrole qui pourrait être extrait des ressources physiques connues, compte tenu des conditions techniques et économiques du moment.

Source : *Oil & Gas Journal*, 2006.

## ABONDANCE DE PÉTROLE, MAIS PÉNURIE D'EAU

L'exploitation du gaz naturel et du pétrole, notamment celle des sables bitumineux, exige de telles quantités d'eau que le Comité sénatorial permanent de l'énergie, de l'environnement et des ressources naturelles s'en inquiète : l'Alberta pourrait manquer d'eau. En effet, la quantité d'eau requise pour exploiter les sables bitumineux pourrait égaler la moitié du débit de la rivière Athabasca[2]. Il n'y a donc plus de temps à perdre. Il faut trouver de nouvelles façons d'exploiter le pétrole qui ne mettent pas en péril les réserves d'eau.

2. *L'eau dans l'Ouest : une source d'inquiétude.* Quatrième rapport provisoire, novembre 2005.

# LE PARC NATIONAL DE BANFF – PARC NATUREL

Le parc national de Banff est le plus ancien parc national du Canada. Il fait partie d'un ensemble, appelé « Parcs des montagnes Rocheuses canadiennes », qui est inscrit sur la Liste du patrimoine mondial de l'Unesco. Situé sur le versant Est des montagnes Rocheuses, en Alberta, le parc est réputé pour ses montagnes spectaculaires, ses nombreux glaciers, ses sources thermales[1], ses lacs, ainsi que sa faune et sa flore abondantes. Avec les années, le parc est devenu une grande attraction touristique. Trouver un équilibre entre la fréquentation touristique et la protection de cet espace naturel n'est pas une tâche facile pour les autorités.

---

1. Sources d'eaux minérales qui possèdent des propriétés thérapeutiques (aptes à guérir).

## Le parc national de Banff, un des parcs des montagnes Rocheuses canadiennes

**Légende**

— Frontière de la province
🔲 Autoroute Transcanadienne
☐ Route
• Ville de moins de 1 million d'habitants

**Échelle**

1 : 2 900 000
(projection transverse de Mercator)

0    25    50    75 km

1 cm sur la carte équivaut à 29 km sur le terrain.

**Le lac Louise.** Situé dans la province de l'Alberta, ce lac est un des endroits les plus célèbres des montagnes Rocheuses.

**La ville de Banff.** Le parc national de Banff comprend une seule ville, Banff. Celle-ci est une des destinations touristiques les plus populaires du Canada. Dans le parc, on trouve aussi un village, Lake Louise.

# Le parc national de Banff : quelques attraits du milieu naturel

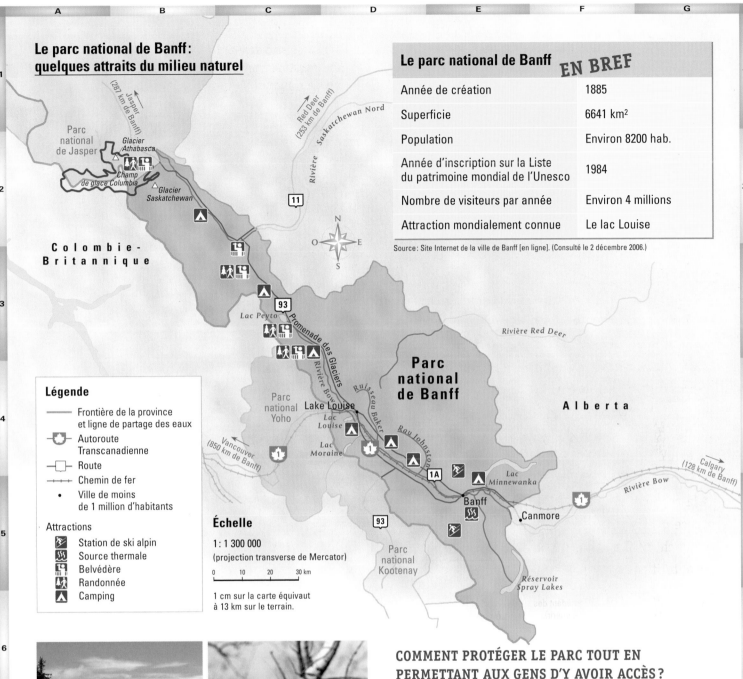

**Le parc national de Banff EN BREF**

| | |
|---|---|
| Année de création | 1885 |
| Superficie | 6641 km² |
| Population | Environ 8200 hab. |
| Année d'inscription sur la Liste du patrimoine mondial de l'Unesco | 1984 |
| Nombre de visiteurs par année | Environ 4 millions |
| Attraction mondialement connue | Le lac Louise |

Source : Site Internet de la ville de Banff [en ligne]. (Consulté le 2 décembre 2006.)

**Légende**

- Frontière de la province et ligne de partage des eaux
- Autoroute Transcanadienne
- Route
- Chemin de fer
- Ville de moins de 1 million d'habitants

**Attractions**

- Station de ski alpin
- Source thermale
- Belvédère
- Randonnée
- Camping

**Échelle**

1 : 1 300 000

(projection transverse de Mercator)

0   10   20   30 km

1 cm sur la carte équivaut à 13 km sur le terrain.

Istockphoto : T. von Rennenkampff.

Istockphoto : S. Tulissi.

Istockphoto : R. Parsons.

## COMMENT PROTÉGER LE PARC TOUT EN PERMETTANT AUX GENS D'Y AVOIR ACCÈS ?

Le succès du parc national de Banff auprès des Canadiens et des touristes du monde entier menace... le parc. De nombreux problèmes découlent de la forte fréquentation touristique : pollution de l'air, de l'eau et des sols, dégradation des habitats fauniques, construction démesurée de routes et de sentiers, pour n'en nommer que quelques-uns. Néanmoins, plusieurs mesures sont prises par les autorités pour protéger cet espace naturel qui fait partie du patrimoine naturel mondial. Parmi ces mesures, il y a l'installation de clôtures et la construction de passerelles pour empêcher les animaux de s'aventurer sur les routes, le déplacement de terrains de camping installés dans des milieux fragiles et l'interdiction de fréquenter certaines zones sauvages.

**La faune et la flore du parc.** On trouve dans le parc national de Banff une soixantaine d'espèces de mammifères, dont le mouflon d'Amérique et le grizzly, de même que plus d'un millier d'espèces d'arbres et de plantes.

# LA PRAIRIE CANADIENNE – MILIEU À RISQUE

Située dans l'ouest du Canada et faisant partie de l'ensemble des Grandes Plaines nord-américaines, la Prairie canadienne[1] s'étend au sud de l'Alberta, de la Saskatchewan et du Manitoba. Cette région, qui occupe 5 % de la superficie du Canada et représente plus de 80 % des terres agricoles, est aujourd'hui un milieu fragile. En effet, les risques naturels, comme la sécheresse, associés aux risques artificiels (techniques agricoles, mauvaise gestion de l'eau) menacent son équilibre en accélérant l'érosion et la dégradation des sols.

1. La Prairie canadienne désigne une vaste région intérieure située au centre du Canada. Les Prairies désignent les trois provinces de la Prairie canadienne : Alberta, Saskatchewan et Manitoba.

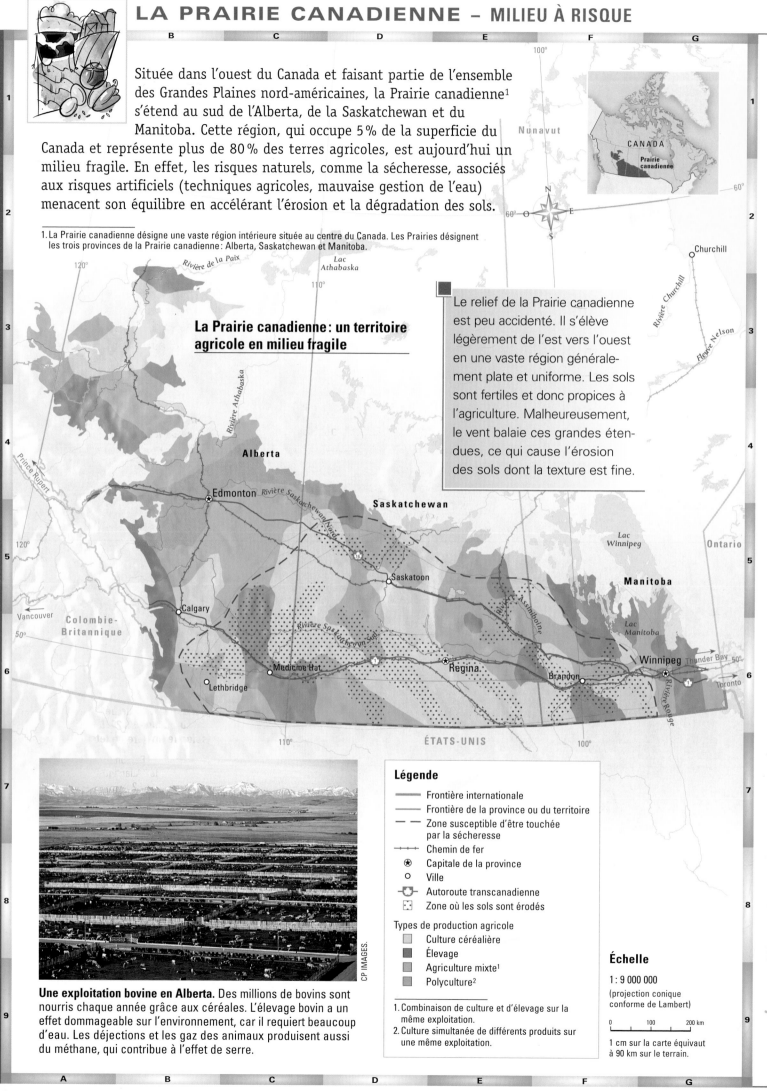

## La Prairie canadienne : un territoire agricole en milieu fragile

Le relief de la Prairie canadienne est peu accidenté. Il s'élève légèrement de l'est vers l'ouest en une vaste région généralement plate et uniforme. Les sols sont fertiles et donc propices à l'agriculture. Malheureusement, le vent balaie ces grandes étendues, ce qui cause l'érosion des sols dont la texture est fine.

CP IMAGES.

**Une exploitation bovine en Alberta.** Des millions de bovins sont nourris chaque année grâce aux céréales. L'élevage bovin a un effet dommageable sur l'environnement, car il requiert beaucoup d'eau. Les déjections et les gaz des animaux produisent aussi du méthane, qui contribue à l'effet de serre.

### Légende

—— Frontière internationale
—— Frontière de la province ou du territoire
- - - Zone susceptible d'être touchée par la sécheresse
+++ Chemin de fer
⊛ Capitale de la province
○ Ville
⬤ Autoroute transcanadienne
⬚ Zone où les sols sont érodés

Types de production agricole

■ Culture céréalière
■ Élevage
■ Agriculture mixte[1]
■ Polyculture[2]

1. Combinaison de culture et d'élevage sur la même exploitation.
2. Culture simultanée de différents produits sur une même exploitation.

### Échelle

1 : 9 000 000
(projection conique conforme de Lambert)

0    100    200 km

1 cm sur la carte équivaut à 90 km sur le terrain.

**Les effets de la sécheresse de 2002 sur la production céréalière (en milliers de tonnes)**

| Années | Blé | Orge | Foin |
|--------|--------|--------|--------|
| 2001 | 20 630 | 10 845 | 20 373 |
| 2002 | 16 197 | 7 489 | 18 140 |
| 2003 | 23 552 | 12 327 | 22 360 |
| 2004 | 25 860 | 13 186 | 25 614 |
| 2005 | 26 775 | 12 481 | 26 629 |

Source : Statistique Canada, 2006.

La sécheresse atteint un record en 2002. Cela se répercute sur les récoltes de l'année, qui atteignent à peine 60 % de la production de céréales en 2005. La région des Prairies exporte 50 % de sa production céréalière dans plus de 70 pays.

## UN MILIEU À RISQUE EN RAISON DE LA SÉCHERESSE

Entre 1999 et 2004, les Prairies ont connu la pire catastrophe naturelle depuis un siècle. En effet, la sécheresse qui s'est abattue sur la région a dépassé de 30 % la moyenne des 100 dernières années. Les Prairies ont toujours connu des périodes de sécheresse, car les précipitations y sont très variables et les vents, constants. Ces conditions climatiques naturelles ne sont pas les seules causes de la catastrophe. Il faut aussi tenir compte du réchauffement planétaire, du déboisement et des besoins en eau grandissants de la population. La pénurie d'eau a amené les municipalités de la région à forer des puits, à construire des canalisations, à mieux conserver et distribuer l'eau. Cela sera-t-il suffisant ? De fait, les scientifiques estiment que les périodes de sécheresse risquent d'augmenter avec le réchauffement planétaire.

**Climatogramme de Saskatoon (Saskatchewan)**

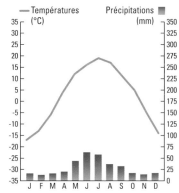

Source : MétéoMédia, 2006.

La majeure partie de la Prairie canadienne a un climat continental sec, caractérisé par des hivers froids et longs, et des étés chauds et courts. Les précipitations sont modérées et varient autour de 250 mm par an (partie ouest de l'Alberta) à un peu plus de 600 mm par an (partie sud du Manitoba). La vocation céréalière des Prairies est attribuable en partie à ce climat.

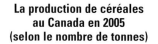

**La production de céréales au Canada en 2005 (selon le nombre de tonnes)**

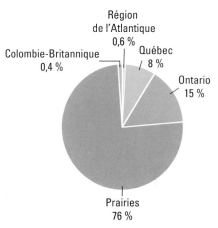

Région de l'Atlantique 0,6 %
Colombie-Britannique 0,4 %
Québec 8 %
Ontario 15 %
Prairies 76 %

**La production de bétail au Canada en 2005 (selon le nombre de têtes)**

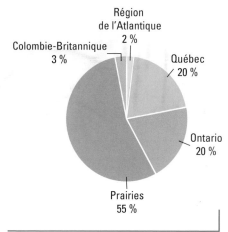

Région de l'Atlantique 2 %
Colombie-Britannique 3 %
Québec 20 %
Ontario 20 %
Prairies 55 %

Source : Statistique Canada, 2006.

PUBLIPHOTO : E. Clusiau.

**L'enjeu de l'eau dans les Prairies.** Le manque de précipitations oblige les agriculteurs des Prairies à intensifier l'irrigation de leurs cultures. La gestion des nappes d'eau devient alors d'une extrême importance, car l'assèchement des sols augmente leur salinité, ce qui nuit au rendement de la terre.

L'AMÉRIQUE DU NORD ET CENTRALE · L'AMÉRIQUE DU NORD ET CENTRALE

La région des Grands Lacs constitue la première région industrielle du Canada et l'une des plus importantes des États-Unis. Elle comprend les lacs Supérieur, Michigan, Huron, Érié et Ontario. Un réseau de transport efficace relie les cinq grands lacs, dont quatre chevauchent la frontière entre le Canada et les États-Unis, et donne accès à l'océan Atlantique via la voie maritime du Saint-Laurent (au moyen d'une série de sept écluses). La situation géographique de la région n'est pas étrangère à son industrialisation et à la concentration d'un grand nombre d'entreprises manufacturières.

À l'heure de la mondialisation, où les échanges se font à l'échelle planétaire, la région des Grands Lacs vise à conserver sa place dans l'économie mondiale.

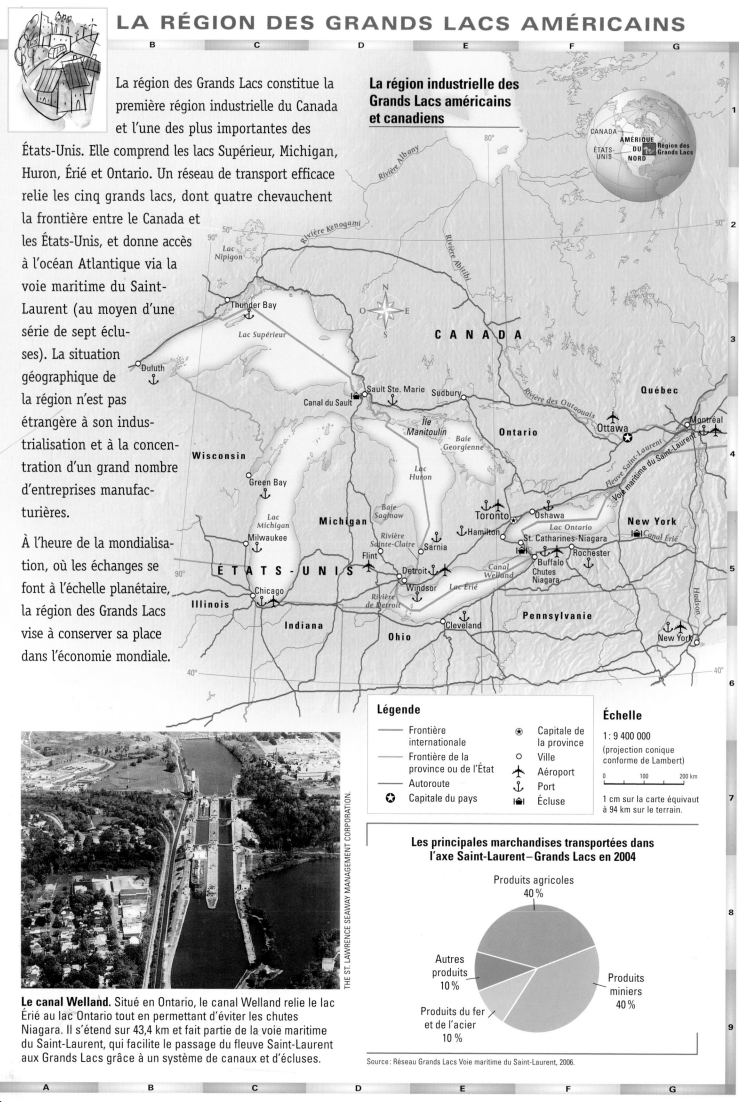

## La région industrielle des Grands Lacs américains et canadiens

### Légende

- Frontière internationale
- Frontière de la province ou de l'État
- Autoroute
- ✪ Capitale du pays
- ⊛ Capitale de la province
- ○ Ville
- ✈ Aéroport
- ⚓ Port
- 🏛 Écluse

### Échelle

1 : 9 400 000

(projection conique conforme de Lambert)

0        100        200 km

1 cm sur la carte équivaut à 94 km sur le terrain.

THE ST. LAWRENCE SEAWAY MANAGEMENT CORPORATION.

**Le canal Welland.** Situé en Ontario, le canal Welland relie le lac Érié au lac Ontario tout en permettant d'éviter les chutes Niagara. Il s'étend sur 43,4 km et fait partie de la voie maritime du Saint-Laurent, qui facilite le passage du fleuve Saint-Laurent aux Grands Lacs grâce à un système de canaux et d'écluses.

### Les principales marchandises transportées dans l'axe Saint-Laurent – Grands Lacs en 2004

- Produits agricoles 40 %
- Produits miniers 40 %
- Produits du fer et de l'acier 10 %
- Autres produits 10 %

Source : Réseau Grands Lacs Voie maritime du Saint-Laurent, 2006.

### Les principales villes industrielles de la région des Grands Lacs et leurs productions

**Légende**

— Frontière internationale
— Frontière de la province ou de l'État
✪ Capitale du pays
✵ Capitale de la province
○ Ville

**Productions importantes**

📄 Papiers
⚗ Produits chimiques
🚗 Automobiles
▭ Produits du fer et de l'acier
📻 Produits électroniques
💊 Produits pharmaceutiques
🍎 Produits alimentaires
🧵 Textiles
🔌 Équipement électrique

**Échelle**

1 : 9 400 000

(projection conique conforme de Lambert)

0        100        200 km

1 cm sur la carte équivaut
à 94 km sur le terrain.

### LES INDUSTRIES DE LA RÉGION DES GRANDS LACS ONT-ELLES UN AVENIR ?

Dans le contexte économique mondial, un grand nombre de multinationales[1] optent pour la délocalisation, c'est-à-dire qu'elles déplacent leurs activités de production vers un ou des pays moins développés afin de réduire leurs coûts de production et d'accroître ainsi leurs profits. Une des principales conséquences de la délocalisation est la fermeture de nombreuses usines, tant au Canada qu'aux États-Unis.

La région industrielle des Grands Lacs est particulièrement touchée par l'exode des industries vers l'étranger. Des travailleurs perdent leur emploi, les ventes des commerçants diminuent et les gouvernements subissent une baisse de leurs revenus. Toutefois, pour conserver sa place dans l'économie mondiale, la région des Grands Lacs se réorganise et se tourne vers d'autres types d'industries de pointe, comme l'électronique, l'informatique et l'aérospatiale.

1. Entreprises ayant des activités dans plusieurs pays.

**La ville de Detroit.** Première zone de construction automobile en Amérique du Nord, la ville de Detroit, surnommée Motor City, est l'un des premiers centres industriels des États-Unis. Sa croissance économique a été stimulée par sa position stratégique dans le corridor industriel des Grands Lacs.

En raison de son ouverture sur la baie d'Hudson et sur l'océan Atlantique, la province de Québec bénéficie d'une situation géographique privilégiée au nord-est de l'Amérique du Nord. La superficie du Québec représente environ 15 % de la superficie du Canada. Il n'est pas étonnant de trouver sur un aussi vaste territoire des ressources naturelles abondantes et des paysages très diversifiés.

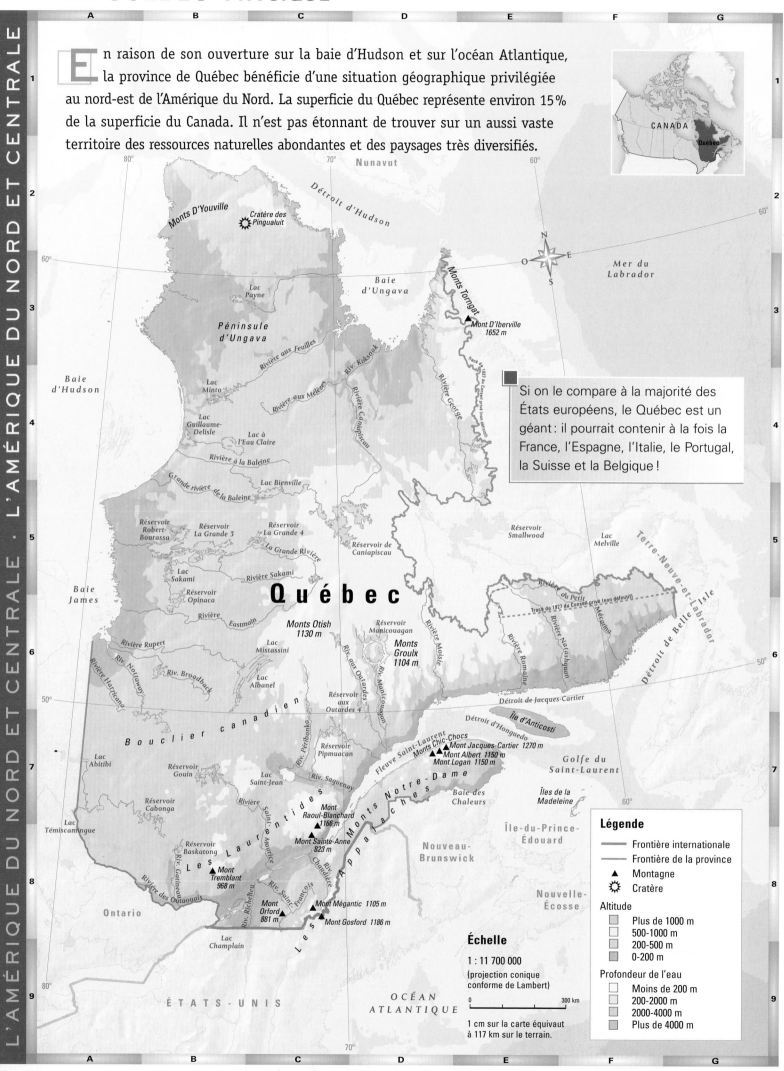

CANADA
Québec

Si on le compare à la majorité des États européens, le Québec est un géant : il pourrait contenir à la fois la France, l'Espagne, l'Italie, le Portugal, la Suisse et la Belgique !

Nunavut

Monts D'Youville
Cratère des Pingualuit
Détroit d'Hudson

Mer du Labrador

Baie d'Ungava

Lac Payne

Péninsule d'Ungava

Monts Torngat

Mont D'Iberville 1652 m

Baie d'Hudson

Lac Minto

Rivière aux Feuilles

Rivière aux Mélèzes

Riv. Koksoak

Rivière Caniapiscau

Rivière George

Lac Guillaume-Delisle

Lac à l'Eau Claire

Rivière à la Baleine

Grande rivière de la Baleine

Lac Bienville

Réservoir Robert-Bourassa

Réservoir La Grande 3

Réservoir La Grande 4

La Grande Rivière

Réservoir de Caniapiscau

Réservoir Smallwood

Lac Melville

Terre-Neuve-et-Labrador

Lac Sakami

Rivière Sakami

Baie James

Réservoir Opinaca

Rivière Eastmain

**Québec**

Rivière du Petit Mécatina

Trace de 1927 du Conseil privé (non définitif)

Rivière Rupert

Monts Otish 1130 m

Réservoir Manicouagan

Monts Groulx 1104 m

Rivière Moisie

Rivière Natashquan

Détroit de Belle-Isle

Riv. Nottaway

Riv. Broadback

Lac Mistassini

Riv. aux Outardes

Riv. Manicouagan

Rivière Romaine

Lac Albanel

Rivière Harricana

Réservoir aux Outardes 4

Détroit de Jacques-Cartier

B o u c l i e r   c a n a d i e n

Île d'Anticosti

Détroit d'Honguedo

Riv. Péribonka

Réservoir Pipmuacan

Fleuve Saint-Laurent

Monts Chic-Chocs
Mont Jacques-Cartier 1270 m
Mont Albert 1150 m
Mont Logan 1150 m

Golfe du Saint-Laurent

Lac Abitibi

Réservoir Gouin

Lac Saint-Jean

Riv. Saguenay

Rivière

Mont Raoul-Blanchard 1166 m

Baie des Chaleurs

Îles de la Madeleine

Réservoir Cabonga

Saint-Maurice

Mont Sainte-Anne 823 m

Monts Notre-Dame

Île-du-Prince-Édouard

Lac Témiscamingue

Réservoir Baskatong

Riv. Gatineau

L e s   L a u r e n t i d e s

Riv. Saint-François

Riv. Chaudière

Les Appalaches

Nouveau-Brunswick

Nouvelle-Écosse

Mont Tremblant 968 m

Riv. Richelieu

Mont Orford 881 m

Mont Mégantic 1105 m

Mont Gosford 1186 m

Rivière des Outaouais

Ontario

Lac Champlain

É T A T S - U N I S

O C É A N
A T L A N T I Q U E

### Légende

— Frontière internationale
— Frontière de la province
▲ Montagne
✷ Cratère

**Altitude**
Plus de 1000 m
500-1000 m
200-500 m
0-200 m

**Profondeur de l'eau**
Moins de 200 m
200-2000 m
2000-4000 m
Plus de 4000 m

### Échelle

1 : 11 700 000
(projection conique conforme de Lambert)

0          300 km

1 cm sur la carte équivaut à 117 km sur le terrain.

Le territoire de la province de Québec est très vaste. Pour satisfaire les besoins de l'ensemble de la population, le gouvernement a divisé le territoire en 17 régions administratives. Ce découpage permet une meilleure planification du développement économique, social et culturel du Québec et de chacune de ses régions.

### Régions administratives du Québec

01 Bas-Saint-Laurent
02 Saguenay–Lac-Saint-Jean
03 Capitale-Nationale
04 Mauricie
05 Estrie
06 Montréal
07 Outaouais
08 Abitibi-Témiscamingue
09 Côte-Nord
10 Nord-du-Québec
11 Gaspésie–Îles-de-la-Madeleine
12 Chaudière-Appalaches
13 Laval
14 Lanaudière
15 Laurentides
16 Montérégie
17 Centre-du-Québec

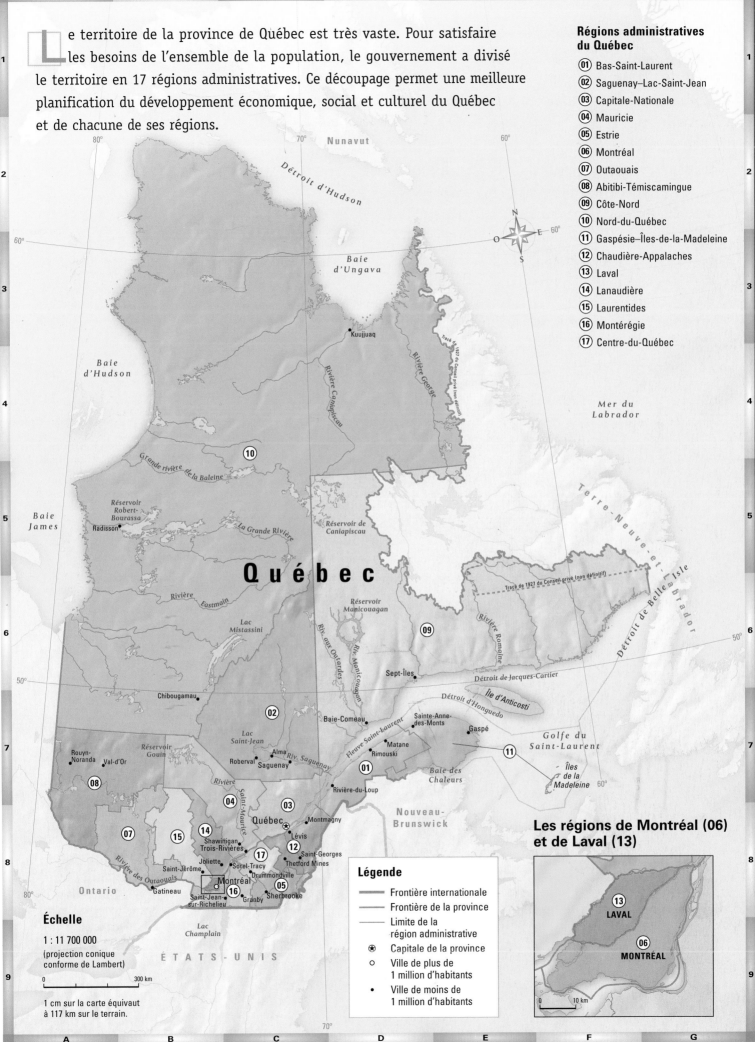

### Les régions de Montréal (06) et de Laval (13)

**Légende**

Frontière internationale
Frontière de la province
Limite de la région administrative
✵ Capitale de la province
○ Ville de plus de 1 million d'habitants
• Ville de moins de 1 million d'habitants

**Échelle**

1 : 11 700 000
(projection conique conforme de Lambert)

0    300 km

1 cm sur la carte équivaut à 117 km sur le terrain.

# LE TERRITOIRE AGRICOLE DU QUÉBEC – TERRITOIRE

Au Canada, dans la province de Québec, les terres fertiles sont surtout concentrées de part et d'autre du fleuve Saint-Laurent. Elles sont enclavées entre le Bouclier canadien au nord et les Appalaches au sud. C'est aussi là que vit environ 80 % de la population québécoise. Ainsi, les fermes et les villes se côtoient et, comme ce territoire est très limité, les zones agricoles sont l'objet de convoitise. La ville et la campagne peuvent-elles vivre ensemble avec les inconvénients que cela comporte ?

**Le partage du territoire.** La ville et la campagne peuvent cohabiter à condition que les autorités limitent l'empiètement des terres cultivables par les villes et les pratiques agricoles polluantes, comme l'épandage du lisier ou l'utilisation d'engrais chimiques.

## Le territoire agricole et les régions physiographiques du Québec

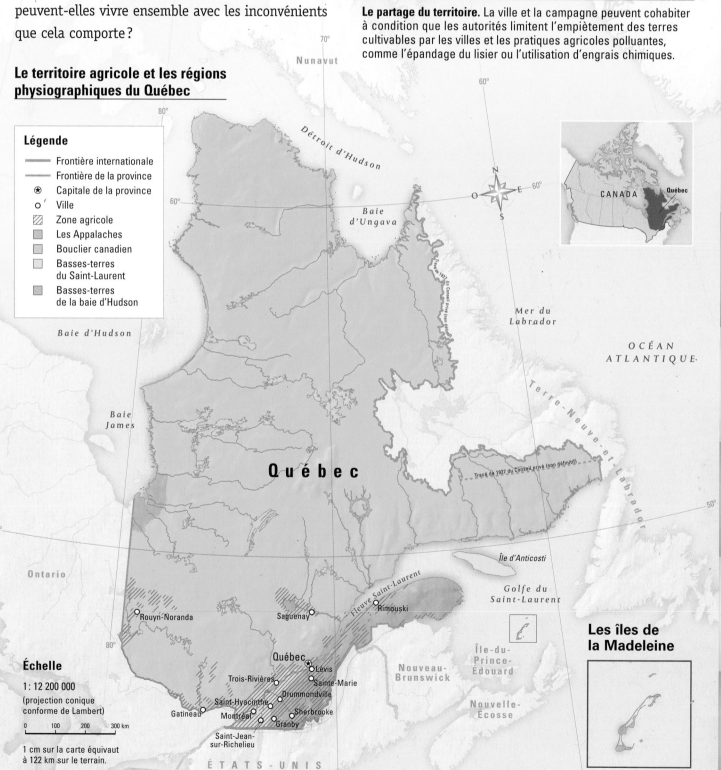

**Légende**

|  |  |
|---|---|
| ══════ | Frontière internationale |
| ────── | Frontière de la province |
| ✹ | Capitale de la province |
| ○ | Ville |
| ▨ | Zone agricole |
| ▨ | Les Appalaches |
| ▨ | Bouclier canadien |
| ▨ | Basses-terres du Saint-Laurent |
| ▨ | Basses-terres de la baie d'Hudson |

**Échelle**

1 : 12 200 000

(projection conique conforme de Lambert)

0   100   200   300 km

1 cm sur la carte équivaut à 122 km sur le terrain.

CANADA

Québec

POINT-DU-JOUR-AVIATION : J.-D. Cossette.

**Les îles de la Madeleine**

La carte ci-contre montre que c'est dans les basses-terres du Saint-Laurent, sous le climat continental humide, qu'on trouve une grande partie des zones agricoles du Québec. Les sols y sont fertiles, la saison végétative[1] assez longue et les précipitations suffisantes, tout comme le temps d'ensoleillement. Ces conditions permettent une agriculture diversifiée et de qualité. À l'intérieur même de la zone de climat continental humide, on observe des variations dans les conditions climatiques. Le tableau ci-dessous indique ces différences pour quelques villes du Québec.

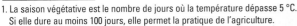

1. La saison végétative est le nombre de jours où la température dépasse 5 °C. Si elle dure au moins 100 jours, elle permet la pratique de l'agriculture.

## Le territoire agricole et les climats du Québec

**Légende**

— Frontière internationale
— Frontière de la province
○ Ville
▨ Zone agricole
▪ Climat subarctique
▪ Climat continental humide
▪ Climat maritime de l'Est
□ Climat arctique

**Échelle**

1 : 9 900 000
(projection conique conforme de Lambert)

0   200   400 km

1 cm sur la carte équivaut à 179 km sur le terrain.

### Les conditions climatiques dans quelques villes du Québec

| Villes | Températures moyennes en janvier | Températures moyennes en juillet | Total des précipitations (annuel) | Durée de la saison végétative | Total des heures d'ensoleillement (annuel) |
|---|---|---|---|---|---|
| Rimouski | -11 °C | 17 °C | 912 mm | 158 jours | 1679 h |
| Rouyn-Noranda | -16 °C | 17 °C | 928 mm | 152 jours | 1902 h |
| Saguenay | -15 °C | 18 °C | 928 mm | 162 jours | 1720 h |
| Saint-Jean-sur-Richelieu | -9 °C | 21 °C | 1016 mm | 180 jours | 2245 h |
| Sainte-Marie | -11 °C | 19 °C | 1209 mm | 178 jours | 1912 h |
| Sherbrooke | -11 °C | 18 °C | 1111 mm | 174 jours | 1850 h |

Sources: MétéoMédia, 2006; Environnement Canada, 2006.

### Les îles de la Madeleine

**La division des terres en rangs.** Depuis le 17e siècle, le territoire agricole du Québec est principalement découpé en rangs. D'origine française, le rang est un mode de division des terres en lots rectangulaires longs et étroits d'environ 200 m sur 2000 m.

**La division des terres en cantons.** On trouve dans la région de l'Estrie (auparavant Cantons-de-l'Est) un autre mode de division des terres, d'origine britannique, où les lots de ferme sont carrés. Le canton a la forme d'un carré dont chaque côté mesure 9,6 km. Il comprend 36 sections ou carrés, dont chaque côté mesure 1,6 km.

*SUITE À LA PAGE 52*

L'AMÉRIQUE DU NORD ET CENTRALE · L'AMÉRIQUE DU NORD ET CENTRALE

## L'AGRICULTURE AU QUÉBEC EN 2004, C'EST...

- 2 % du territoire, soit environ 30 000 km2 ;

- près de 30 000 fermes d'une superficie moyenne de 108 hectares (un tiers sont des fermes de production végétale et les deux autres tiers sont des fermes de production animale) ;

- plus de 60 000 emplois ;

- 698 millions de dollars d'investissements ;

- 6,3 milliards de dollars de revenus ;

- 2 % de l'économie du Québec.

### Les 10 principaux produits agricoles du Québec en 2004

| Produits | Valeur de la production |
|---|---|
| 1. Produits laitiers | 1,7 milliard $ |
| 2. Porcs | 1,2 milliard $ |
| 3. Volaille | 506 millions $ |
| 4. Bovins et veaux | 396 millions $ |
| 5. Céréales | 377 millions $ |
| 6. Légumes | 305 millions $ |
| 7. Plantes ornementales | 287 millions $ |
| 8. Produits de l'érable | 127 millions $ |
| 9. Fruits | 107 millions $ |
| 10. Œufs | 102 millions $ |

Source : Institut de la statistique du Québec, 2005.

PUBLIPHOTO : Y. Derome.

**La mise en marché des produits agricoles.** La prospérité des producteurs agricoles dépend de la qualité et des prix des produits. Dans les marchés publics de Montréal, les produits offerts aux consommateurs sont variés et répondent aux goûts d'une clientèle de plus en plus diversifiée.

### L'agriculture dans quelques régions administratives du Québec en 2005

| Régions administratives | Nombre de fermes | Nombre d'emplois | Recettes agricoles | Trois principales productions (par ordre d'importance) |
|---|---|---|---|---|
| Bas-Saint-Laurent (01) | 2 193 | 3 900 | 330 millions $ | Produits laitiers, porcs, bovins et veaux |
| Saguenay–Lac-Saint-Jean (02) | 1 077 | 2 300 | 230 millions $ | Produits laitiers, petits fruits, céréales |
| Capitale-Nationale (03) | 1 045 | 2 300 | 190 millions $ | Produits laitiers, pommes de terre, porcs |
| Mauricie (04) | 1 100 | 2 100 | 230 millions $ | Produits laitiers, volaille, porcs |
| Estrie (05) | 2 570 | 5 100 | 410 millions $ | Produits laitiers, porcs, bovins et veaux |
| Chaudière-Appalaches (12) | 5 294 | 10 400 | 1 milliard $ | Produits laitiers, porcs, bovins et veaux |
| Lanaudière (14) | 1 624 | 3 200 | 400 millions $ | Volaille, porcs, produits laitiers |
| Laurentides (15) | 1 315 | 2 600 | 230 millions $ | Produits laitiers, plantes et arbustes, légumes |
| Montérégie (16) | 7 144 | 14 900 | 1,5 milliard $ | Produits laitiers, porcs, céréales |
| Centre-du-Québec (17) | 3 489 | 6 500 | 740 millions $ | Produits laitiers, porcs, bovins et veaux |

Source : Agriculture, Pêcheries et Alimentation, Québec (données préliminaires pour 2005).

## POURQUOI PROTÉGER LE TERRITOIRE AGRICOLE?

Entre les années 1950 et la fin des années 1970, les villes ont empiété de façon incontrôlée sur les terres à vocation agricole. La superficie de ces terres a donc diminué considérablement. C'est pourquoi, en 1978, le gouvernement du Québec a adopté la Loi sur la protection du territoire agricole, qui délimite une «zone verte» dans laquelle la priorité doit être donnée aux activités agricoles. Pourquoi une loi? Pour protéger le territoire agricole, bien sûr, mais aussi limiter la perte de terres cultivables qui ne sont pas récupérables une fois qu'elles ont été transformées en quartiers résidentiels, en parcs industriels, en terrains de golf ou en autoroutes.

SEARCH-4-STOCK.

**Une ferme typique du territoire agricole du Québec.** Au fil des années, un grand nombre de fermes québécoises sont devenues des entreprises commerciales spécialisées dans un ou deux produits. Toute la production de ces fermes est destinée à la vente.

### Les aliments voyagent de plus en plus

En Amérique du Nord, un aliment parcourt en moyenne quelque 2400 km avant d'arriver sur la table des consommateurs. Sur les autoroutes, près d'un camion sur trois transporterait des produits alimentaires. L'intensification des échanges entre les pays accroît le transport des produits alimentaires. Les activités d'importation et d'exportation des aliments ont toutefois des conséquences sur l'environnement, notamment en ce qui a trait à l'émission de gaz à effet de serre qui contribuent au réchauffement de l'atmosphère. Par exemple, le transport par avion d'un kiwi en provenance de la Nouvelle-Zélande aurait pour effet d'émettre dans l'atmosphère l'équivalent de cinq fois le poids du fruit en dioxyde de carbone, un polluant de l'air.

Sources: MAPAQ (2005), *L'industrie bioalimentaire au Québec*; Équiterre.

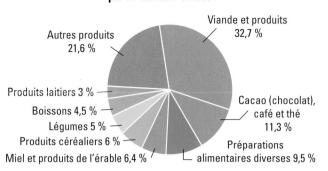

**Les principaux produits agricoles exportés par le Québec en 2004**

- Viande et produits 32,7 %
- Autres produits 21,6 %
- Produits laitiers 3 %
- Boissons 4,5 %
- Légumes 5 %
- Produits céréaliers 6 %
- Miel et produits de l'érable 6,4 %
- Cacao (chocolat), café et thé 11,3 %
- Préparations alimentaires diverses 9,5 %

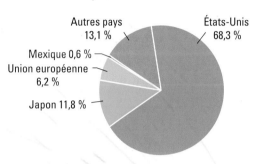

**La destination des exportations québécoises de produits alimentaires en 2004**

- Autres pays 13,1 %
- États-Unis 68,3 %
- Mexique 0,6 %
- Union européenne 6,2 %
- Japon 11,8 %

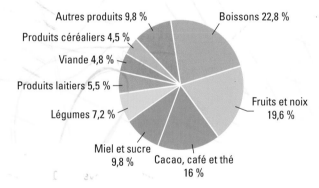

**Les principaux produits agricoles importés par le Québec en 2004**

- Autres produits 9,8 %
- Boissons 22,8 %
- Produits céréaliers 4,5 %
- Viande 4,8 %
- Produits laitiers 5,5 %
- Fruits et noix 19,6 %
- Légumes 7,2 %
- Miel et sucre 9,8 %
- Cacao, café et thé 16 %

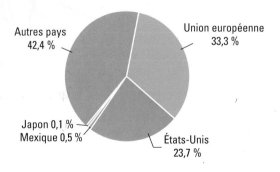

**La provenance des importations québécoises de produits alimentaires en 2004**

- Autres pays 42,4 %
- Union européenne 33,3 %
- Japon 0,1 %
- Mexique 0,5 %
- États-Unis 23,7 %

En 2004, le Québec exporte des produits agricoles pour une valeur de 3,8 milliards de dollars dans plus de 150 pays. Plus de 86 % des échanges se font toutefois avec 3 principaux partenaires: les États-Unis, le Japon et l'Union européenne. Dans la même année, le Québec importe des produits alimentaires pour une valeur de 3,3 milliards de dollars, ce qui donne un surplus de 500 millions de dollars.

Source: Institut de la statistique du Québec, 2005.

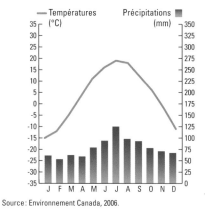

# LA MAURICIE – TERRITOIRE FORESTIER

La Mauricie, région administrative de la province de Québec, est située entre les villes de Québec et de Montréal, sur la rive nord du fleuve Saint-Laurent. Plus de 85 % de sa superficie est couverte de forêts. L'histoire et le développement économique de la Mauricie sont intimement liés à son territoire forestier et aux activités que celui-ci engendre. Mais, qu'elles se trouvent en Mauricie ou ailleurs au Québec, les forêts seront-elles une ressource inépuisable ?

## La forêt et les autres terres boisées en Mauricie

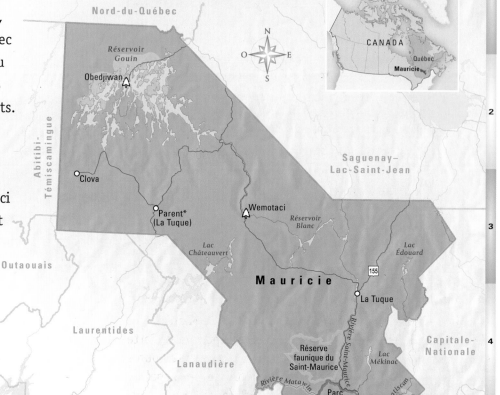

### Légende

─────── Limite de la région administrative

Autoroute

ou ─── Route

⌂ Réserve attikamek

○ Ville associée à la forêt

▢ Parc national

▢ Réserve faunique

**Pourcentage de la superficie occupée par la forêt et les autres terres boisées**

▢ De 0 à 19 %
▢ De 20 à 59 %
▢ De 60 à 100 %

### Échelle

1 : 2 500 000

(projection conique conforme de Lambert)

0    20    40    60 km

1 cm sur la carte équivaut à 25 km sur le terrain.

\* À la suite des fusions municipales au Québec, Parent a été intégré à La Tuque et Grand-Mère, à Shawinigan.

### Climatogramme de La Tuque

── Températures (°C)     Précipitations (mm)

Source : Environnement Canada, 2006.

La ville de La Tuque se trouve au cœur de la Mauricie, à 47° de latitude Nord. Les étés y sont courts et chauds, et les hivers, longs et froids. Située aux portes de la forêt boréale, cette région a un couvert forestier dominé par les essences résineuses.

**La forêt boréale en Mauricie.** Grâce à ses nombreux lacs et à ses multiples zones humides (marécages), la forêt boréale, ou forêt de conifères, régularise le climat, produit de l'oxygène et purifie l'eau. Il faut donc la conserver et la protéger.

MEGAPRESS : Dupuis.

## LA FORÊT EN MAURICIE, EN 2004, C'EST...

- 85 % du territoire, c'est-à-dire 3,4 millions d'hectares ou 34 000 km² ;

- 194 usines de transformation du bois et 7 usines de pâtes ;

- une récolte annuelle de bois attribuable à des pratiques sylvicoles, comme le reboisement, qui touchent 5000 km² ;

- 1 parc national et 2 réserves fauniques ;

- 78 pourvoiries[1] et 11 zones d'exploitation contrôlée[2] (zecs) ;

- plus de 1000 emplois en forêt et plus de 10 000 en usine ;

- plus de 700 millions de dollars en salaires.

---

1. Établissements privés où des installations et des services sont offerts aux pêcheurs et aux chasseurs.
2. Territoires où la pratique de la chasse et de la pêche est contrôlée.

## LA COEXISTENCE DE L'INDUSTRIE FORESTIÈRE, DU RÉCRÉOTOURISME ET DE LA BIODIVERSITÉ

On a longtemps pensé que les forêts de la Mauricie, et celles du Québec en général, étaient inépuisables. Cette idée justifiait l'exploitation désordonnée de la ressource forestière. On visait le profit à court terme, sans égard à la protection des espèces animales et végétales (biodiversité), ni à la régénération de la forêt.

Aujourd'hui, il n'en est plus de même. Malgré leurs intérêts contradictoires, les acteurs concernés (gouvernements, industries et groupes d'écologistes) parlent de gestion durable de la forêt. Ils reconnaissent que la forêt doit être considérée non seulement comme une richesse industrielle et touristique à exploiter, mais aussi comme un écosystème dont il ne faut compromettre ni l'équilibre ni l'avenir. Un des principaux enjeux est donc la croissance économique dans le respect de l'environnement.

S. Lessard.

**Les papetières.** Les fabriques de papier, ou papetières, jouent un rôle important dans l'économie de la Mauricie. Ces entreprises utilisent des produits chimiques parfois très toxiques. Comme des lois très sévères les obligent à respecter l'environnement, les papetières tentent de trouver des solutions, notamment par la recherche de produits moins polluants et par le traitement des déchets.

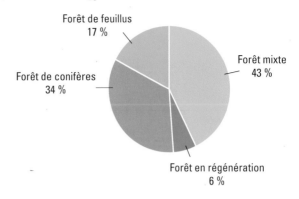

**Les types de forêts en Mauricie en 2004**

Forêt de feuillus 17 %
Forêt mixte 43 %
Forêt de conifères 34 %
Forêt en régénération 6 %

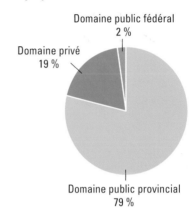

**La propriété de la forêt en Mauricie en 2004**

Domaine public fédéral 2 %
Domaine privé 19 %
Domaine public provincial 79 %

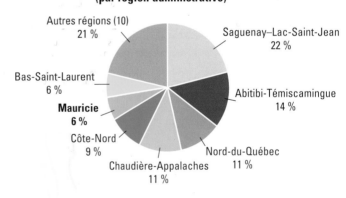

**La production québécoise de bois d'œuvre en 2004 (par région administrative)**

Autres régions (10) 21 %
Saguenay–Lac-Saint-Jean 22 %
Bas-Saint-Laurent 6 %
Abitibi-Témiscamingue 14 %
**Mauricie 6 %**
Côte-Nord 9 %
Nord-du-Québec 11 %
Chaudière-Appalaches 11 %

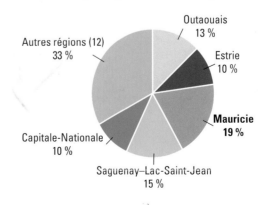

**La production québécoise de pâtes, de papiers et de cartons en 2004 (par région administrative)**

Outaouais 13 %
Autres régions (12) 33 %
Estrie 10 %
**Mauricie 19 %**
Capitale-Nationale 10 %
Saguenay–Lac-Saint-Jean 15 %

Sources : Ministère des Ressources naturelles et de la Faune du Québec, 2006 ; Conseil de l'industrie forestière du Québec, 2005.

# LA CÔTE-NORD – TERRITOIRE ÉNERGÉTIQUE

La province de Québec est riche sur le plan énergétique. Grâce à ses nombreuses rivières et à ses aménagements hydroélectriques, elle produit presque toute l'électricité dont elle a besoin. La Côte-Nord, l'une de ses 17 régions administratives, vient au deuxième rang, après le Nord-du-Québec, pour la production d'électricité sur son territoire. À elle seule, cette région produit plus du quart de l'électricité de la province. Un solide réseau de transport et de distribution achemine l'énergie vers l'ensemble des utilisateurs.

L'énergie hydraulique est abondante et renouvelable, et son exploitation contribue faiblement au réchauffement de la planète, car elle émet très peu de gaz à effet de serre. Tous ces avantages n'empêchent toutefois pas les Québécois de s'intéresser aussi à d'autres sources d'énergie renouvelables. Pourquoi ?

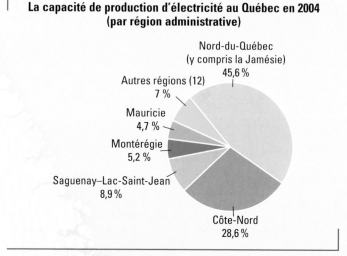

**La capacité de production d'électricité au Québec en 2004 (par région administrative)**

- Nord-du-Québec (y compris la Jamésie) 45,6 %
- Autres régions (12) 7 %
- Mauricie 4,7 %
- Montérégie 5,2 %
- Saguenay–Lac-Saint-Jean 8,9 %
- Côte-Nord 28,6 %

Sources: MINISTÈRE DES RESSOURCES NATURELLES ET DE LA FAUNE, *L'énergie au Québec*, 2005; Hydro-Québec.

## La Côte-Nord

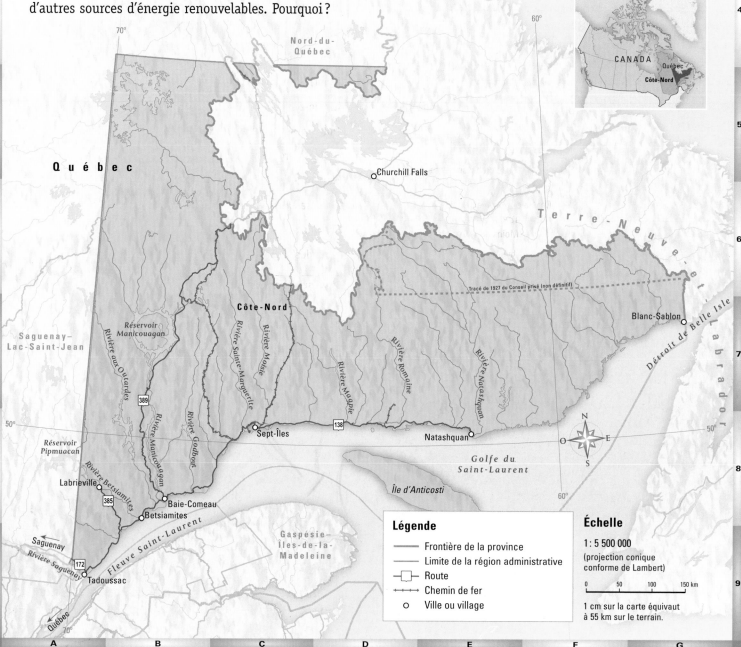

**Légende**

- Frontière de la province
- Limite de la région administrative
- Route
- Chemin de fer
- ○ Ville ou village

**Échelle**

1 : 5 500 000
(projection conique conforme de Lambert)

0    50    100    150 km

1 cm sur la carte équivaut à 55 km sur le terrain.

## Les principaux aménagements hydroélectriques de la Côte-Nord

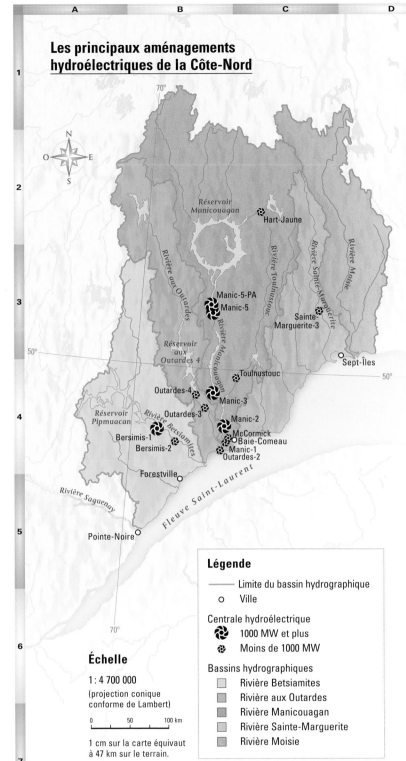

**Légende**

— Limite du bassin hydrographique
o Ville

Centrale hydroélectrique
1000 MW et plus
Moins de 1000 MW

Bassins hydrographiques
Rivière Betsiamites
Rivière aux Outardes
Rivière Manicouagan
Rivière Sainte-Marguerite
Rivière Moisie

**Échelle**

1 : 4 700 000
(projection conique
conforme de Lambert)

0        50        100 km

1 cm sur la carte équivaut
à 47 km sur le terrain.

**Le barrage Daniel-Johnson.** Composante du complexe Manic-Outardes, ce barrage, situé à la centrale Manic-5, retient les eaux d'un réservoir de 1973 km². Son instigateur, l'ancien premier ministre québécois Daniel Johnson (1915-1968), est décédé sur les lieux à quelques heures de l'inauguration du barrage.

### Les principales centrales hydroélectriques de la Côte-Nord

| Centrales | Puissance | Propriétaire |
|---|---|---|
| Manic-5 | 1528 MW[1] | Hydro-Québec |
| Manic-3 | 1244 MW | Idem |
| Bersimis-1 | 1125 MW | Idem |
| Manic-5-PA | 1064 MW | Idem |
| Manic-2 | 1024 MW | Idem |
| Outardes-3 | 891 MW | Idem |
| Sainte-Marguerite-3 | 884 MW | Idem |
| Bersimis-2 | 845 MW | Idem |
| Outardes-4 | 630 MW | Idem |
| Toulnustouc | 526 MW | Idem |
| Outardes-2 | 472 MW | Idem |

1. La puissance électrique se mesure en watts (W). Les watts deviennent des mégawatts (MW) quand on les compte par millions.

Source : Hydro-Québec, 2006.

## LES BESOINS ÉNERGÉTIQUES AU QUÉBEC

Actuellement, la production électrique du Québec est insuffisante pour répondre aux besoins énergétiques de ses habitants. Grâce à l'entente passée, en 1998, avec le gouvernement de Terre-Neuve-et-Labrador, le gouvernement du Québec peut acheter une partie de l'électricité produite par le complexe hydroélectrique des chutes Churchill, au Labrador. Soucieux également de répondre à la demande de la population, le Québec a entrepris la construction de nouveaux aménagements hydroélectriques, comme la centrale Eastmain-1. Le gouvernement cherche aussi à exploiter d'autres énergies renouvelables, notamment celle qui provient du vent, l'énergie éolienne.

**Des entreprises énergivores.** Grandes consommatrices d'énergie, des alumineries se sont installées sur la Côte-Nord. Elles étaient attirées par des tarifs énergétiques avantageux et par l'importante production d'électricité de la région.

# LA JAMÉSIE – TERRITOIRE ÉNERGÉTIQUE

La Jamésie correspond à la partie sud de la région administrative du Nord-du-Québec. Tout comme la région de la Côte-Nord (▶ p. 56-57), elle a un riche potentiel énergétique et sa production hydro-électrique est très importante pour le Québec. En effet, le complexe La Grande, l'un des plus imposants du monde, génère plus de 45 % de la production totale d'électricité du Québec. Grâce à un réseau de transport et de distribution bien développé, l'énergie est acheminée vers l'ensemble des utilisateurs de la province.

Les Québécois font partie des plus grands consommateurs d'énergie du monde. Pour l'instant, Hydro-Québec répond à la demande en électricité tout en incitant la population à réduire sa consommation. Devra-t-elle un jour imposer des mesures d'économie d'énergie ?

**La Jamésie**

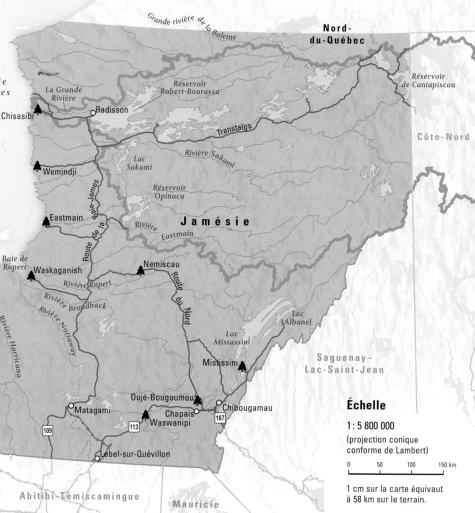

**Légende**

- ───── Frontière de la province
- ───── Limite de la région administrative
- ───── Bassin hydrographique de la Grande Rivière
- ─□─ ou ─── Route
- ─+─+─ Chemin de fer
- ○ Ville ou village
- ▲ Village cri
- ▨ Jamésie

**Échelle**

1 : 5 800 000
(projection conique conforme de Lambert)

0    50    100    150 km

1 cm sur la carte équivaut à 58 km sur le terrain.

La Jamésie et la Côte-Nord possèdent de nombreuses rivières au potentiel hydroélectrique très élevé. Les 2 régions produisent près de 75 % de l'électricité du Québec et n'en consomment que 10 %. Elles permettent donc au Québec de répondre aux besoins de sa population. Le tableau ci-contre présente divers renseignements sur la Jamésie et la Côte-Nord, et montre l'importance qu'ont ces deux régions sur le plan énergétique pour tout le Québec.

**La Jamésie et la Côte-Nord, deux territoires énergétiques du Québec**

| Renseignements | Jamésie | Côte-Nord | Ensemble du Québec |
|---|---|---|---|
| Nombre d'habitants | 30 000 | 100 000 | 7,6 millions |
| Nombre de centrales | 22 | 19 | 84 |
| Puissance totale des centrales | 16 048,8 MW[1] | 10 614,3 MW | 34 570,5 MW |
| Longueur des lignes de transport et de distribution de l'électricité | 7832 km | 7227 km | 140 888 km |
| Nombre d'abonnés | 16 112 | 43 956 | 3 743 620 |

1. La puissance électrique se mesure en watts (W). Les watts deviennent des mégawatts (MW) quand on les compte par millions.

Source: HYDRO-QUÉBEC, *Profil régional des activités d'Hydro-Québec*, 2005.

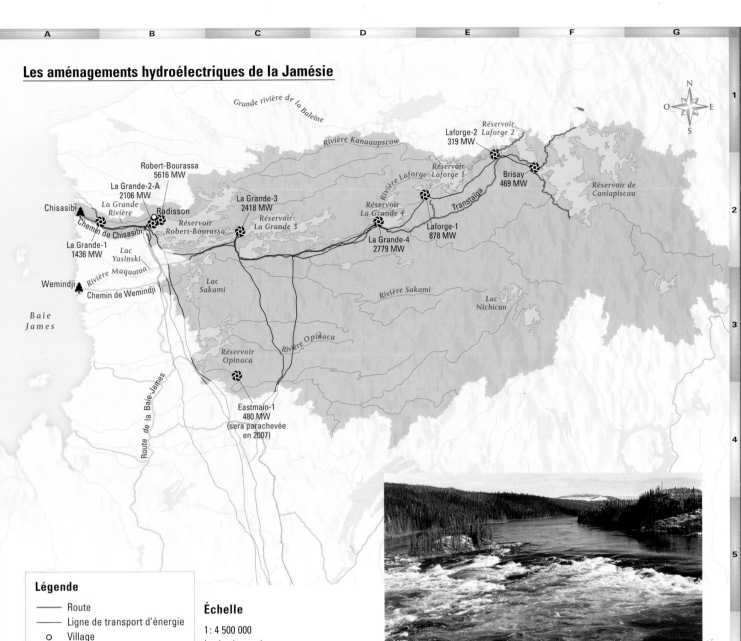

## Les aménagements hydroélectriques de la Jamésie

Grande rivière de la Baleine

Rivière Kanaaupscow

Laforge-2
319 MW

Réservoir
Laforge 2

Réservoir
Laforge 1

Robert-Bourassa
5616 MW

Brisay
469 MW

Réservoir de
Caniapiscau

La Grande-2-A
2106 MW

La Grande-3
2418 MW

*La Grande
Rivière*

Radisson

Réservoir
*La Grande 3*

Réservoir
*La Grande 4*

Rivière Laforge

Transtaïga

Chisasibi

Chemin de Chisasibi

Réservoir
Robert-Bourassa

La Grande-4
2779 MW

Laforge-1
878 MW

La Grande-1
1436 MW

Lac Yasinski

*Lac
Sakami*

Rivière Sakami

*Lac
Nichicun*

Wemindji

Rivière Maquatua

Chemin de Wemindji

*Baie
James*

*Lac
Sakami*

Rivière Opinaca

Réservoir
Opinaca

Route de la Baie-James

Eastmain-1
480 MW
(sera parachevée
en 2007)

### Légende

— Route
— Ligne de transport d'énergie
○ Village
🌲 Village cri
⚙ Centrale hydroélectrique
▢ Bassin hydrographique
de la Grande Rivière

### Échelle

1 : 4 500 000
(projection conique
conforme de Lambert)

0      50      100 km

1 cm sur la carte équivaut
à 45 km sur le terrain.

## FAUT-IL AUGMENTER LA PRODUCTION D'ÉLECTRICITÉ ?

Au Québec, ces 25 dernières années, la consommation totale d'énergie a augmenté de 33 % et celle de l'électricité, de 50 %. La demande d'électricité croît chaque année pour diverses raisons : augmentation de la population, du nombre d'entreprises, etc. Pour répondre aux besoins d'aujourd'hui et de demain, le Québec va continuer d'exploiter son potentiel hydroélectrique. Le développement hydroélectrique contribue à un faible degré au réchauffement climatique, car il produit très peu de gaz à effet de serre. Malgré cela, il peut avoir des impacts négatifs sur l'environnement. Par exemple, la construction d'un barrage provoque l'inondation de vastes territoires. En plus de l'énergie hydraulique, d'autres types d'énergie, comme le vent ou le soleil, peuvent être exploités. Mais la solution la plus simple ne serait-elle pas que la population diminue sa consommation d'énergie ?

**La Grande Rivière.** De nombreux cours d'eau du Québec représentent un énorme potentiel hydroélectrique. La Grande Rivière, qui coule en Jamésie, dans la région du Nord-du-Québec, en est un bon exemple.

**La centrale Robert-Bourassa.** La centrale Robert-Bourassa, construite sur la Grande Rivière, fournit le quart de l'électricité produite au Québec et alimente quotidiennement 1 800 000 personnes.

# LE TERRITOIRE DES CRIS

Présents depuis 5000 ans dans la région de la Baie-James, les Cris habitent 9 villages situés au nord du 49e parallèle, dans la province de Québec. Ce territoire de plus de 300 000 km² est riche en ressources naturelles : mines, forêts, hydroélectricité. En 1970, à la suite de l'implantation des grands chantiers hydro-électriques de la baie James, la nation amérindienne[1] crie se mobilise afin de faire valoir ses droits ancestraux. Les reven-dications portent sur le partage des terres, la protection de l'environnement, les droits de chasse, de pêche et de piégeage, et l'enseignement.

1. Selon la *Loi constitutionnelle de 1982*, les Autochtones au Canada sont les Amérindiens, les Inuits et les Métis. Ces trois peuples se distinguent les uns des autres par leur patrimoine, leur langue et leur culture.

## Le territoire des Cris

**Les villages cris du Québec en 2005**

| Villages | Superficie | Population |
|----------|-----------|-----------|
| Chisasibi | 109 km² | 3 502 hab. |
| Eastmain | 26 km² | 599 hab. |
| Mistissini | 274 km² | 3 153 hab. |
| Nemiscau | 81 km² | 651 hab. |
| Oujé-Bougoumou | 117 km² | 673 hab. |
| Waskaganish | 526 km² | 2 264 hab. |
| Waswanipi | 454 km² | 1 747 hab. |
| Wemindji | 95 km² | 1 250 hab. |
| Whapmagoostui | 41 km² | 793 hab. |
| **Total** | **1 723 km²** | **14 632 hab.** |

Source : Secrétariat aux affaires autochtones du Québec, 2006.

**Légende**

— Frontière de la province
⬓ ou — Route
○ Ville
🌲 Village cri
✈ Aéroport
▨ Réserve faunique
▨ Terres réservées à l'usage et au bénéfice exclusifs des Autochtones
▨ Terres partiellement gérées par les Autochtones (droits exclusifs de chasse, de pêche et de piégeage)
▨ Terres sur lesquelles les Autochtones ont le droit d'exploiter les ressources fauniques

**Échelle**

1 : 5 000 000
(projection conique conforme de Lambert)

0      60      120 km

1 cm sur la carte équivaut à 50 km sur le terrain.

CANADA
Québec
Territoire des Cris

## LE DÉVELOPPEMENT ÉCONOMIQUE

Vivre dans le nord implique qu'un bon nombre de produits doivent être acheminés par transport routier ou aérien. Cela a une répercussion sur le coût de la vie, qui est très élevé. Dans une communauté où le chômage est important, les projets doivent donc créer des emplois tout en respectant le mode de vie traditionnel. Le développement économique des Cris est alors étroitement lié aux projets québécois et canadiens. Ainsi, une compagnie crie de transport routier dessert les chantiers de la Baie-James jusqu'aux villes de Montréal, Toronto et Kingston. Une grande société pétrolière fournit des produits à PetroNor, une entreprise crie qui les distribue à la Baie-James. L'Association touristique des Cris incite les pourvoiries[1] de la région à se faire connaître dans les salons de chasse et pêche de Montréal, Québec, Toronto et Boston.

---

1. Les pourvoiries sont des établissements où des installations et des services sont offerts aux chasseurs et aux pêcheurs.

**Logo du Grand Conseil des Cris.** La peau de castor étendue représente le mode de vie des Cris sur leur territoire. L'oie symbolise l'air et les oiseaux ; l'arbre représente la vie végétale, la terre et les animaux ; le poisson représente l'eau. Ces trois éléments expriment l'interdépendance qui lie les Cris à la Création et l'équilibre à préserver pour maintenir leur mode de vie.

Source : Grand Conseil des Cris, 2006.

**Chisasibi.** À l'ouest de la centrale hydroélectrique La Grande-1 se dévoile Chisasibi, dernière communauté crie accessible par la route. Anciennement connu sous le nom de Fort George, ce village était l'emplacement d'un poste de traite de la Compagnie de la Baie d'Hudson.

### Climatogramme d'Oujé-Bougoumou

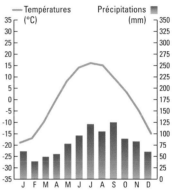

Source : Environnement Canada, 2006.

Comme Montréal ou Québec, Oujé-Bougoumou a un climat continental. Cependant, les températures y sont plus froides en hiver et plus fraîches en été. Les précipitations sont assez abondantes, principalement l'été. La forêt boréale qui pousse dans le Moyen Nord québécois permet à un certain nombre de Cris de vivre de leurs activités traditionnelles.

## LA CONVENTION DE LA BAIE-JAMES ET DU NORD QUÉBÉCOIS

En 1975, les Cris et les Inuits du Québec signent la Convention de la Baie-James et du Nord québécois avec les gouvernements du Québec et du Canada. Les Autochtones cèdent certains droits territoriaux en échange de droits d'utilisation et de dédommagements financiers. La Convention jette les bases de l'organisation sociale, économique et administrative d'une importante partie de la population autochtone du Québec. Désormais, le développement de l'immense territoire du Nord québécois se fera en concertation avec les Autochtones et les autorités gouvernementales. L'entrée en vigueur de la Convention pose certains problèmes (harmonisation des activités forestières avec les activités traditionnelles des Cris, développement hydroélectrique de la rivière Rupert) qui seront résolus lors de la signature de la Paix des Braves en 2002.

**Entre tradition et modernité.** Les pratiques ancestrales des Cris et leur connaissance de la nature sont mises en valeur dans les pourvoiries. Le savoir des guides cris est indispensable aux touristes qui veulent pratiquer la chasse, le piégeage ou la pêche sur cet immense territoire.

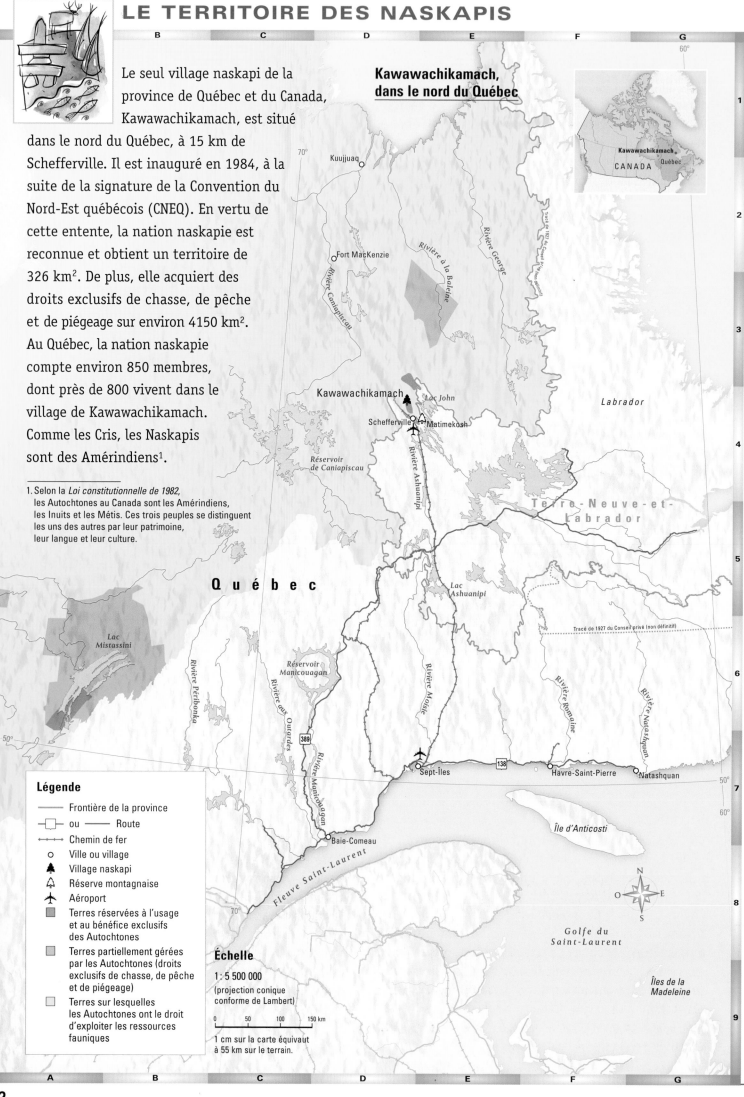

Le seul village naskapi de la province de Québec et du Canada, Kawawachikamach, est situé dans le nord du Québec, à 15 km de Schefferville. Il est inauguré en 1984, à la suite de la signature de la Convention du Nord-Est québécois (CNEQ). En vertu de cette entente, la nation naskapie est reconnue et obtient un territoire de 326 km². De plus, elle acquiert des droits exclusifs de chasse, de pêche et de piégeage sur environ 4150 km². Au Québec, la nation naskapie compte environ 850 membres, dont près de 800 vivent dans le village de Kawawachikamach. Comme les Cris, les Naskapis sont des Amérindiens[1].

1. Selon la *Loi constitutionnelle de 1982*, les Autochtones au Canada sont les Amérindiens, les Inuits et les Métis. Ces trois peuples se distinguent les uns des autres par leur patrimoine, leur langue et leur culture.

**Kawawachikamach, dans le nord du Québec**

**Légende**

— Frontière de la province
□— ou — Route
+—+—+ Chemin de fer
○ Ville ou village
♠ Village naskapi
⌂ Réserve montagnaise
✈ Aéroport
■ Terres réservées à l'usage et au bénéfice exclusifs des Autochtones
■ Terres partiellement gérées par les Autochtones (droits exclusifs de chasse, de pêche et de piégeage)
□ Terres sur lesquelles les Autochtones ont le droit d'exploiter les ressources fauniques

**Échelle**

1 : 5 500 000
(projection conique conforme de Lambert)

0  50  100  150 km

1 cm sur la carte équivaut à 55 km sur le terrain.

## LES REVENDICATIONS DES AUTOCHTONES
## SONT AUSSI CELLES DES NASKAPIS

Historiquement, les revendications s'expliquent par l'exploitation des ressources naturelles sur les territoires occupés par les Autochtones, les déplacements obligés ou volontaires des bandes autochtones, la création de réserves[1] et le non-respect des traités conclus. Dépossédés de leurs terres et de ces ressources, les Autochtones demandent donc réparation sur trois points : la reconnaissance des droits ancestraux et territoriaux, le droit à l'autodétermination et le droit à l'autonomie dans la gestion des affaires. En d'autres termes, les Autochtones, comme les Naskapis, veulent décider eux-mêmes de ce qui les concerne, obtenir de plus grands territoires pour pratiquer leurs activités traditionnelles (chasse, pêche et piégeage) et sauvegarder leur identité et leur culture.

---

1. Territoire que le gouvernement du Canada réserve à l'usage exclusif d'une communauté amérindienne. Le gouvernement fédéral a l'entière propriété des terres occupées par les réserves, mais l'administration de chacune est confiée à la communauté.

N. Mongeau.

**Le drapeau des Naskapis.** L'inscription au centre signifie « les Naskapis », en langue crie. La flèche de lance indique le nord, où vivait autrefois cette nation. La tête de caribou symbolise la migration des caribous vers l'ouest et le mode de vie nomade des Naskapis. Le poisson indique les tribus du sud auxquelles les Naskapis achètent du poisson. Le wigwam (tente) indique l'est, d'où sont originaires les Naskapis.

Source : Communauté naskapie, 2006.

N. Mongeau.

**Kawawachikamach.** Familièrement appelé « Kawawa », le village est construit sur une pointe qui s'avance entre le lac Matemace et le lac Peter. Il compte environ 800 habitants, dont un grand nombre a moins de 15 ans.

N. Mongeau.

**Une école pour tous.** Les enfants qui fréquentent l'école primaire et secondaire de Kawawachikamach y apprennent la langue naskapie. Pour poursuivre leurs études, les jeunes doivent partir loin de leurs familles.

**Climatogramme de Kawawachikamach**

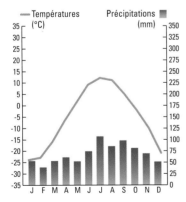

Source : Environnement Canada, 2006.

À Kawawachikamach, le climat est subarctique : l'hiver est très long et très froid alors que l'été est frais et court. Les précipitations sont modérées, mais plus abondantes en été. Chez les Naskapis, les activités traditionnelles sont directement liées au rythme des saisons, leur mode de vie étant axé sur la nature.

## UNE SOCIÉTÉ DE DÉVELOPPEMENT
## POUR MAXIMISER LES PROGRÈS

La Société de développement des Naskapis a été mise sur pied en 1979 pour administrer les fonds reçus (neuf millions de dollars) à la suite de la signature de la Convention du Nord-Est québécois. Depuis la création de la Société, différents projets ont vu le jour et ont permis aux Naskapis de participer à leur propre développement. Ainsi, la Société gère le centre commercial Manikin, administre la radio communautaire, 22 pourvoiries et une compagnie de construction. Cette diversité dans la création d'emplois a permis aux Naskapis d'acquérir certaines compétences et de se faire connaître. L'un des grands projets que caresse la Société est de mettre sur pied un centre de formation autochtone.

# LA MONTÉRÉGIE – TERRITOIRE INDUSTRIEL

Deuxième région administrative de la province de Québec pour la population et l'activité industrielle, la Montérégie est davantage connue pour sa production agricole, ses sites historiques et ses parcs naturels que pour sa production industrielle. Pourtant, l'industrialisation a favorisé le développement économique et la prospérité de la région. La Montérégie bénéficie de plusieurs atouts favorables à l'implantation d'industries, notamment une situation géographique avantageuse, des infrastructures de transport adéquates et des activités industrielles dominantes pouvant soutenir la concurrence mondiale. Mais l'industrialisation peut aussi avoir des effets néfastes sur l'environnement.

## La Montérégie

### Légende

— Frontière internationale
— Frontière de la province
— Limite de la région administrative
⌂ ou — Autoroute
☐ ou — Route
+++ Chemin de fer
○ Ville ou village
✈ Aéroport
⚓ Port
⚏ Pont

### Échelle

1 : 1 150 000
(projection conique conforme de Lambert)

0   10   20   30 km

1 cm sur la carte équivaut à 11,5 km sur le terrain.

**Un territoire privilégié.** La situation géographique de la Montérégie, au cœur d'une zone industrielle et commerciale, facilite les échanges avec les autres provinces canadiennes, les États-Unis... et le reste du monde.

PUBLIPHOTO : P.G. Adam.

## Les principaux employeurs manufacturiers en Montérégie en 2004

| Employeurs | Nombre d'employés |
|---|---|
| Pratt & Whitney Canada – aéronautique (Longueuil) | 5000 |
| Olymel – agroalimentaire (Saint-Hyacinthe) | 3100 |
| IBM – informatique (Bromont) | 2700 |
| Mittal Steel Canada – métallurgie (Contrecœur) | 1600 |
| Goodyear – caoutchouc (Salaberry-de-Valleyfield) | 1400 |
| QIT-Fer et Titane – métallurgie (Sorel-Tracy) | 1400 |
| Aliments Carrière – agroalimentaire (Bedford) | 1150 |
| Agropur – agroalimentaire (Granby et Saint-Hyacinthe) | 1150 |
| Beaulieu Canada – textile  (Farnham et Acton Vale) | 1000 |
| Zinc électrolytique du Canada – métallurgie (Salaberry-de-Valleyfield) | 800 |

Source : « Dossier spécial – La tournée du Québec 2005 : Montérégie », *Les Affaires*, avril 2005, p. 48.

## Les principales villes industrielles de la Montérégie et leurs productions en 2005

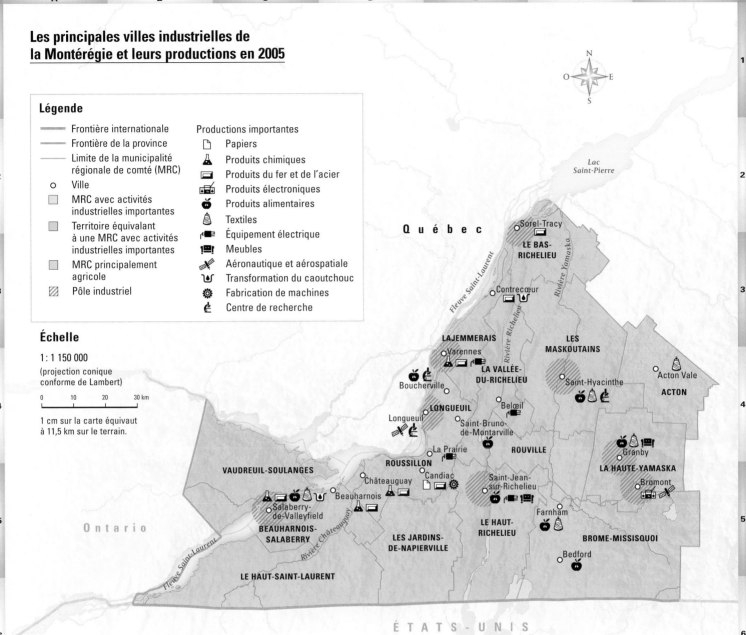

**Légende**

Frontière internationale
Frontière de la province
Limite de la municipalité régionale de comté (MRC)
○ Ville
▢ MRC avec activités industrielles importantes
▢ Territoire équivalent à une MRC avec activités industrielles importantes
▢ MRC principalement agricole
▨ Pôle industriel

**Productions importantes**

Papiers
Produits chimiques
Produits du fer et de l'acier
Produits électroniques
Produits alimentaires
Textiles
Équipement électrique
Meubles
Aéronautique et aérospatiale
Transformation du caoutchouc
Fabrication de machines
Centre de recherche

**Échelle**

1 : 1 150 000

(projection conique conforme de Lambert)

0    10    20    30 km

1 cm sur la carte équivaut à 11,5 km sur le terrain.

## HARMONISER ENVIRONNEMENT ET INDUSTRIE : EST-CE POSSIBLE ?

Les industries ont une part de responsabilité dans la pollution en Montérégie. Au milieu des années 1980, époque où la région compte dans ses rangs certaines industries parmi les plus polluantes du Québec, la situation est particulièrement alarmante. Bon nombre d'entre elles rejettent des polluants dans l'air, déversent directement, sans traitement, leurs eaux usées dans les cours d'eau ou contaminent les sols en enfouissant des déchets industriels et dangereux.

La situation a changé depuis. Des efforts ont été faits pour réduire la pollution dans la région, à la suite de la signature du Plan d'action Saint-Laurent en 1988 (qui se terminera en 2008). Cette entente, signée par de nombreux acteurs (gouvernements, responsables régionaux et municipaux, entreprises et syndicats), exige notamment des industries qu'elles modifient leurs procédés industriels pour les rendre moins polluants. De nettes améliorations ont été constatées depuis dans la lutte contre la pollution.

**Le défi de la dépollution.** En 1988, de nombreuses entreprises de la Montérégie se sont engagées à trouver des solutions pour réduire la pollution du fleuve Saint-Laurent. Leurs efforts ont permis à la population de profiter davantage des possibilités récréatives du fleuve. Par ailleurs, certaines activités de loisir nuisent aussi à l'environnement. Ainsi, l'usage d'embarcations à moteur est une des principales causes de l'érosion des berges.

PUBLIPHOTO : P.G. Adam.

# LA GASPÉSIE – TERRITOIRE TOURISTIQUE

La Gaspésie est l'une des régions touristiques de la province de Québec. Cette grande péninsule montagneuse offre des panoramas grandioses. La perspective de longer ses falaises escarpées qui plongent dans la mer, de pénétrer dans ses terres et de gravir ses montagnes ne peut manquer d'attirer les visiteurs, tant étrangers que québécois. De plus en plus, le territoire touristique de la Gaspésie met en valeur son milieu naturel et offre des activités en harmonie avec les saisons.

PUBLIPHOTO : D. Lévesque.

**La réserve faunique des Chic-Chocs.** Au cœur de la Gaspésie se dressent les Chic-Chocs, un groupe de montagnes appalachiennes aux parois abruptes et aux sommets aplatis. Ce massif offre un décor majestueux pour la pratique d'activités comme la pêche, la chasse, la randonnée et le ski.

## La Gaspésie, une des régions touristiques du Québec

**Régions touristiques du Québec**

01 Îles-de-la-Madeleine
02 Gaspésie
03 Bas-Saint-Laurent
04 Québec
05 Charlevoix
06 Chaudière-Appalaches
07 Mauricie
08 Cantons-de-l'Est
09 Montérégie
10 Lanaudière
11 Laurentides
12 Montréal
13 Outaouais
14 Abitibi-Témiscamingue
15 Saguenay—Lac-Saint-Jean
16 Manicouagan
17 Duplessis
18 Nord-du-Québec
19 Laval
20 Centre-du-Québec
21 Nunavik

**Légende**

Frontière internationale
Frontière de la province
Limite de la région touristique
✪ Capitale de la province
○ Ville de plus de 1 million d'habitants
• Ville de moins de 1 million d'habitants

**Échelle**

1 : 12 000 000
(projection conique conforme de Lambert)

0   100   200   300 km

1 cm sur la carte équivaut à 120 km sur le terrain.

**Les régions de Montréal (12) et de Laval (19)**

LAVAL
MONTRÉAL
0   12 km

CANADA
Québec
Gaspésie

Détroit d'Hudson
Baie d'Ungava
Baie d'Hudson
Baie James
Mer du Labrador
Kuujjuaq
21
Grande rivière de la Baleine
Réservoir Robert-Bourassa
Radisson
La Grande Rivière
Réservoir de Caniapiscau
**Québec**
Rivière Eastmain
18
Lac Mistassini
Réservoir Manicouagan
17
Ontario
Chibougamau
15
16
Sept-Îles
Baie-Comeau
Détroit de Jacques-Cartier
Île d'Anticosti
Détroit d'Honguedo
Golfe du Saint-Laurent
Sainte-Anne-des-Monts
Gaspé
02
Matane
Rimouski
Fleuve Saint-Laurent
Rouyn-Noranda
Réservoir Gouin
Rivière Saint-Maurice
Alma
Roberval
Saguenay
Riv. Saguenay
Val-d'Or
14
03
Rivière-du-Loup
05
Îles de la Madeleine
01
Rivière des Outaouais
13
07
04
Québec
Montmagny
Lévis
Nouveau-Brunswick
10
Shawinigan
Trois-Rivières
Joliette
06
Saint-Georges
11
Sorel
Tracy
20
Thetford Mines
Drummondville
Saint-Jérôme
08
Gatineau
Laval
Montréal
Sherbrooke
09
Granby
Nouvelle-Écosse
Longueuil
Saint-Jean-sur-Richelieu
Lac Champlain
ÉTATS-UNIS
Terre-Neuve-et-Labrador
Détroit de Belle Isle
Tracé de 1927 du Conseil privé (non définitif)

## La Gaspésie EN BREF

| | |
|---|---|
| Pays | Canada (province de Québec) |
| Superficie | 20 068 km² |
| Climat | Continental humide |
| Population | Environ 83 000 habitants |
| Densité de population en 2005 | 4,2 hab./km² |
| Revenu annuel moyen par habitant en 2005 | 21 700 $ |
| Monnaie | Dollar canadien |
| Langue | Français |
| Nombre de touristes en 2004 | 856 000 |
| Dépenses des touristes en 2004 | 196 millions $ |
| Emplois créés par le tourisme en 2004 | 1500 |

Sources: Ministère du Tourisme du Québec, 2005 (données de 2004); Institut de la statistique du Québec, 2006 (données de 2005).

### Climatogramme de New Richmond

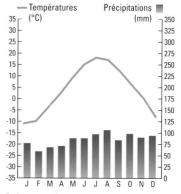

Source: Environnement Canada, 2006.

La région touristique de la Gaspésie, dont New Richmond est l'une des municipalités, se caractérise par un climat continental humide. Son pourtour possède cependant un climat de type maritime. La proximité de l'océan Atlantique contribue à adoucir le climat de cette région qui, par beau temps, comble les touristes.

## Le territoire touristique de la Gaspésie

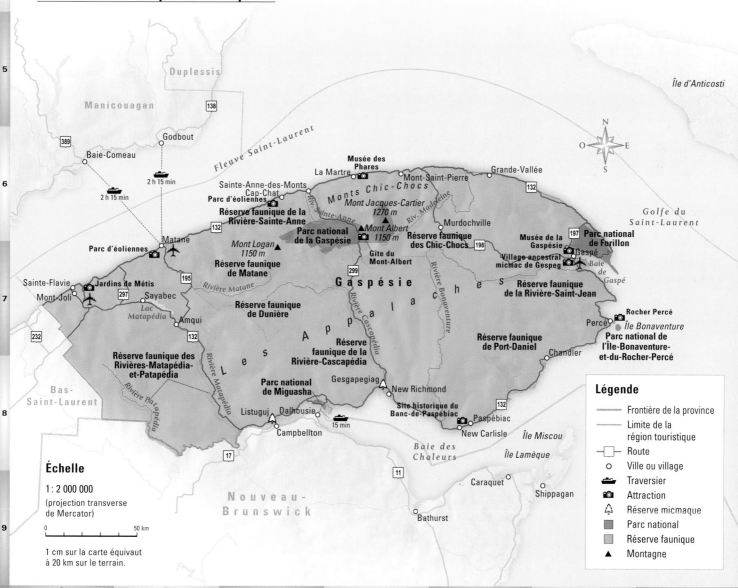

SUITE À LA PAGE 68
**67**

### LA NATURE ET LA CULTURE GASPÉSIENNES : DES ATTRAITS À PRÉSERVER ET À PROMOUVOIR

Le tourisme est une activité économique importante pour la Gaspésie. Pour attirer les touristes et faire en sorte qu'ils prolongent leur séjour dans la région, la Gaspésie met en valeur les richesses du patrimoine, en fait la promotion et aménage son territoire afin d'accueillir de plus en plus de visiteurs. Depuis quelques années, le territoire touristique de la Gaspésie se positionne comme une destination récréotouristique quatre saisons, de classe internationale. En préservant ses particularités, la région entend jouer un rôle de chef de file au Québec et sur les marchés mondiaux. Les grands espaces, l'aventure et la culture, notamment, constituent les priorités du développement touristique de la région. Le tourisme en Gaspésie s'appuie, entre autres, sur un milieu unique et protégé, un environnement marin accessible et un grand nombre d'aménagements récréotouristiques.

Comparativement à d'autres régions touristiques du Québec, la Gaspésie est relativement peu fréquentée.

**L'incontournable rocher Percé, dans la municipalité de Percé.** La Gaspésie est célèbre pour son rocher Percé, un roc de 470 m de longueur. Celui-ci renferme des fossiles, c'est-à-dire des restes ou des empreintes de plantes ou d'animaux très anciens, qui datent d'environ 400 millions d'années.

PUBLIPHOTO : E. Clusiau.

**Les fous de Bassan.** La colonie de fous de Bassan qui niche dans l'île Bonaventure est la plus accessible du monde et la plus importante d'Amérique avec ses 70 000 individus.

PUBLIPHOTO : C. Gagnon.

**La répartition du tourisme entre la Gaspésie et les autres régions touristiques du Québec en 2004**

| Régions touristiques du Québec | Nombre de touristes (en milliers) | Répartition des touristes | Recettes (en millions de dollars) | Répartition des recettes |
|---|---|---|---|---|
| 01. Îles-de-la-Madeleine | 75 | 0,2 % | 39 | 0,6 % |
| 02. Gaspésie | 856 | 2,8 % | 196 | 2,8 % |
| 03. Bas-Saint-Laurent | 1 095 | 3,5 % | 218 | 3,1 % |
| 04. Québec | 5 288 | 17,1 % | 1 480 | 21,1 % |
| 05. Charlevoix | 670 | 2,2 % | 154 | 2,2 % |
| 06. Chaudière-Appalaches | 1 287 | 4,2 % | 153 | 2,2 % |
| 07. Mauricie | 1 512 | 4,9 % | 196 | 2,8 % |
| 08. Cantons-de-l'Est | 2 366 | 7,6 % | 327 | 4,6 % |
| 09. Montérégie | 1 501 | 4,8 % | 192 | 2,7 % |
| 10. Lanaudière | 1 340 | 4,3 % | 139 | 2,0 % |
| 11. Laurentides | 2 927 | 9,5 % | 504 | 7,2 % |
| 12. Montréal | 6 478 | 20,9 % | 2 330 | 33,2 % |
| 13. Outaouais | 1 422 | 4,6 % | 180 | 2,6 % |
| 14. Abitibi-Témiscamingue | 646 | 2,1 % | 111 | 1,6 % |
| 15. Saguenay–Lac-Saint-Jean | 1 274 | 4,1 % | 250 | 3,5 % |
| 16. Manicouagan | 460 | 1,5 % | 93 | 1,3 % |
| 17. Duplessis | 149 | 0,5 % | 53 | 0,7 % |
| 18. Nord-du-Québec | 25 | 0,1 % | 8 | 0,1 % |
| 19. Laval | 179 | 0,6 % | 29 | 0,4 % |
| 20. Centre-du-Québec | 816 | 2,6 % | 61 | 0,9 % |
| 21. Nunavik | ND* | ND* | ND* | ND* |
| Non précisé | 579 | 1,9 % | 312 | 4,4 % |
| **Total** | **30 943** | **100 %** | **7 025** | **100 %** |

**Les principaux attraits de la Gaspésie**

**La nature et le plein air**

Les Jardins de Métis

Le rocher Percé

L'île Bonaventure

Les monts Chic-Chocs

Les excursions de pêche en mer

Le kayak de mer

L'observation de la faune marine

La randonnée pédestre (sentier international des Appalaches, parcs nationaux de Forillon et de la Gaspésie)

**L'histoire et la culture**

Plusieurs musées et lieux historiques (Musée des Phares, Musée de la Gaspésie, Pointe-à-la-Croix, Listuguj, Gespeg)

Le parc national de Miguasha

Les maisons ancestrales

La gastronomie maritime régionale

Les nombreux théâtres et galeries d'art

Source : MINISTÈRE DU TOURISME DU QUÉBEC, *Le tourisme au Québec en bref*, 2005.

* ND : Non disponible.

**La provenance des touristes
au Québec en 2004**

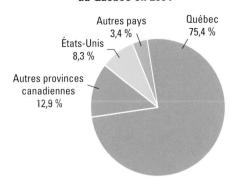

Autres pays
3,4 %

Québec
75,4 %

États-Unis
8,3 %

Autres provinces
canadiennes
12,9 %

**La provenance des touristes
en Gaspésie en 2004**

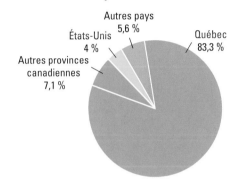

Autres pays
5,6 %

États-Unis
4 %

Québec
83,3 %

Autres provinces
canadiennes
7,1 %

Les régions touristiques du Québec sont fréquentées à 75 % par des Québécois. Ce pourcentage s'élève à 83 % lorsqu'il est question de la Gaspésie. Cette proportion illustre l'attachement des Québécois pour ce territoire.

Source : MINISTÈRE DU TOURISME DU QUÉBEC, *Le tourisme au Québec en bref*, 2005.

## LES IMPACTS DU TOURISME EN GASPÉSIE

Pour accueillir les touristes, la Gaspésie a dû aménager son territoire, c'est-à-dire améliorer les accès à la région, développer un réseau d'hôtels, d'auberges, de gîtes et de restaurants, et mettre en valeur ses sites naturels, historiques et culturels. Par ailleurs, l'industrie touristique gaspésienne a permis la création de nouveaux emplois, même s'ils sont pour la plupart saisonniers. Ces aspects positifs permettent-ils de tracer un bilan favorable du tourisme en Gaspésie ? Il est certain que les impacts du tourisme sont plutôt bénéfiques dans la mesure où le territoire touristique est grand, que la densité de la population est faible et que le nombre de touristes est encore relativement peu élevé. Il n'en reste pas moins qu'une trop grande affluence pourrait, à la longue, avoir des effets négatifs sur le milieu naturel et ses habitants.

MEGAPRESS/Naiman.

**Le parc éolien de Saint-Ulric.** La Gaspésie offre des sites exceptionnels pour le développement de l'énergie éolienne au Québec. Elle vise à être reconnue comme une région qui produit une énergie verte (écologique et renouvelable). En 1998, à Cap-Chat, un parc de 76 éoliennes est créé. Un autre parc de 57 éoliennes, situé à Saint-Ulric, a été mis en service en octobre 1999. Depuis, la multiplication des projets est telle que de nombreux Gaspésiens s'inquiètent de l'impact visuel des éoliennes sur le tourisme et du bruit causé par la rotation des pales.

MEGAPRESS : F. Lépine.

**La ville de Gaspé.** Le 24 juillet 1534, lors de son premier voyage en Amérique, le navigateur Jacques Cartier débarque dans la baie de Gaspé. Il y fait élever une croix pour signifier que le territoire appartient désormais au roi de France. La baie de Gaspé est une échancrure profonde du littoral. Elle constitue une superbe étendue d'eau bien protégée par les montagnes. Aujourd'hui, Gaspé est une ville importante qui s'étire sur 1500 km². Elle comprend le parc national de Forillon ainsi qu'un ensemble de villages côtiers ayant chacun leurs propres caractéristiques. Avec ses 150 km de côtes, la ville de Gaspé offre un large éventail d'activités récréotouristiques liées à la mer. Sa situation géographique favorable lui confère un atout majeur pour les échanges ou le transbordement par voie maritime.

La ville de Montréal est la métropole de la province de Québec. Elle est située dans la partie sud-ouest du Québec, à la rencontre de la rivière des Outaouais et du fleuve Saint-Laurent. Montréal est le cœur de la Communauté métropolitaine de Montréal (CMM), qui couvre plus de 4000 km² et compte 82 municipalités groupées en 5 régions : les agglomérations de Montréal et de Longueuil, la ville de Laval, les couronnes Nord et Sud. Environ 3,5 millions de personnes y vivent, soit près de 50 % de la population québécoise. Assurer le bien-être des citoyens d'un territoire aussi vaste et densément peuplé est un immense défi. Montréal s'efforce de le relever de différentes façons.

Une métropole est une importante agglomération urbaine, c'est-à-dire le rassemblement d'une grande ville et de ses localités voisines, la banlieue. Une métropole exerce son influence sur la région environnante et bien au-delà. Elle se distingue des autres grandes villes par l'étalement de son territoire et par la concentration de sa population et de ses activités industrielles, économiques, culturelles, etc. C'est le cas de Montréal, métropole du Québec et de l'est du Canada.

## La Communauté métropolitaine de Montréal, au Québec

CANADA

Québec

Montréal

Nunavut

Détroit d'Hudson

Baie d'Ungava

OCÉAN ATLANTIQUE

Mer du Labrador

Baie d'Hudson

Terre-Neuve-et-Labrador

Baie James

Québec

Tracé de 1927 du Conseil privé (non définitif)

Ontario

Sept-Îles

Île d'Anticosti

Gaspé

Golfe du Saint-Laurent

Saguenay

Fleuve Saint-Laurent

Rimouski

Îles de la Madeleine

Île-du-Prince-Édouard

Québec

Lévis

Communauté métropolitaine de Montréal

Trois-Rivières

Saint-Georges

Nouveau-Brunswick

Nouvelle-Écosse

Rivière des Outaouais

Gatineau

Montréal

Sherbrooke

ÉTATS-UNIS

### Échelle

1 : 14 900 000

(projection conique conforme de Lambert)

0      200      400 km

1 cm sur la carte équivaut à 149 km sur le terrain.

### Légende

— Frontière internationale
— Frontière de la province
⊛ Capitale de la province
○ Ville
● Métropole
▢ Communauté métropolitaine de Montréal

**Une ville à caractère multiethnique.** La population montréalaise se compose de personnes d'origines diverses.

MEGAPRESS.

MEGAPRESS. - F. Lépine.

**Un symbole.** Montréal se reconnaît notamment à son stade olympique, construit pour les Jeux olympiques de 1976. On doit à Jean Drapeau, maire de Montréal de 1960 à 1986, la tenue de cet événement dans la métropole.

## L'aménagement de la Communauté métropolitaine de Montréal (CMM)

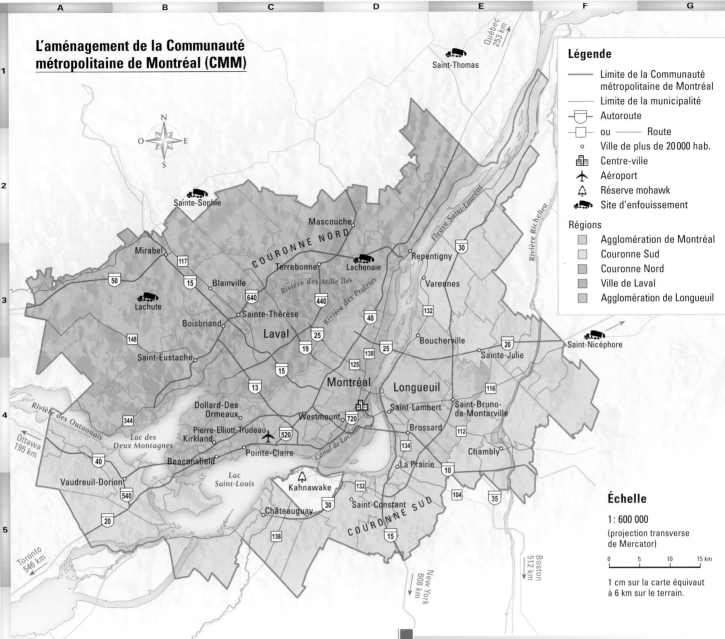

**Légende**

- Limite de la Communauté métropolitaine de Montréal
- Limite de la municipalité
- Autoroute
- ou — Route
- ○ Ville de plus de 20 000 hab.
- Centre-ville
- ✈ Aéroport
- ⌂ Réserve mohawk
- Site d'enfouissement

**Régions**

- Agglomération de Montréal
- Couronne Sud
- Couronne Nord
- Ville de Laval
- Agglomération de Longueuil

**Échelle**

1 : 600 000

(projection transverse de Mercator)

0    5    10    15 km

1 cm sur la carte équivaut à 6 km sur le terrain.

### LES DÉCHETS, PEUT-ON LES GÉRER?

La métropole produit beaucoup de déchets. En effet, chaque Montréalais ou Montréalaise produit annuellement environ 500 kg d'ordures; seulement 85 kg de ces déchets sont recyclés. Les ordures ménagères sont transportées par camion jusqu'à 5 sites d'enfouissement situés à bonne distance du centre-ville: le plus éloigné est à 110 km! Le transport des ordures ménagères cause donc beaucoup de gaz polluants. À cela s'ajoutent des liquides et des gaz issus de la décomposition des déchets. Toutes ces substances peuvent nuire éventuellement à la santé et à l'environnement.

Chaque projet d'agrandissement ou de création de sites d'enfouissement soulève un questionnement: comment réduire la quantité de déchets à enfouir? L'administration de la Communité métropolitaine de Montréal (CMM) privilégie le recyclage et le compostage[1], mais les résidents sont-ils prêts à adopter de telles mesures?

1. Préparation à base d'engrais composé de terre et de déchets organiques.

La population de la CMM augmente constamment: elle est passée de 3,29 millions d'habitants en 1991 à 3,5 millions en 2005. Cela représente environ 50 % de la population du Québec. La CMM est multi-ethnique. En 2001, près de 19 % de ses habitants sont des immigrants.

**La population des cinq régions de la CMM en 2005**

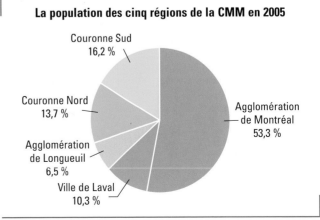

- Couronne Sud 16,2 %
- Couronne Nord 13,7 %
- Agglomération de Longueuil 6,5 %
- Ville de Laval 10,3 %
- Agglomération de Montréal 53,3 %

Sources: Communauté métropolitaine de Montréal, 2006; *Répertoire des municipalités du Québec*, 2006.

SUITE À LA PAGE 72 **71**

## Le centre-ville de Montréal

Boulevard Saint-Laurent

Rue Saint-Urbain

Boulevard Saint-Laurent

Square Saint-Louis

Rue Saint-Denis

Rue Berri

Boulevard De Maisonneuve

Rue Sainte-Catherine

Boulevard René-Lévesque

Boulevard Ville-Marie

Avenue Papineau

Pont Jacques-Cartier

Bibliothèque et Archives nationales du Québec

Rue Sherbrooke

Rue Ontario

Square Viger

Marché Bonsecours

Avenue des Pins

Parc Rutherford

Parc du Mont-Royal

Université McGill

Musée McCord d'histoire canadienne

Musée Redpath

Université du Québec à Montréal

Place-des-Arts

Complexe Desjardins

Avenue du Parc

Complexe Guy-Favreau

Avenue Viger

Rue Saint-Antoine

Palais de justice

Palais des congrès de Montréal

Basilique Notre-Dame

Hôtel de ville de Montréal

Vieux-Port

Centre des sciences de Montréal

Pont de la Concorde

Fleuve Saint-Laurent

Deux-Montagnes

Rue University

Rue de la Montagne

Place-Ville-Marie

Square Dorchester

Gare Centrale

Bourse de Montréal

Rue de la Commune

Autoroute Bonaventure

Musée des beaux-arts de Montréal

Université Concordia

Rue Guy

Gare Windsor

Centre Bell

Gare Lucien-L'Allier

Avenue Ville-Marie

Planétarium de Montréal

Autoroute Ville-Marie

Rue Saint-Jacques

Rue Notre-Dame

Mont-Saint-Hilaire

Centre canadien d'architecture

Avenue Atwater

Blainville Vaudreuil Candiac

Canal de Lachine

### Légende

| | |
|---|---|
| ▬▬ | Autoroute |
| ▬ ou ▬ | Rue |
| ┼┼┼ | Train de banlieue |
| ●●● | Ligne de métro |
| ┊┊┊ | Tunnel |
| ⌣ | Pont |
| ▢ | Centre-ville |
| ▢ | Vieux-Montréal |
| ▢ | Espace vert |
| ⌂ | Gare |
| Ⓜ | Station de métro |
| 📷 | Centre d'intérêt |
| H | Hôpital |

### Échelle

1 : 20 000

(projection transverse de Mercator)

0       500 m

1 cm sur la carte équivaut à 200 m sur le terrain.

**Une attraction.** Montréal est connue pour sa ville souterraine. Un vaste réseau de corridors piétonniers relie des stations de métro du centre-ville à divers autres lieux : centres commerciaux, édifices à bureaux, salles de spectacles, restaurants, etc.

PHOTOTHÈQUE ERPI.

## SE DÉPLACER À MONTRÉAL

À Montréal, il est difficile de se déplacer. De plus en plus de personnes se rendent au travail en automobile. Comme le cœur de la métropole est une île, la traversée des ponts à l'heure de pointe relève de l'exploit : la circulation s'intensifie, des embouteillages se forment et la pollution attribuable aux gaz d'échappement augmente. Les autorités de la ville de Montréal et de la CMM envisagent différentes solutions, notamment : construire d'autres ponts, favoriser le covoiturage et augmenter le coût du stationnement au centre-ville. La promotion du transport en commun (métro, autobus, train) semble l'une des meilleures mesures à adopter. La pollution ainsi que les pertes de temps et le stress liés à l'utilisation de l'automobile ne pourraient que diminuer.

**Les moyens de transport utilisés par les travailleurs de la CMM**

| Régions | Automobile | Transports en commun | Autres moyens de transport |
|---|---|---|---|
| Couronne Nord | 81 % | 3 % | 16 % |
| Couronne Sud | 82 % | 3 % | 15 % |
| Longueuil | 75 % | 12 % | 13 % |
| Laval | 80 % | 9 % | 11 % |
| Montréal | 61 % | 23 % | 16 % |
| Ensemble de la CMM[1] | 70 % | 15 % | 15 % |

1. Les pourcentages de cette rangée sont des moyennes qui ont été calculées proportionnellement à la population de chacune des cinq régions de la CMM.

Source : Enquête origine-destination, 2003.

**Les déplacements en transport en commun effectués par les travailleurs de la CMM le matin (du lundi au vendredi)**

| Régions | Nombre de déplacements | Pourcentage |
|---|---|---|
| Couronne Nord | 16 000 | 4,4 % |
| Couronne Sud | 17 000 | 4,7 % |
| Longueuil | 38 000 | 10,4 % |
| Laval | 27 000 | 7,4 % |
| Montréal | 266 000 | 73,1 % |
| Ensemble de la CMM | 364 000 | 100 % |

Source : Enquête origine-destination, 2003.

À l'intérieur de la CMM, le nombre de déplacements effectués en transport en commun, pendant la période de pointe du matin, a augmenté de 8 % entre 1998 et 2003. Le nombre de voitures circulant sur le réseau routier de la CMM augmente cependant plus vite que le nombre d'usagers du transport en commun.

L'urbanisation de Montréal s'est accélérée depuis les années 1950. Avec le développement des infrastructures de transport et l'avènement de la voiture particulière, la population s'est installée de plus en plus loin du centre-ville de Montréal. Ce mouvement d'étalement urbain s'est souvent fait au détriment des terres agricoles.

## SE LOGER À MONTRÉAL

Chaque année, au début du mois de juillet, de nombreuses familles montréalaises à faible revenu se retrouvent sans toit parce qu'elles n'ont pas réussi à trouver un logement à coût abordable. Les logements à loyer modique sont de plus en plus rares dans la métropole, particulièrement dans l'île de Montréal. Devant cette crise du logement, des organismes communautaires, comme le Front d'action populaire en réaménagement urbain (FRAPRU), demandent aux gouvernements de construire davantage de logements sociaux destinés aux ménages à faible revenu.

La situation du logement à Montréal illustre le déséquilibre qu'entraîne la croissance des métropoles : des millions de personnes vivent et travaillent sur un même territoire et doivent s'y déplacer.

CP IMAGES/La Presse : M. Tremblay.

**Le droit au logement.** Pour de nombreuses familles montréalaises, le droit au logement représente un véritable enjeu. Certaines d'entre elles ne trouvent pas à se loger, d'autres habitent loin du centre-ville, dans des quartiers où les loyers sont plus abordables.

La ville de Québec est la capitale de la province de Québec.

Elle fait partie de la région administrative de la Capitale-Nationale. En 1985, son arrondissement historique, le Vieux-Québec, a été classé site du patrimoine mondial par l'Unesco. Cette marque internationale a renforcé les efforts déployés sur le terrain pour mettre en valeur l'immense richesse historique du site. Depuis, la ville patrimoniale de Québec assume toutes les responsabilités et tous les défis qui sont rattachés à ce classement.

## La ville de Québec, dans la province de Québec

CANADA

Québec
Québec

Nunavut

Détroit d'Hudson

Baie d'Ungava

OCÉAN ATLANTIQUE

Mer du Labrador

Baie d'Hudson

Terre-Neuve-et-Labrador

Baie James

**Québec**

Île d'Anticosti

Ontario

Fleuve Saint-Laurent

Gaspé

Golfe du Saint-Laurent

Saguenay

Îles de la Madeleine

**Québec** ✪

Trois-Rivières

Nouveau-Brunswick

Gatineau

Montréal
Sherbrooke

ÉTATS-UNIS

Nouvelle-Écosse

### Légende

━━━ Frontière internationale
━━━ Frontière de la province
✪ Capitale de la province
○ Ville

### Échelle

1 : 14 900 000
(projection conique conforme de Lambert)

0      200      400 km

1 cm sur la carte équivaut à 149 km sur le terrain.

## QUÉBEC ET SON PATRIMOINE

### Principal site protégé

- Arrondissement historique, inscrit en 1985 sur la Liste du patrimoine mondial de l'Unesco. Le site comprend la partie de la Haute-Ville, située à l'intérieur des fortifications (d'où le nom de Québec *intra-muros*), et une partie de la Basse-Ville où se trouve notamment le quartier Place-Royale.

### Valeur culturelle du site

L'arrondissement historique constitue un des meilleurs exemples de ville coloniale fortifiée. Québec est la seule ville en Amérique du Nord qui a conservé ses remparts, ses portes et ses ouvrages défensifs.

Sources: Organisation des villes du patrimoine mondial (OVPM); Parcs Canada.

**Les remparts.** Les fortifications de Québec entourent la vieille ville sur une distance d'environ 4,6 km et s'inscrivent en continuité avec les aménagements du passé.

TESSIMA : Y. Tessier.

La ville de Québec couvre une superficie de 450 km². L'arrondissement historique (ou Vieux-Québec), situé dans l'arrondissement de La Cité, couvre une superficie d'un peu plus de 1 km². Près de 5000 personnes résidaient dans le Vieux-Québec en 2005 alors que la population de la ville de Québec dépassait les 530 000 habitants. Actuellement, en plus des touristes, de nombreux résidents des autres quartiers de la ville se rendent chaque jour dans le Vieux-Québec pour le travail, les études ou les loisirs.

## Québec et ses arrondissements

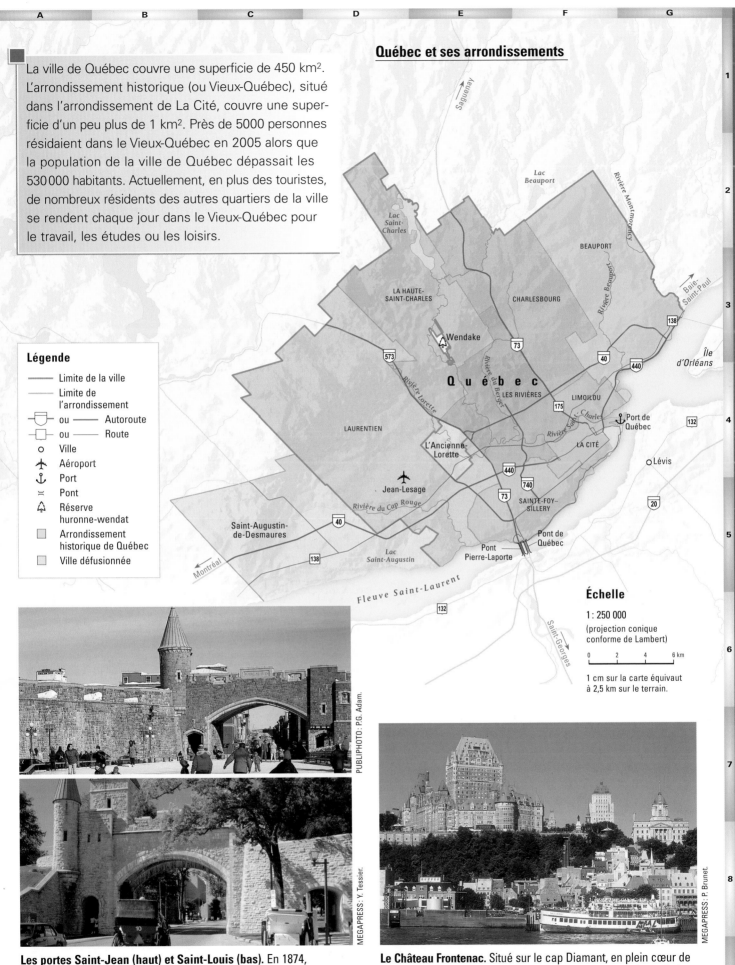

### Légende

- ▬▬ Limite de la ville
- ── Limite de l'arrondissement
- ⌐⊃ ou ── Autoroute
- ⌐□ ou ── Route
- ○ Ville
- ✈ Aéroport
- ⚓ Port
- ⋈ Pont
- ⌂ Réserve huronne-wendat
- ▨ Arrondissement historique de Québec
- ▨ Ville défusionnée

### Échelle

1 : 250 000
(projection conique conforme de Lambert)

0   2   4   6 km

1 cm sur la carte équivaut à 2,5 km sur le terrain.

PUBLIPHOTO : P.G. Adam.

MEGAPRESS : Y. Tessier.

**Les portes Saint-Jean (haut) et Saint-Louis (bas).** En 1874, Lord Dufferin, alors gouverneur général du Canada, a présenté un vaste projet d'amélioration de la ville comprenant la restauration de ces portes, qui font partie des fortifications. C'était une des premières actions entreprises pour assurer la conservation d'un arrondissement historique au Canada.

MEGAPRESS : P. Brunet.

**Le Château Frontenac.** Situé sur le cap Diamant, en plein cœur de l'arrondissement historique, le Château Frontenac est le symbole, la signature de la ville de Québec. Il est un des éléments les plus apparents de son patrimoine urbain.

SUITE À LA PAGE 76

## POUR UN VIEUX-QUÉBEC MOINS ENCOMBRÉ ET MOINS POLLUÉ

Plus de quatre millions de touristes visitent le Vieux-Québec chaque année. Ce flot de visiteurs occasionne certains problèmes. Les autocars, en particulier, sont une source de désagrément. Présents à longueur d'année, ils affluent dès la mi-mai à un rythme moyen de 300 par jour. Leur nombre peut s'élever jusqu'à 700 par jour, comme en septembre, pendant la saison des croisières. Cette intense circulation crée des embouteillages et de la pollution (atmosphérique, visuelle et sonore) qui nuisent à la qualité de vie des résidents du quartier et des quelque 20 000 personnes qui s'y rendent chaque jour.

Un meilleur service de transport en commun avec des autobus plus petits et moins polluants, un accès limité aux véhicules motorisés, l'interdiction aux autocars de stationner dans l'arrondissement historique et l'augmentation des voies réservées aux piétons et aux cyclistes sont quelques-unes des mesures prévues pour améliorer la situation. Mais ces mesures coûtent très cher et ne font pas l'unanimité parmi la population.

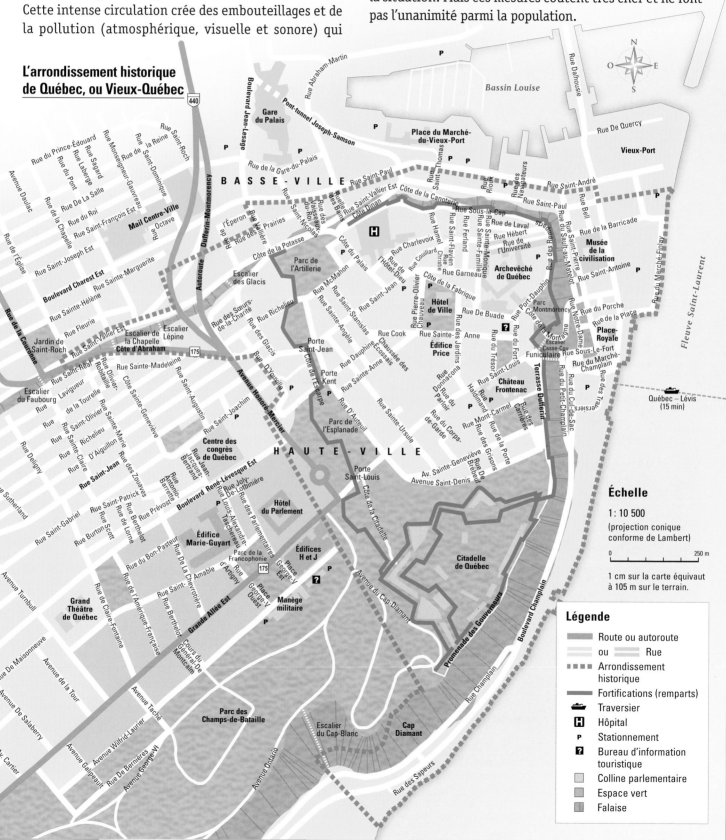

**L'arrondissement historique de Québec, ou Vieux-Québec**

**Échelle**

1 : 10 500

(projection conique conforme de Lambert)

0 — 250 m

1 cm sur la carte équivaut à 105 m sur le terrain.

**Légende**

- Route ou autoroute
- ou — Rue
- Arrondissement historique
- Fortifications (remparts)
- Traversier
- H Hôpital
- P Stationnement
- Bureau d'information touristique
- Colline parlementaire
- Espace vert
- Falaise

**Habiter le Vieux-Québec : des avantages et des inconvénients**

| Avantages |
| --- |
| Beauté du site |
| Proximité des services |
| Richesse du patrimoine historique et urbain |
| Ambiance du site |
| Proximité du fleuve et du Vieux-Port |
| Vie culturelle |
| Tranquillité |
| Espaces verts |

| Inconvénients |
| --- |
| Présence d'autocars |
| Difficulté de stationner |
| Bruit et odeurs |
| Affluence de touristes en saison |
| Circulation importante de véhicules motorisés (camions et automobiles) |
| Prix des propriétés et taxes élevés |
| Surabondance de commerces touristiques |

Source : COMITÉ DES CITOYENS DU VIEUX-QUÉBEC, *Vivre dans le Vieux-Québec*, 2002.

## VOIR QUÉBEC AUTREMENT

« [...] être maire d'une ville du patrimoine mondial nous rend beaucoup plus attentif à ce qui doit être fait non seulement pour protéger le patrimoine, mais aussi pour le mettre en valeur et le partager. »

Source : Extrait d'une entrevue réalisée avec Jean-Paul L'Allier, maire de la ville de Québec de 1986 à 2005, « Entre honneurs et obligations », *Continuité*, n° 106, automne 2005.

Des responsabilités et des obligations ont accompagné le fait, pour Québec, d'être reconnue comme une ville patrimoniale. Parmi les obligations figurent la protection des vestiges archéologiques et, au moment de travaux d'aménagement, l'utilisation de matériaux qui s'harmonisent avec l'architecture du quartier. La ville de Québec a donc été mise au défi de composer avec les particularités de l'arrondissement historique.

Par ailleurs, afin d'intéresser les citoyens et les touristes, qui sont de plus en plus exigeants et stimulés par les nouvelles formes de divertissement, Québec a dû relever le défi de proposer des façons inédites de découvrir la ville : par exemple, visiter Québec à pied en compagnie de personnages qui racontent la ville du point de vue historique tout en agrémentant la visite au moyen de légendes et d'anecdotes. Québec vise donc à être une ville actuelle et vivante à explorer.

CP IMAGES.

**La terrasse Dufferin.** Adjacente au Château Frontenac, la terrasse Dufferin est l'un des sites les plus visités de Québec. Du haut du cap Diamant, elle offre une vue imprenable sur le fleuve Saint-Laurent, la rive sud et l'île d'Orléans. Son caractère pittoresque de l'urbanisme du 19e siècle l'inscrit parmi les espaces de style Belle Époque.

MEGAPRESS : Y. Tessier.

**Le quartier Place-Royale.** Appelé le « berceau de l'Amérique française », ce quartier est l'un des plus anciens en Amérique du Nord. Ses rues étroites et ses maisons de pierre évoquent la Nouvelle-France des 17e et 18e siècles. Dans les années 1970, le quartier a retrouvé son allure d'antan grâce à un vaste programme de restauration mis en place par le gouvernement du Québec.

TESSIMA : Y. Tessier.

**La place d'Armes.** Située à deux pas du Château Frontenac, la place d'Armes est l'un des carrefours les plus achalandés de la ville de Québec. Jadis, les militaires paradaient et se rassemblaient à cet endroit pour le service quotidien de la garde.

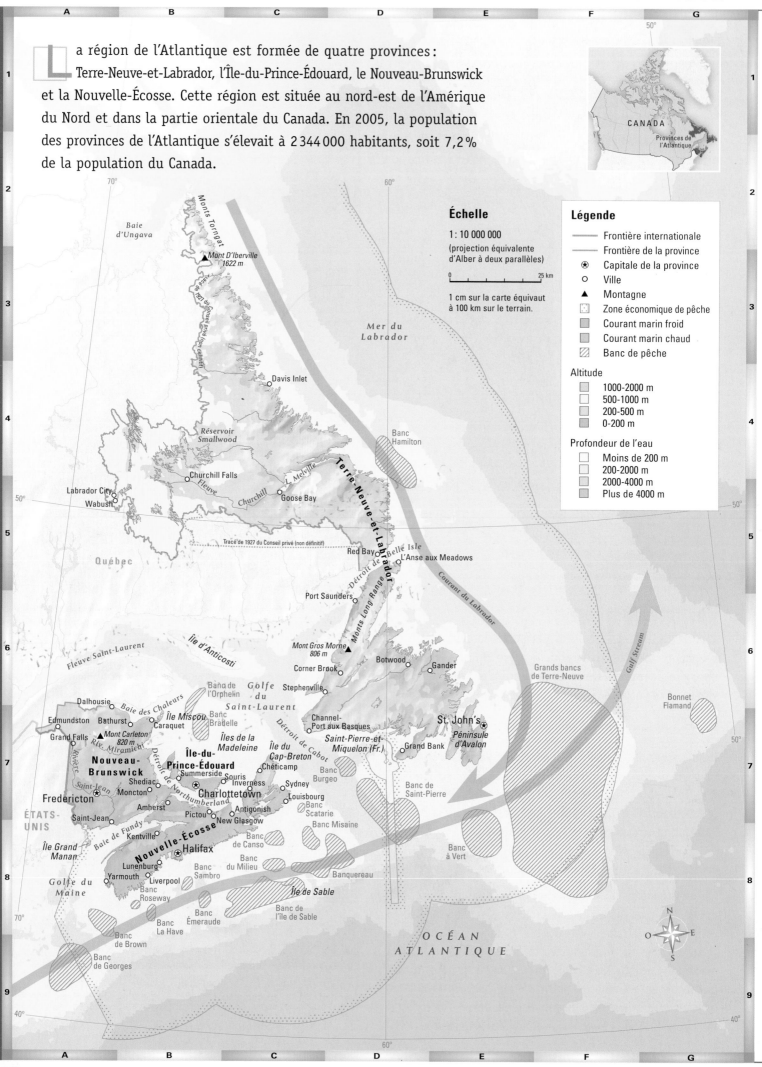

L a région de l'Atlantique est formée de quatre provinces : Terre-Neuve-et-Labrador, l'Île-du-Prince-Édouard, le Nouveau-Brunswick et la Nouvelle-Écosse. Cette région est située au nord-est de l'Amérique du Nord et dans la partie orientale du Canada. En 2005, la population des provinces de l'Atlantique s'élevait à 2 344 000 habitants, soit 7,2 % de la population du Canada.

CANADA

Provinces de l'Atlantique

**Échelle**

1 : 10 000 000

(projection équivalente d'Alber à deux parallèles)

0 _____ 25 km

1 cm sur la carte équivaut à 100 km sur le terrain.

**Légende**

- —— Frontière internationale
- —— Frontière de la province
- ⊛ Capitale de la province
- ○ Ville
- ▲ Montagne
- Zone économique de pêche
- Courant marin froid
- Courant marin chaud
- Banc de pêche

**Altitude**

- 1000-2000 m
- 500-1000 m
- 200-500 m
- 0-200 m

**Profondeur de l'eau**

- Moins de 200 m
- 200-2000 m
- 2000-4000 m
- Plus de 4000 m

Baie d'Ungava

Monts Torngat

▲ Mont D'Iberville 1622 m

Mer du Labrador

Davis Inlet

Réservoir Smallwood

Banc Hamilton

Churchill Falls

Fleuve Churchill

L. Melville

Goose Bay

Labrador City

Wabush

Terre-Neuve-et-Labrador

Tracé de 1927 du Conseil privé (non définitif)

Québec

Red Bay

Détroit de Belle Isle

L'Anse aux Meadows

Courant du Labrador

Port Saunders

Monts Long Range

Fleuve Saint-Laurent

Île d'Anticosti

Mont Gros Morne 806 m ▲

Botwood

Gander

Grands bancs de Terre-Neuve

Gulf Stream

Corner Brook

Baña de l'Orphelin

Golfe du Saint-Laurent

Stephenville

Bonnet Flamand

Dalhousie

Baie des Chaleurs

Île Miscou

Banc Bràdelle

Détroit de Cabot

Channel-Port aux Basques

St. John's ⊛

Edmundston

Bathurst

Caraquet

Îles de la Madeleine

Saint-Pierre-et-Miquelon (Fr.)

Péninsule d'Avalon

Grand Falls

▲ Mont Carleton 820 m

Riv. Miramichi

Île du Cap-Breton

Nouveau-Brunswick

Chéticamp

Grand Bank

Détroit de Northumberland

Île-du-Prince-Édouard

Summerside

Souris

Inverness

Sydney

Banc Burgeo

Shediac

Rivière Saint-Jean

Moncton

Charlottetown

Louisbourg

Banc Scatarie

Banc de Saint-Pierre

Fredericton ⊛

Amherst

Antigonish

ÉTATS-UNIS

Saint-Jean

Pictou

New Glasgow

Banc Misaine

Kentville

Nouvelle-Écosse

Halifax ⊛

Banc de Canso

Banc à Vert

Île Grand Manan

Baie de Fundy

Lunenburg

Banc du Milieu

Banquereau

Yarmouth

Liverpool

Banc Sambro

Golfe du Maine

Banc Roseway

Île de Sable

Banc Émeraude

Banc de l'île de Sable

OCÉAN ATLANTIQUE

Banc La Have

Banc de Brown

Banc de Georges

L'économie des provinces de l'Atlantique repose depuis toujours sur l'exploitation des ressources, notamment la pêche. La zone de pêche de l'Atlantique était autrefois l'une des plus importantes du monde. Cependant, en raison de la surpêche pratiquée par de nombreux pays, dont le Canada, les stocks de poissons correspondent maintenant à un sixième du niveau atteint au début du 20e siècle. Certaines espèces en péril pourraient disparaître complètement dans les trois à cinq prochaines années.

L'économie de la région s'est donc diversifiée, en partie à cause de la diminution des stocks de poissons. D'autres secteurs, comme les technologies de pointe, le tourisme, l'aquaculture et l'exploration pétrolière et gazière se sont développés.

**La pêche commerciale et l'aquaculture au Nouveau-Brunswick en 2004**

| | |
|---|---|
| **Flottille de pêche** | 3000 bateaux |
| **Sites d'élevage** | Plus de 600 |
| **Débarquements annuels** | Plus de 110 000 tonnes |
| **Production aquacole** | Plus de 37 000 tonnes |
| **Exportations de poissons et de fruits de mer** | Environ un milliard de $ |
| **Emplois** | 14 000 |

Source : Bilan des secteurs de l'agriculture, des pêches et de l'aquaculture 2004, Nouveau-Brunswick, 2006.

**La pêche commerciale au Canada en 2004**

| Zone | Quantité de prises (en tonnes) | Valeur (en millions de $) |
|---|---|---|
| **Atlantique** | 919 600 (82,4 %) | 1901,6 (84,6 %) |
| **Pacifique** | 197 000 (17,6 %) | 345,0 (15,4 %) |
| **Total** | **1 116 600 (100 %)** | **2246,6 (100 %)** |

Source : Pêches et Océans Canada, Services statistiques, 2006.

**Les principales prises dans la zone atlantique en 2004**

| Espèces | Quantité de prises (en tonnes) | Valeur (en millions de $) |
|---|---|---|
| **Crabe des neiges** | 103 400 (11,2 %) | 613,0 (32,2 %) |
| **Crevette** | 176 000 (19,1 %) | 247,7 (13,0 %) |
| **Hareng** | 183 500 (20,0 %) | 35,8 (1,9 %) |
| **Homard** | 47 400 (5,2 %) | 588,9 (31,0 %) |
| **Maquereau** | 53 600 (5,8 %) | 17,3 (0,9 %) |
| **Pétoncle** | 82 500 (9,0 %) | 119,2 (6,3 %) |
| **Autres** | 273 200 (29,7 %) | 279,7 (14,7 %) |
| **Total** | **919 600 (100 %)** | **1901,6 (100 %)** |

Source : Pêches et Océans Canada, Services statistiques, 2006.

**La pêche commerciale dans la zone atlantique en 2004**

| Provinces canadiennes | Quantité de prises (en tonnes) | Valeur (en millions de $) |
|---|---|---|
| **Île-du-Prince-Édouard** | 48 000 (5,2 %) | 139,7 (7,3 %) |
| **Nouveau-Brunswick** | 118 000 (12,8 %) | 193,3 (10,1 %) |
| **Nouvelle-Écosse** | 332 200 (36,1 %) | 742,3 (39,2 %) |
| **Terre-Neuve-et-Labrador** | 357 500 (38,9 %) | 627,5 (33 %) |
| **Québec** | 63 900 (7,0 %) | 198,8 (10,4 %) |
| **Total** | **919 600 (100 %)** | **1901,6 (100 %)** |

Source : Pêches et Océans Canada, Services statistiques, 2006.

La zone de pêche de l'Atlantique se caractérise par une abondance et une grande variété d'espèces. Le plancton, qui constitue la principale nourriture des poissons, se reproduit rapidement dans cette zone. En effet, les courants marins du Labrador et du Gulf Stream assurent l'apport en minéraux nécessaires au plancton. De plus, la faible profondeur de l'eau sur la plate-forme continentale permet la pénétration des rayons solaires jusqu'au fond de l'océan, ce qui contribue à la multiplication du plancton.

COMMUNICATIONS NOUVEAU-BRUNSWICK.

**Des pêcheurs de homards au Nouveau-Brunswick.** La pêche au homard se pratique sur la côte est et dans la baie de Fundy. Les pêcheurs déposent des casiers au fond de l'eau pour attraper les crustacés. Ils utilisent aussi des technologies de pointe (sondeuse, système de positionnement global) pour détecter leur matériel et rentabiliser la pêche.

# LES ÉTATS-UNIS PHYSIQUE

Pays d'Amérique du Nord, les États-Unis incluent également l'Alaska, situé au nord-ouest du Canada, et les îles Hawaii, situées dans le Pacifique Nord. Les États-Unis sont bordés au nord par le Canada, à l'est par l'océan Atlantique, au sud par le golfe du Mexique et le Mexique, et à l'ouest par l'océan Pacifique. C'est le quatrième pays au monde pour la superficie.

## Échelle

1 : 22 000 000
(projection de Bonne)

1 cm sur la carte équivaut
à 220 km sur le terrain.

0  250  500 km

## Légende

Frontière internationale
Frontière de l'État
▲ Montagne

Altitude
Plus de 3000 m
2000-3000 m
1000-2000 m
500-1000 m
200-500 m
0-200 m

Profondeur de l'eau
Moins de 200 m
200-2000 m
2000-4000 m
Plus de 4000 m

## L'Alaska

RUSSIE
Mer de Beaufort
Cercle polaire arctique
CANADA
Détroit de Béring
Mer de Béring
Chaîne de Brooks
Yukon
Île Saint-Laurent
Île Nunivak
Péninsule de l'Alaska
Mont McKinley 6194 m
Chaîne de l'Alaska
Golfe d'Alaska
Île Kodiak d'Alaska
îles Aléoutiennes
OCÉAN PACIFIQUE

0  500 km

## Les îles Hawaii

Kauai
Chenal de Kauai
Oahu
Molokai
Maui
Hawaii
Mauna Kea 4205 m
Mauna Loa 4169 m
OCÉAN PACIFIQUE

0  150 km

## Carte principale

OCÉAN ATLANTIQUE
Fleuve Saint-Laurent
CANADA

White Mountains
Mont Washington 1917 m
Golfe du Maine
Cape Cod
Île Nantucket
Kennebec
Green Mountains
Connecticut
Long Island
Lac Champlain
Monts Adirondack
Hudson
Delaware
Monts Catskill
Baie de Delaware
Baie de Chesapeake
Cap Hatteras
Cap Fear
Les Appalaches
Allegheny Mountains
Plateau de Cumberland
Mont Mitchell 2037 m
Lac Ontario
Chutes Niagara
Lac Érié
Roanoke
Savannah
Altamaha
Ohio
Tennessee
Cumberland
Lac Huron
Lac Michigan
Baie Georgienne
Muskegon
Lac Supérieur
Isle Royale
Wisconsin
Illinois
Mississippi
Monts Ozark
Arkansas
Monts Ouachita
Kansas
Des Moines
Missouri
Rouge
Platte
Milk
Lac Fort Peck
Yellowstone
Bighorn
Lac Flathead
Missouri
Snake River
Colorado
Red River
Trinity
Canadian
Pecos
Rio Grande
Colorado
Gila
Humboldt
San Joaquin
Sacramento
Cap Canaveral
Lac Okeechobee
Everglades
Florida Keys
Baie de Tampa
Baie d'Apalachee
Golfe du Mexique
Delta du Mississippi
Alabama

Grandes plaines
Montagnes Rocheuses
Granite Peak 3901 m
Cloud Peak 4013 m
Pikes Peak 4301 m
Mont Elbert 4399 m
Wheeler Peak 3982 m
Monts Sacramento
Mont Taylor 3445 m
Humphreys Peak 3851 m
Baldy Peak 3476 m
Plateau du Colorado
Grand Canyon
Lac Utah
Kings Peak 4123 m
Grand Lac Salé
Grand Teton 4197 m
Borah Peak 3859 m
Chaîne de Bitterroot
Cascades
Mont Hood 3426 m
Mont St. Helens 2550 m
Mont Rainier 4392 m
Mont Olympus 2428 m
Détroit de Juan de Fuca
Mont McLoughlin 2894 m
Mont Shasta 4317 m
Chaîne des Cascades
Butte Mountains
Columbia
Grand Bassin
Bassin de Harney
Désert Mojave
Telescope Peak 3368 m
Death Valley (Vallée de la Mort)
Mont Whitney 4418 m
Sierra Nevada
Chaîne Côtière
Golfe de Californie
MEXIQUE
OCÉAN PACIFIQUE

## Globe insert

AMÉRIQUE DU NORD
ÉTATS-UNIS

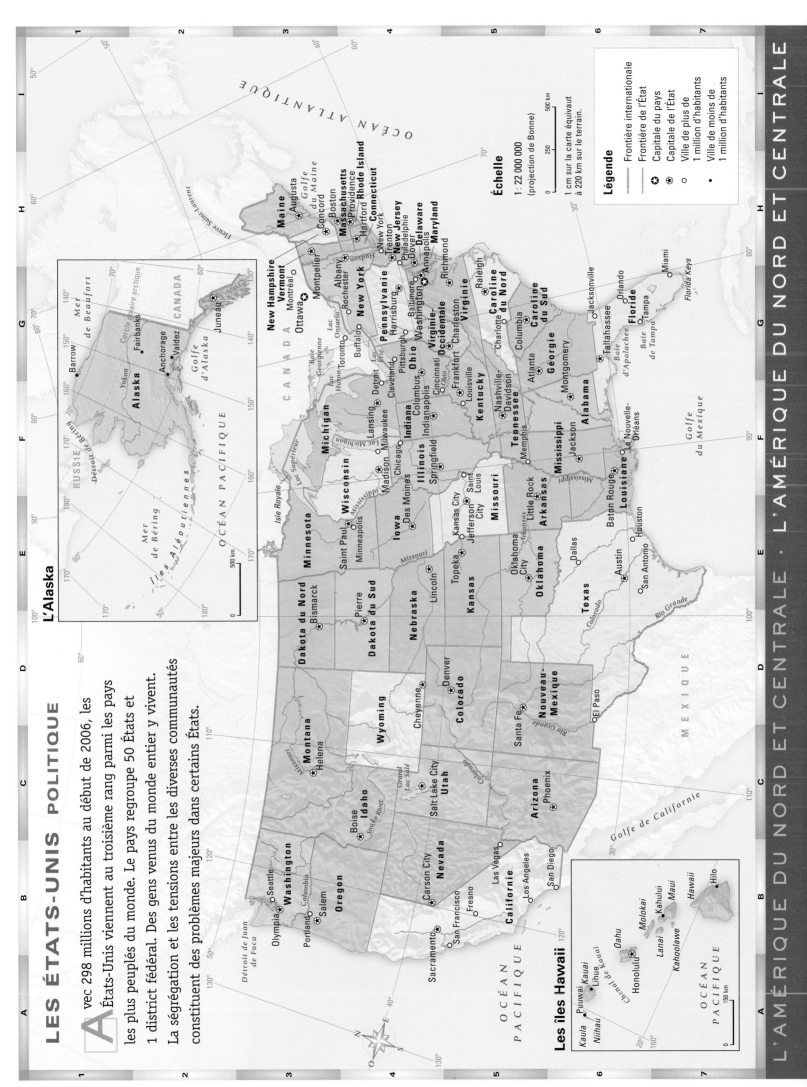

# LES ÉTATS-UNIS POLITIQUE

Avec 298 millions d'habitants au début de 2006, les États-Unis viennent au troisième rang parmi les pays les plus peuplés du monde. Le pays regroupe 50 États et 1 district fédéral. Des gens venus du monde entier y vivent. La ségrégation et les tensions entre les diverses communautés constituent des problèmes majeurs dans certains États.

## L'Alaska

## Les îles Hawaii

### Échelle

1 : 22 000 000
(projection de Bonne)

1 cm sur la carte équivaut à 220 km sur le terrain.

### Légende

Frontière internationale
Frontière de l'État
⊛ Capitale du pays
⊛ Capitale de l'État
○ Ville de plus de 1 million d'habitants
• Ville de moins de 1 million d'habitants

La ville de New York est située dans l'État du même nom, dans le nord-est des États-Unis, en bordure de l'océan Atlantique. C'est la principale ville des États-Unis et l'une des plus grandes métropoles[1] du monde. New York se distingue notamment par l'étendue de son territoire métropolitain, soit 18 000 km$^2$, et par la très grande concentration de sa population et de ses entreprises. Important centre de prises de décision et d'activités économiques, financières et culturelles, New York exerce son influence à l'échelle nationale et mondiale.

Riche et puissante, New York devrait être en mesure d'assurer le bien-être de ses 24 millions d'habitants. Les inégalités entre les riches et les pauvres y sont pourtant très marquées.

1. Grande ville qui exerce une influence économique et culturelle considérable sur le pays ou la partie du monde où elle se situe.

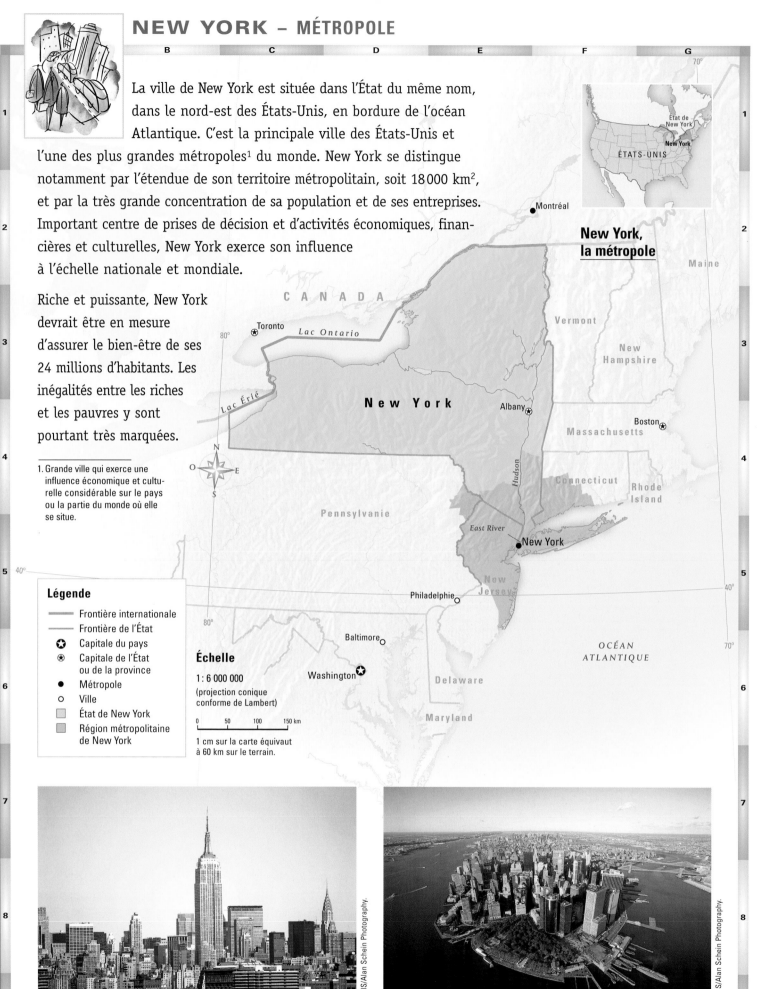

New York,
la métropole

**Légende**

— Frontière internationale
— Frontière de l'État
⊛ Capitale du pays
✪ Capitale de l'État ou de la province
● Métropole
○ Ville
▢ État de New York
▢ Région métropolitaine de New York

**Échelle**

1 : 6 000 000
(projection conique conforme de Lambert)

0    50    100    150 km

1 cm sur la carte équivaut à 60 km sur le terrain.

**Un symbole.** Les gratte-ciel font partie du paysage new-yorkais. Le plus célèbre, l'Empire State Building, illustre la grandeur de la métropole à l'échelle internationale et la réussite économique des États-Unis.

CORBIS/Alan Schein Photography.

**Le cœur de la métropole.** L'île de Manhattan constitue le centre historique et administratif de New York. C'est là que se prennent la plupart des grandes décisions économiques et financières du pays.

CORBIS/Alan Schein Photography.

L'AMÉRIQUE DU NORD ET CENTRALE · L'AMÉRIQUE DU NORD ET CENTRALE

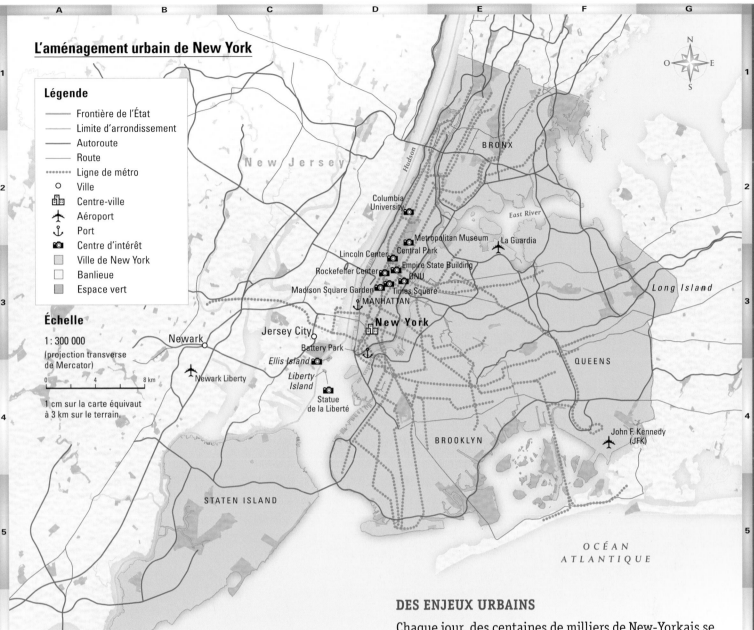

## L'aménagement urbain de New York

**Légende**

— Frontière de l'État
— Limite d'arrondissement
— Autoroute
— Route
···· Ligne de métro
○ Ville
🏛 Centre-ville
✈ Aéroport
⚓ Port
📷 Centre d'intérêt
▢ Ville de New York
▢ Banlieue
▨ Espace vert

**Échelle**

1 : 300 000
(projection transverse de Mercator)

0     4     8 km

1 cm sur la carte équivaut
à 3 km sur le terrain.

## DES ENJEUX URBAINS

Chaque jour, des centaines de milliers de New-Yorkais se rendent au travail en voiture. Malgré les nombreux ponts et tunnels qui relient la banlieue[1] au centre-ville, la circulation est intense. La pollution atmosphérique causée par les gaz d'échappement est aussi très dense.

À New York, les logements sont si rares et si chers que les résidents les moins fortunés sont confrontés à une véritable crise. Ainsi, l'île de Manhattan, à elle seule, compte environ 100 000 sans-abri.

New York produit chaque jour plus de 16 000 tonnes de déchets. Vu l'absence de dépotoirs et d'incinérateurs sur son territoire, les déchets sont expédiés par camions vers des sites d'enfouissement situés dans les États voisins.

Les autorités new-yorkaises ont adopté des mesures favorisant le transport en commun, le recyclage des déchets et la construction de logements sociaux. Pourtant, pour bien des résidents, la vie à New York représente tout un défi !

CORBIS/Reuters.

**Une métropole multiethnique.** New York accueille chaque année un grand nombre d'immigrants. On y parle plus de 100 langues !

---

1. Ensemble des localités entourant une grande ville.

Donnant sur l'océan Pacifique, la Californie, État de l'ouest des États-Unis, est bordée au sud par le Mexique et l'État de l'Arizona, à l'est par l'État du Nevada et au nord par l'État de l'Oregon. Premier État agricole des États-Unis grâce à une irrigation[1] pratiquée à grande échelle, la Californie est l'un des premiers producteurs de fruits et de vin du monde. Les agriculteurs californiens utilisent 75 % de l'eau disponible pour irriguer leurs champs. Pourtant, l'eau est rare !

---

1. Ensemble de techniques permettant d'arroser artificiellement des terres agricoles (barrage, canal, détournement de cours d'eau, réservoir, etc.).

## Échelle

1 : 7 000 000

(projection transverse de Mercator)

| | | | |
|---|---|---|---|
| 0 | 50 | 100 | 150 km |

1 cm sur la carte équivaut à 70 km sur le terrain.

## Le territoire agricole irrigué de la Californie

### Légende

- —— Frontière internationale
- —— Frontière de l'État
- —— Canal d'irrigation, aqueduc ou barrage
- ⊛ Capitale de l'État
- ○ Ville
- ▲ Montagne
- ⌔ Barrage et lac de retenue
- ▢ Parc national
- ▢ Zone urbanisée
- ▢ Zone agricole irriguée
- ▢ Zone irrigable

### Climatogramme de Sacramento

— Températures (°C)  Précipitations (mm)

### Climatogramme de Bakersfield

— Températures (°C)  Précipitations (mm)

Source : MétéoMédia, 2006.

Comme les climatogrammes ci-dessus l'indiquent, les précipitations sont rares en Californie. Cela dit, il pleut davantage dans le nord de l'État que dans le sud. À Sacramento, par exemple, le climat est méditerranéen avec des étés secs et chauds, et des hivers doux et humides. Les précipitations sont irrégulières et abondantes, surtout en hiver. À Bakersfield, ville située plus au sud, le climat est désertique avec un temps sec et très chaud, surtout en été. Les précipitations sont rares et irrégulières. Pour cultiver la terre en Californie, qu'on soit au nord ou au sud, il faut irriguer, c'est-à-dire arroser artificiellement les terres agricoles.

**Sans irrigation, aucune culture.** Plus de 50 % des terres agricoles de la Californie sont irriguées grâce à un réseau complexe de barrages, de canaux, d'aqueducs et de conduites, qui emmagasine l'eau, la gère et la distribue sur le territoire.

**Les 10 principaux produits agricoles de la Californie en 2004**

| Produits | Valeur de la production |
|---|---|
| 1. Produits laitiers | 7 milliards $ CA |
| 2. Raisins | 3,6 milliards $ CA |
| 3. Plants (fleurs, fruits, légumes) | 3,5 milliards $ CA |
| 4. Amandes | 2,9 milliards $ CA |
| 5. Bétail | 2,1 milliards $ CA |
| 6. Laitue | 2 milliards $ CA |
| 7. Fraises | 1,6 milliard $ CA |
| 8. Tomates | 1,4 milliard $ CA |
| 9. Foin | 1,3 milliard $ CA |
| 10. Fleurs | 1,3 milliard $ CA |

Source: California Department of Food and Agriculture, 2006.

CORBIS: J. Sugar.

**Un vignoble dans la vallée de Sonoma.** Située près de l'océan Pacifique, la vallée de Sonoma, comme celles de Salinas et de Napa, est reconnue mondialement pour sa production de vin.

### L'EAU, UNE RESSOURCE À PARTAGER

D'une part, les producteurs agricoles californiens consomment environ 75 % de l'eau disponible pour irriguer leurs champs. D'autre part, la population augmente et la demande d'eau aussi. Pourtant, il n'y a pas plus d'eau qu'il y a 25 ou 50 ans. Afin de satisfaire la demande, diverses techniques ont été mises au point pour diminuer la consommation d'eau des agriculteurs. Par exemple, le système d'irrigation au goutte à goutte permet de réduire la consommation d'eau d'environ 40 % tout en augmentant d'autant la productivité. Mais ce système nécessite des investissements importants.

Par ailleurs, si les autorités trouvent des solutions durables au problème, tous les secteurs d'activité disposeront de suffisamment d'eau. Ainsi, le gouvernement de la Californie, qui réglemente déjà l'utilisation de l'eau en imposant des tarifs, pourrait les augmenter. Cette augmentation des tarifs inciterait les agriculteurs à économiser l'eau. Cela permettrait aux villes et aux industries de combler leurs besoins. L'utilisation d'eaux usées traitées pour l'irrigation aurait également un impact sur la disponibilité de l'eau. Dans un contexte de pénurie, tous les secteurs doivent s'entendre pour partager la ressource.

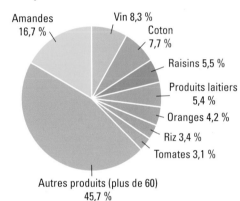

**Les principaux produits agricoles exportés par la Californie en 2004**

- Amandes 16,7 %
- Vin 8,3 %
- Coton 7,7 %
- Raisins 5,5 %
- Produits laitiers 5,4 %
- Oranges 4,2 %
- Riz 3,4 %
- Tomates 3,1 %
- Autres produits (plus de 60) 45,7 %

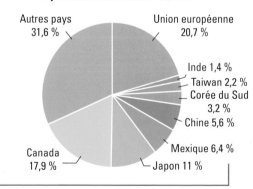

**La destination des exportations californiennes de produits alimentaires en 2004**

- Autres pays 31,6 %
- Union européenne 20,7 %
- Inde 1,4 %
- Taiwan 2,2 %
- Corée du Sud 3,2 %
- Chine 5,6 %
- Mexique 6,4 %
- Japon 11 %
- Canada 17,9 %

Sources: California Department of Food and Agriculture, 2006; University of California, Agricultural Issues Center, 2006.

CORBIS: M.E. Gibson.

**La vallée du Sacramento.** Située entre la chaîne Côtière à l'ouest et la Sierra Nevada à l'est, la vallée du Sacramento produit une bonne partie des fruits et légumes consommés aux États-Unis. La grande productivité de cette région s'explique par son climat favorable, ses sols fertiles et un système d'irrigation efficace.

L'AMÉRIQUE DU NORD ET CENTRALE · L'AMÉRIQUE DU NORD ET CENTRALE

# SAN FRANCISCO – VILLE SOUMISE À DES RISQUES NATURELS

L'agglomération de San Francisco compte sept millions d'habitants, ce qui la place au cinquième rang parmi les grandes métropoles des États-Unis. Très cosmopolite, San Francisco fait partie des villes les plus riches du pays. Située sur la côte ouest, au centre de la Californie, l'agglomération s'étale autour de la large baie de San Francisco qui s'ouvre sur l'océan Pacifique. Comme toute la Californie, la ville subit régulièrement des tremblements de terre, ou séismes. Cela ne l'empêche toutefois pas de se développer.

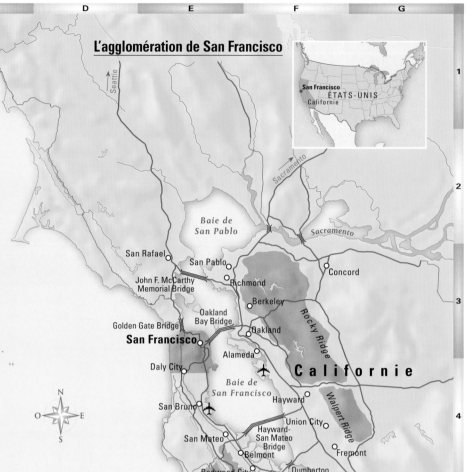

## L'agglomération de San Francisco

ÉTATS-UNIS
San Francisco
Californie

**Légende**
— Autoroute
— Route
○ Ville
✈ Aéroport
⋈ Pont
▲ Montagne
▢ Centre-ville
▢ Colline

**Échelle**
1 : 1 000 000
(projection transverse de Mercator)

0      25 km

1 cm sur la carte équivaut à 10 km sur le terrain.

OCÉAN PACIFIQUE

CORBIS BETTMANN.

**Le tremblement de terre de 1906.** Le 18 avril 1906, la ville de San Francisco a subi un tremblement de terre dévastateur (7,9 sur l'échelle de Richter). Celui-ci a provoqué un gigantesque incendie qui a détruit une grande partie du centre-ville. Près de 3000 personnes sont décédées.

CORBIS: L. Cluff.

**Le tremblement de terre de 1989.** Le 19 octobre 1989, un tremblement de terre (7,1 sur l'échelle de Richter) s'est produit au mont Loma Prieta, près de San Francisco. Les maisons modernes ont résisté, mais de nombreuses maisons anciennes se sont écroulées.

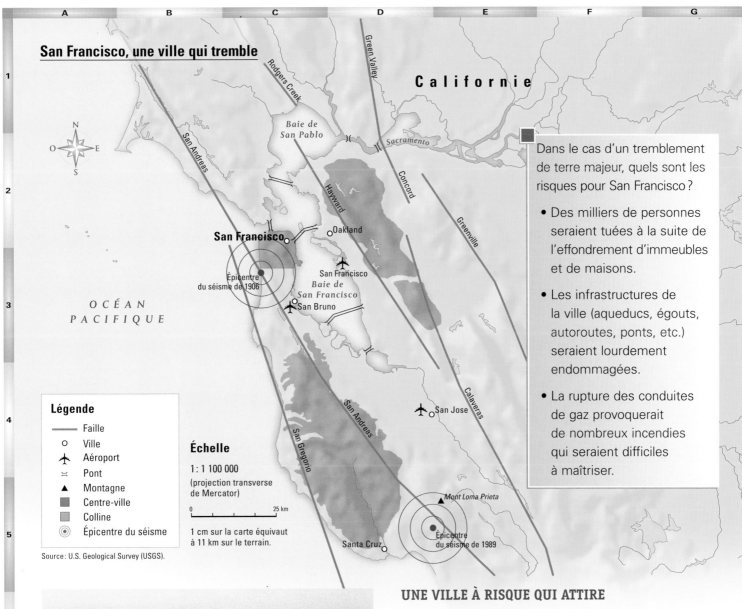

## San Francisco, une ville qui tremble

**Californie**

OCÉAN PACIFIQUE

Baie de San Pablo

Rodgers Creek

Green Valley

Sacramento

Concord

San Andreas

Hayward

Greenville

San Francisco

Oakland

San Francisco
Baie de San Francisco

San Bruno

Épicentre du séisme de 1906

Calaveras

San Jose

San Andreas

San Gregorio

Mont Loma Prieta

Épicentre du séisme de 1989

Santa Cruz

### Légende

— Faille
o Ville
✈ Aéroport
)( Pont
▲ Montagne
■ Centre-ville
■ Colline
◎ Épicentre du séisme

Source : U.S. Geological Survey (USGS).

### Échelle

1 : 1 100 000
(projection transverse de Mercator)

0      25 km

1 cm sur la carte équivaut à 11 km sur le terrain.

---

Dans le cas d'un tremblement de terre majeur, quels sont les risques pour San Francisco ?

- Des milliers de personnes seraient tuées à la suite de l'effondrement d'immeubles et de maisons.

- Les infrastructures de la ville (aqueducs, égouts, autoroutes, ponts, etc.) seraient lourdement endommagées.

- La rupture des conduites de gaz provoquerait de nombreux incendies qui seraient difficiles à maîtriser.

---

CORBIS : T. Bean.

## UNE VILLE À RISQUE QUI ATTIRE

San Francisco est une ville appréciée, car elle offre notamment un climat remarquablement doux, une vie culturelle riche, une architecture de qualité et de bonnes possibilités d'emplois. La région est toutefois située sur un ensemble de failles. La plus connue est la faille de San Andreas, qui constitue une frontière entre deux plaques tectoniques. Ces plaques (immenses morceaux rigides de l'écorce terrestre) glissent l'une sur l'autre et, en se frottant, déclenchent les tremblements de terre qui se produisent autour de San Francisco.

Pour faire face au danger, les autorités exigent la consolidation des anciens édifices et la construction d'immeubles parasismiques, c'est-à-dire qui résistent mieux aux séismes. Elles exigent aussi que les infrastructures, les ponts par exemple, soient construites à l'épreuve des tremblements de terre. De plus, elles ont prévu un scénario catastrophe, le « Big One », afin de réagir de façon adéquate en cas de séisme majeur. Elles informent également la population sur la manière de se préparer à un éventuel séisme.

**La faille de San Andreas.** La faille de San Andreas longe la côte californienne sur une distance d'environ 1000 km.

L'AMÉRIQUE DU NORD ET CENTRALE · L'AMÉRIQUE DU NORD ET CENTRALE

**P**ays long et étroit, le Mexique est bordé au nord par les États-Unis, à l'ouest par l'océan Pacifique et à l'est par le golfe du Mexique. Au sud, l'Amérique centrale se compose d'une partie continentale formée de sept petits pays (Belize, Guatemala, Salvador, Honduras, Nicaragua, Costa Rica et Panama) et de nombreuses îles, les Antilles. Cette partie insulaire est située à l'est, dans la mer des Antilles. C'est une région pleine de contrastes, riche et pauvre, ancienne et moderne, qui présente un fascinant mélange de cultures et une histoire mouvementée.

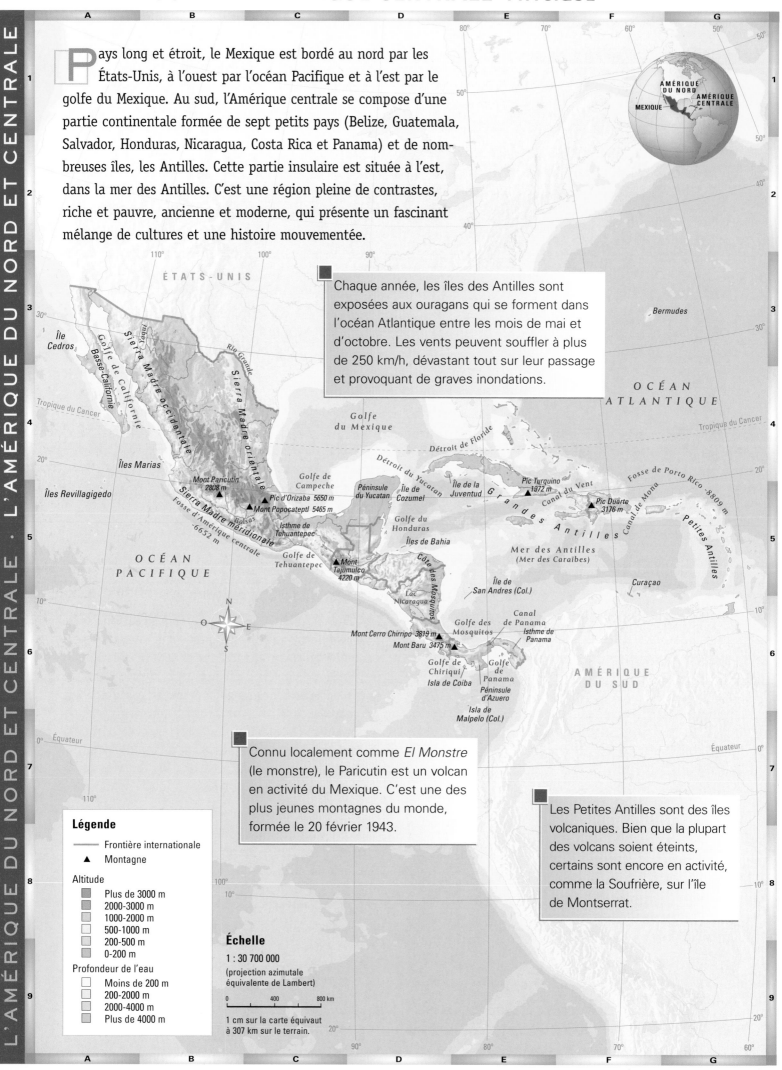

Chaque année, les îles des Antilles sont exposées aux ouragans qui se forment dans l'océan Atlantique entre les mois de mai et d'octobre. Les vents peuvent souffler à plus de 250 km/h, dévastant tout sur leur passage et provoquant de graves inondations.

Connu localement comme *El Monstre* (le monstre), le Paricutin est un volcan en activité du Mexique. C'est une des plus jeunes montagnes du monde, formée le 20 février 1943.

Les Petites Antilles sont des îles volcaniques. Bien que la plupart des volcans soient éteints, certains sont encore en activité, comme la Soufrière, sur l'île de Montserrat.

**Légende**

—— Frontière internationale
▲ Montagne

Altitude

- Plus de 3000 m
- 2000-3000 m
- 1000-2000 m
- 500-1000 m
- 200-500 m
- 0-200 m

Profondeur de l'eau

- Moins de 200 m
- 200-2000 m
- 2000-4000 m
- Plus de 4000 m

**Échelle**

1 : 30 700 000

(projection azimutale équivalente de Lambert)

0      400      800 km

1 cm sur la carte équivaut à 307 km sur le terrain.

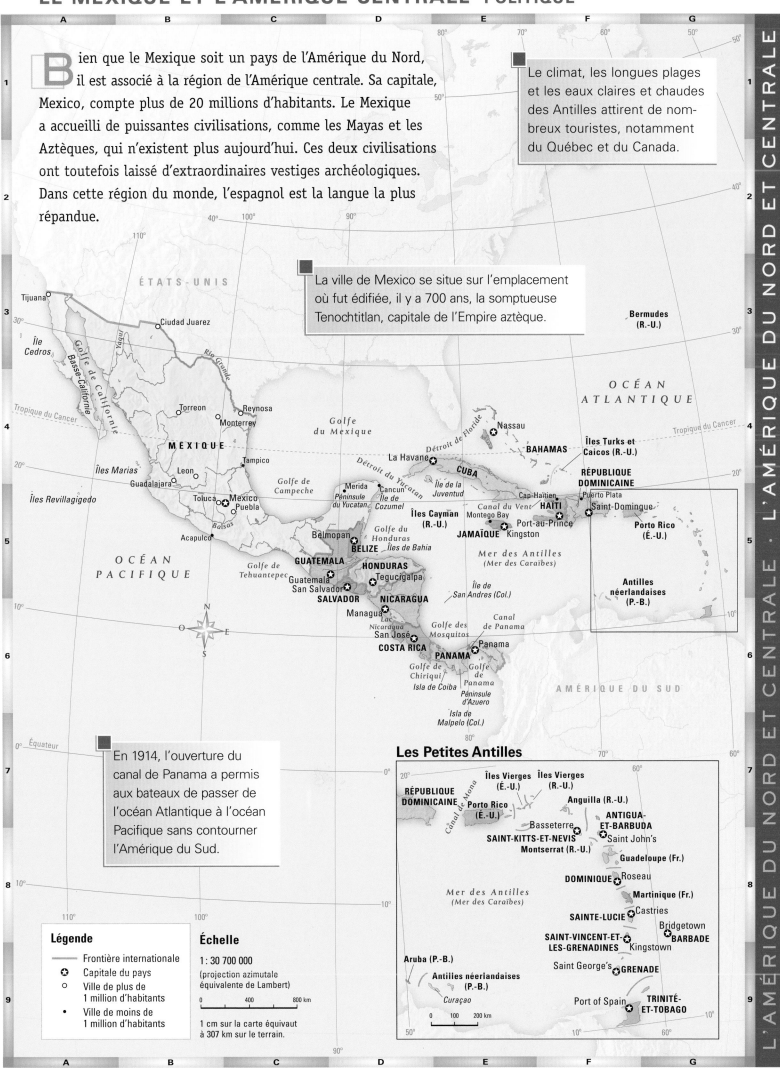

Bien que le Mexique soit un pays de l'Amérique du Nord, il est associé à la région de l'Amérique centrale. Sa capitale, Mexico, compte plus de 20 millions d'habitants. Le Mexique a accueilli de puissantes civilisations, comme les Mayas et les Aztèques, qui n'existent plus aujourd'hui. Ces deux civilisations ont toutefois laissé d'extraordinaires vestiges archéologiques. Dans cette région du monde, l'espagnol est la langue la plus répandue.

Le climat, les longues plages et les eaux claires et chaudes des Antilles attirent de nombreux touristes, notamment du Québec et du Canada.

La ville de Mexico se situe sur l'emplacement où fut édifiée, il y a 700 ans, la somptueuse Tenochtitlan, capitale de l'Empire aztèque.

En 1914, l'ouverture du canal de Panama a permis aux bateaux de passer de l'océan Atlantique à l'océan Pacifique sans contourner l'Amérique du Sud.

ÉTATS-UNIS

Tijuana
Île Cedros
Golfe de Californie
Basse-Californie
Ciudad Juarez
Rio Grande
Yaqui
Torreon
Monterrey
Reynosa
MEXIQUE
Tampico
Îles Marias
Leon
Guadalajara
Îles Revillagigedo
Toluca
Mexico
Puebla
Acapulco
Balsas
OCÉAN PACIFIQUE

Golfe du Mexique
Golfe de Campeche
Merida
Péninsule du Yucatan
Cancun
Île de Cozumel
Détroit de Floride
La Havane
Détroit du Yucatan
Île de la Juventud
Nassau
BAHAMAS
CUBA
Canal du Vent
Cap-Haïtien
Montego Bay
Îles Cayman (R.-U.)
JAMAÏQUE
Kingston
Port-au-Prince
HAÏTI
Puerto Plata
Saint-Domingue
RÉPUBLIQUE DOMINICAINE
Îles Turks et Caicos (R.-U.)
Porto Rico (É.-U.)
Antilles néerlandaises (P.-B.)

OCÉAN ATLANTIQUE

Belmopan
BELIZE
Îles de Bahia
Golfe du Honduras
GUATEMALA
Guatemala
San Salvador
SALVADOR
Golfe de Tehuantepec
HONDURAS
Tegucigalpa
NICARAGUA
Managua
Lac Nicaragua
San José
COSTA RICA
PANAMA
Golfe de Chiriqui
Isla de Coiba
Golfe des Mosquitos
Île de San Andres (Col.)
Mer des Antilles (Mer des Caraïbes)
Canal de Panama
Panama
Golfe de Panama
Péninsule d'Azuero
Isla de Malpelo (Col.)

Bermudes (R.-U.)

AMÉRIQUE DU SUD

## Les Petites Antilles

RÉPUBLIQUE DOMINICAINE
Canal de Mona
Porto Rico (É.-U.)
Îles Vierges (É.-U.)
Îles Vierges (R.-U.)
Anguilla (R.-U.)
ANTIGUA-ET-BARBUDA
Saint John's
Basseterre
SAINT-KITTS-ET-NEVIS
Montserrat (R.-U.)
Guadeloupe (Fr.)
DOMINIQUE
Roseau
Martinique (Fr.)
Castries
SAINTE-LUCIE
Bridgetown
BARBADE
SAINT-VINCENT-ET-LES-GRENADINES
Kingstown
Aruba (P.-B.)
Antilles néerlandaises (P.-B.)
Curaçao
Saint George's
GRENADE
Port of Spain
TRINITÉ-ET-TOBAGO
Mer des Antilles (Mer des Caraïbes)

0        100        200 km

## Légende

— Frontière internationale
✪ Capitale du pays
○ Ville de plus de 1 million d'habitants
• Ville de moins de 1 million d'habitants

## Échelle

1 : 30 700 000

(projection azimutale équivalente de Lambert)

0        400        800 km

1 cm sur la carte équivaut à 307 km sur le terrain.

# MEXICO – MÉTROPOLE

La ville de Mexico est située au centre du Mexique. Elle est à la fois la plus grande ville et la capitale du pays. Avec ses 22 millions d'habitants, elle est l'une des métropoles[1] les plus peuplées du monde. La superficie de son agglomération augmente continuellement et dépasse les 2700 km².

Riche sur le plan culturel et historique, Mexico est aussi le cœur politique, économique et financier du Mexique. La présence dans la ville de grandes entreprises et des principales institutions financières du pays illustre bien la puissance et l'influence de Mexico à l'échelle nationale et internationale. La métropole se reconnaît aussi à son environnement physique particulier. Elle est située à plus de 2000 m d'altitude et entourée de montagnes dont certaines, comme le Popocatepetl, sont des volcans.

À Mexico, les conditions de vie sont souvent très difficiles. Pourtant, chaque mois, des dizaines de milliers de personnes viennent s'installer dans la ville ou dans sa banlieue[2]. Cette concentration de population a-t-elle un impact négatif sur l'environnement ? Est-elle une menace pour la santé ?

---

1. Grande ville qui exerce une influence économique et culturelle considérable sur le pays ou la partie du monde où elle se situe.
2. Ensemble de localités entourant une grande ville.

## Mexico, capitale et métropole du Mexique

En 1985, lors du tremblement de terre qui a secoué Mexico, 10 000 personnes sont décédées et 50 000 autres ont été blessées. De plus, 100 000 logements ont été endommagés ou détruits.

**De grandes avenues.** Principale artère de Mexico, le Paseo de la Reforma relie notamment le centre historique de la ville au parc de Chapultepec. Il croise d'autres grandes avenues comme Insurgentes Norte et Insurgentes Sur.

CORBIS: R. Faris.

**Légende**

— Frontière internationale
✪ Capitale du pays
○ Ville
▲ Volcan

**Échelle**

1 : 18 500 000
(projection conique conforme de Lambert)

0    200    400 km

1 cm sur la carte équivaut à 185 km sur le terrain.

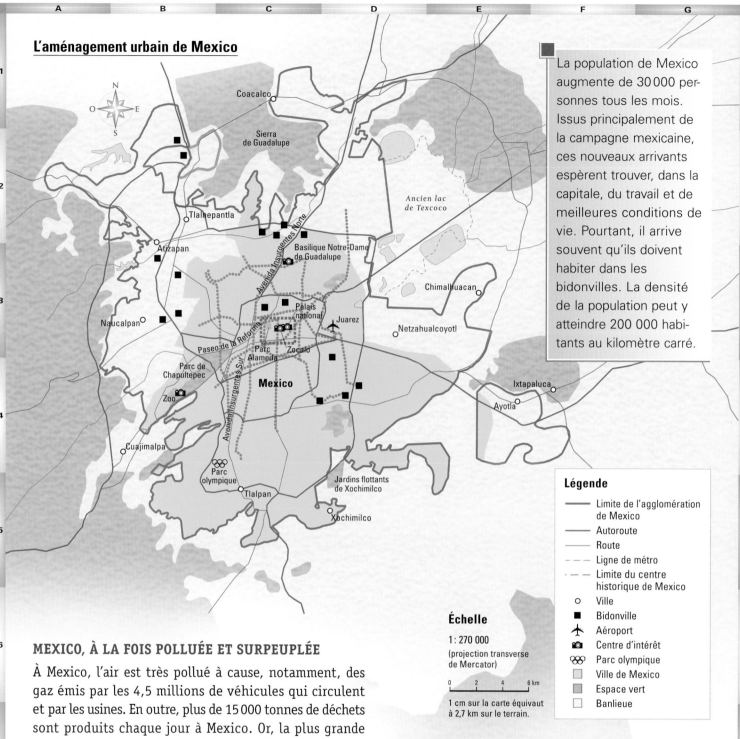

## L'aménagement urbain de Mexico

Coacalco
Sierra de Guadalupe
Tlalnepantla
Atizapan
Basilique Notre-Dame de Guadalupe
Ancien lac de Texcoco
Chimalhuacan
Palais national
Naucalpan
Juarez
Netzahualcoyotl
Paseo de la Reforma
Parc Alameda
Zocalo
Parc de Chapultepec
**Mexico**
Zoo
Ixtapaluca
Ayotla
Cuajimalpa
Parc olympique
Tlalpan
Jardins flottants de Xochimilco
Xochimilco
Avenida Insurgentes Norte
Avenida Insurgentes Sur

La population de Mexico augmente de 30 000 personnes tous les mois. Issus principalement de la campagne mexicaine, ces nouveaux arrivants espèrent trouver, dans la capitale, du travail et de meilleures conditions de vie. Pourtant, il arrive souvent qu'ils doivent habiter dans les bidonvilles. La densité de la population peut y atteindre 200 000 habitants au kilomètre carré.

### Légende

— Limite de l'agglomération de Mexico
— Autoroute
— Route
--- Ligne de métro
-·- Limite du centre historique de Mexico
○ Ville
■ Bidonville
✈ Aéroport
📷 Centre d'intérêt
⚬ Parc olympique
☐ Ville de Mexico
☐ Espace vert
☐ Banlieue

### Échelle

1 : 270 000
(projection transverse de Mercator)

0   2   4   6 km

1 cm sur la carte équivaut à 2,7 km sur le terrain.

## MEXICO, À LA FOIS POLLUÉE ET SURPEUPLÉE

À Mexico, l'air est très pollué à cause, notamment, des gaz émis par les 4,5 millions de véhicules qui circulent et par les usines. En outre, plus de 15 000 tonnes de déchets sont produits chaque jour à Mexico. Or, la plus grande partie n'est ni ramassée ni traitée et se dégrade la plupart du temps sur place. Par ailleurs, les montagnes environnantes, en faisant obstacle à la circulation de l'air, empêchent la dispersion de l'épaisse couche de pollution qui couvre la ville presque toute l'année et qui nuit à la santé des résidents. L'amélioration du transport en commun suffirait-elle à résoudre ce problème ?

À Mexico, les logements à loyer modique sont très rares. C'est pourquoi beaucoup de nouveaux arrivants s'installent dans des bidonvilles[1]. Mexico compte aussi des quartiers riches ou moyennement riches, mais les quartiers pauvres occupent une bonne partie de son territoire. Le plus grand des bidonvilles, par exemple, s'étend sur 40 km[2].

1. Quartiers défavorisés réunissant des abris de fortune faits de matériaux provenant de la récupération.

**Une place publique.** Le Zocalo, ou Plaza de la Constitucion, est l'une des attractions du centre historique de Mexico. Cette vaste place publique est bordée notamment par la cathédrale métropolitaine et le palais national.

CORBIS: R. Faris.

L'AMÉRIQUE DU SUD · L'AMÉRIQUE DU SUD · L'AMÉRIQUE DU SUD

L'Amérique du Sud est limitée à l'est par l'océan Atlantique, au sud par le détroit de Drake et à l'ouest par l'océan Pacifique. Au nord, elle est reliée à l'Amérique centrale par l'isthme de Panama. L'Amérique du Sud s'étend sur environ 7400 km du nord au sud et sa superficie est d'environ 18 millions de km².

Le désert d'Atacama, situé au Chili, est le désert le plus aride du monde puisqu'il n'y pleut jamais. Il se distingue des autres déserts par ses nombreux lacs de sel formés il y a plusieurs millions d'années.

Du nord au sud, la cordillère des Andes s'étend sur plus de 7000 km. C'est la plus longue chaîne de montagnes du monde. Au moins 40 sommets s'élèvent à plus de 6000 m.

L'Amazone, d'une longueur d'environ 6500 km, est l'un des plus longs fleuves du monde, avec le Nil. Il déverse tellement d'eau (chargée de matières) dans l'océan Atlantique qu'il en modifie la couleur jusqu'à plus de 160 km des côtes !

**Légende**

— Frontière internationale
▲ Montagne

Altitude
- Plus de 3000 m
- 2000-3000 m
- 1000-2000 m
- 500-1000 m
- 200-500 m
- 0-200 m

Profondeur de l'eau
- Moins de 200 m
- 200-2000 m
- 2000-4000 m
- Plus de 4000 m

**Échelle**

1 : 34 500 000

(projection azimutale équivalente de Lambert)

0    400    800 km

1 cm sur la carte équivaut à 345 km sur le terrain.

AMÉRIQUE DU SUD

Grandes Antilles
Mer des Antilles (Mer des Caraïbes)
Petites Antilles
Pointe Gallinas
▲ Pico Cristobal Colon 5775 m
Golfe de Panama
Magdalena
Llanos
Orénoque
Massif des Guyanes
Cap Orange
OCÉAN ATLANTIQUE
▲ Nevado del Huíla 5750 m
Pointe Galera
▲ Pichincha 4794 m
▲ Cotopaxi 5897 m
▲ Chimborazo 6310 m
Îles Galápagos (Équateur)
Équateur
Pointe Parinas
Putumayo
Japura
Amazone
Negro
Amazone
Bassin de l'Amazone
Cap Sao Roque
Jurua
Madeira
Tapajos
Tocantins
Ucayali
Selvas
Plateau du Brésil
Sao Francisco
OCÉAN PACIFIQUE
▲ Nevado Huascaran 6746 m
Pointe Carreta
▲ Nevado del Illampu 6421 m
Lac Titicaca
Fosse d'Atacama -7974 m
▲ Nevado de Sajama 6542 m
Cordillère
Haut plateau des Andes
Désert d'Atacama
de Bolivie
Gran Chaco
Cap Sao Tomé
Tropique du Capricorne
Île San Felix (Chili)
Île San Ambrosio (Chili)
▲ Nevado Ojos del Salado 6893 m
OCÉAN ATLANTIQUE
Parana
Îles Juan Fernandez (Chili)
▲ Aconcagua 6959 m
Pampas
Lagoa dos Patos
Lagoa Mirim
Rio de La Plata
Pointe Lavapie
Île de Chiloe
Golfe de San Matias
Péninsule Valdes
Archipel des Chonos
Cabo dos Bahias
Golfe de San Jorge
Pointe Medanosa
Patagonie
Bahia Grande
Îles Falkland (Îles Malouines)
Détroit de Magellan
Cap Horn
Tierra del Fuego (Terre de Feu)
Détroit de Drake

# L'AMÉRIQUE DU SUD POLITIQUE

L'Amérique du Sud est composée de 12 pays : l'Argentine, la Bolivie, le Brésil, le Chili, la Colombie, l'Équateur, le Guyana, le Paraguay, le Pérou, le Suriname, l'Uruguay et le Venezuela. L'Amérique du Sud inclut aussi la Guyane, un département français d'outre-mer.

Avec ses 8,5 millions de km², le Brésil occupe presque la moitié de l'Amérique du Sud. C'est aussi le pays le plus peuplé de cette région du globe, avec ses 190 millions d'habitants.

Quelques-unes des plus grandes villes du monde, comme Sao Paulo, Buenos Aires et Rio de Janeiro, sont situées en Amérique du Sud. Elles comptent toutes plus de 10 millions d'habitants.

Certains aliments consommés tous les jours dans le monde viennent d'Amérique du Sud, comme le manioc (plante qui fournit le tapioca), la pomme de terre (légume le plus cultivé sur la planète) et la tomate.

## Légende

— Frontière internationale
✪ Capitale du pays
○ Ville de plus de 1 million d'habitants
• Ville de moins de 1 million d'habitants

## Échelle

1 : 34 500 000

(projection azimutale équivalente de Lambert)

0    400    800 km

1 cm sur la carte équivaut à 345 km sur le terrain.

# L'AMAZONIE – TERRITOIRE FORESTIER

L'Amazonie est une vaste région de l'Amérique du Sud partagée entre huit pays et un territoire français : le Brésil (où se trouve plus de la moitié de son territoire) la Bolivie, le Pérou, la Colombie, le Venezuela, l'Équateur, le Guyana et le Suriname ainsi que la Guyane. Elle est couverte sur une grande partie de sa superficie par la forêt amazonienne, la plus grande forêt tropicale de la planète. Des menaces pèsent sur l'Amazonie : la mise en valeur du territoire pour les besoins de l'agriculture, l'exploitation forestière et le déboisement ont des répercussions sur cette région.

**La déforestation en Amazonie**

### Légende

— Frontière internationale
— Route
--- Limite du bassin de l'Amazone
✪ Capitale du pays
○ Ville
▪ Forêt intacte
▪ Déforestation
▪ Savane

### Échelle

1 : 23 000 000
(projection azimutale équivalente de Lambert)

0   200   400   600 km

1 cm sur la carte équivaut à 230 km sur le terrain.

### Climatogramme de Manaus (Brésil)

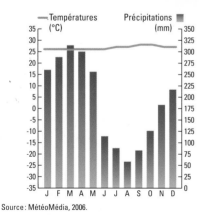

Source : MétéoMédia, 2006.

La ville de Manaus est située au cœur de l'Amazonie, à 3° de latitude Sud. Durant toute l'année, les températures y sont très élevées et les précipitations, abondantes. La végétation très dense de la région est typique de la forêt tropicale humide.

ASSOCIATED PRESS AP.

**La route Transamazonienne.** Construite dans le but d'ouvrir la forêt au développement et à la mise en valeur du territoire, la route Transamazonienne a favorisé la déforestation et mis en danger le mode de vie des Autochtones de l'Amazonie.

## L'Amazonie en chiffres[1]

| Information générale | |
|---|---|
| Superficie de la région | 6 millions km² |
| Forêt et autres terres boisées | 4,2 millions km² |
| Parcs provinciaux et nationaux | Environ 500 000 km² |
| Diversité des espèces vivantes (biodiversité) | 40 000 espèces végétales<br>14 000 espèces animales<br>3000 espèces de poissons<br>1000 espèces d'oiseaux |

| Ressource | |
|---|---|
| Propriété de la forêt | |
| – État | 60 % |
| – Privée | 40 % |
| Types de forêts | |
| – Forêt de conifères | 2 % |
| – Forêt de feuillus | 98 % |
| Récolte de bois | Environ 400 millions m³ |
| Superficie récoltée | 2,6 millions ha |
| Nombre d'arbres abattus chaque année | 7 milliards, soit 19 millions par jour |

| Industrie | |
|---|---|
| Valeur des exportations | 1,2 milliard $ CA |
| Client principal | États-Unis |
| Valeur des livraisons | |
| – Fabrication des produits du bois | 7 milliards $ CA |
| – Fabrication du papier | 1,75 milliard $ CA |
| Nombre d'établissements | |
| – Fabrication des produits du bois | Environ 2500 |
| – Fabrication du papier | Environ 150 |
| Nombre d'emplois directs | Environ 600 000 |

1. Les données du tableau ci-dessous sont fournies sous toutes réserves en raison de la difficulté de trouver des sources fiables, récentes et concordantes.

Sources : Organisation des Nations unies pour l'alimentation et l'agriculture (FAO), 2006 ; BANQUE MONDIALE, *World Development Indicators*, 2005.

## LA DÉFORESTATION EN AMAZONIE

La région de l'Amazonie perd annuellement environ deux millions d'hectares de forêts, soit l'équivalent des régions de l'Estrie et de la Montérégie réunies, deux régions administratives de la province de Québec. La déforestation qu'on y fait, la plupart du temps illégalement, a été accélérée par la construction de routes, dont la route Transamazonienne, qui desservent des lieux auparavant inaccessibles.

La déforestation a plusieurs impacts négatifs, notamment sur l'équilibre écologique fragile de la forêt amazonienne. Elle entraîne une perte de biodiversité et cause aussi des changements climatiques profonds et irréversibles. Les déchets d'abattage des arbres, par exemple, produisent de grandes quantités de gaz carbonique ($CO_2$), l'un des gaz qui jouent un rôle fondamental dans l'effet de serre, ce qui contribue au réchauffement de la planète.

**Les 10 pays ayant les plus grandes superficies forestières en 2005**

| Pays | Superficie |
|---|---|
| 1. Russie | 809 millions ha |
| 2. Brésil (inclut une partie de l'Amazonie) | 478 millions ha |
| 3. Canada | 310 millions ha |
| 4. États-Unis | 303 millions ha |
| 5. Chine | 197 millions ha |
| 6. Australie | 164 millions ha |
| 7. République démocratique du Congo | 134 millions ha |
| 8. Indonésie | 88 millions ha |
| 9. Pérou (y compris une partie de l'Amazonie) | 69 millions ha |
| 10. Inde | 68 millions ha |

Source : Organisation des Nations unies pour l'alimentation et l'agriculture (FAO), 2006.

**L'Amazone.** L'Amazonie est une vaste plaine traversée par un fleuve, l'Amazone, et ses 1100 affluents. Ces derniers forment un bassin qui couvre un territoire quatre fois plus grand que le Québec et qui comprend la forêt amazonienne.

**La déforestation.** À la fin de 2005, près de 20 % de la forêt amazonienne a été détruite en raison de l'exploitation forestière accélérée. À ce rythme, la forêt sera transformée, d'ici 50 ans, en une vaste savane, c'est-à-dire en une plaine où les arbres sont rares.

# QUITO – VILLE SOUMISE À DES RISQUES NATURELS

Capitale de l'Équateur, un pays d'Amérique du Sud, la ville de Quito est perchée à plus de 2800 m d'altitude, dans une vallée de la cordillère des Andes. Cette vallée est surnommée « avenue des volcans » parce qu'elle est entourée de volcans. Quito s'étend au pied du Pichincha, volcan qui est toujours actif et dont la dernière éruption remonte à 1999. Le volcan Pichincha a deux sommets : le Guagua Pichincha et le Rucu Pichincha.

## Quito sur l'« avenue des volcans », en Équateur

**Légende**

— Frontière internationale
— Route
✪ Capitale du pays
○ Ville de plus de 1 million d'habitants
• Ville de moins de 1 million d'habitants
▲ Volcan

**Échelle**

1 : 5 000 000
(projection régionale conforme de l'Amérique du Sud)

0    50    100    150 km

1 cm sur la carte équivaut à 50 km sur le terrain.

**Quito, la capitale.** Quito est le centre administratif, religieux, commercial et industriel du pays.

CORBIS : P. Corral V.

**Le Quito colonial.** La place de l'Indépendance, dans le centre historique, rappelle que la ville a été fondée en 1504 par les Espagnols. Quito possède le centre historique le mieux préservé de toute l'Amérique du Sud.

CORBIS : J. Butchofsky-Houser.

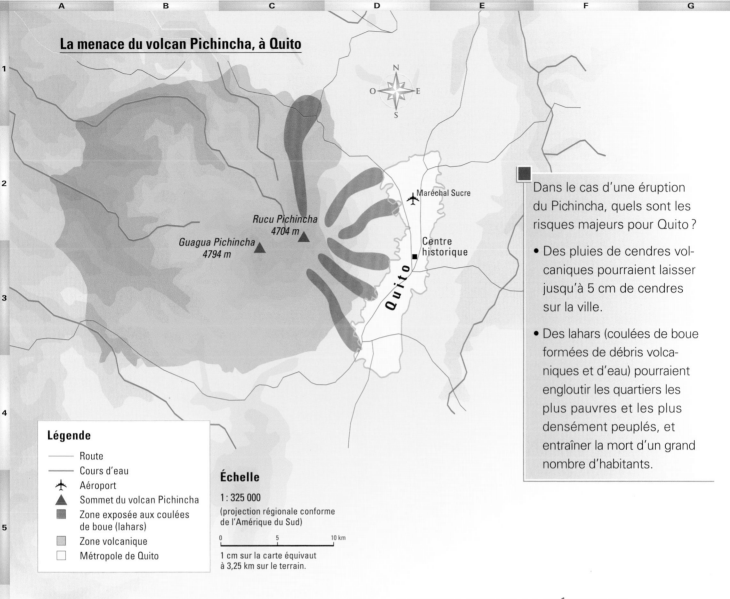

## La menace du volcan Pichincha, à Quito

Maréchal Sucre

Rucu Pichincha
4704 m

Guagua Pichincha
4794 m

Centre
historique

Quito

**Légende**

— Route
— Cours d'eau
✈ Aéroport
▲ Sommet du volcan Pichincha
■ Zone exposée aux coulées
   de boue (lahars)
■ Zone volcanique
□ Métropole de Quito

**Échelle**

1 : 325 000
(projection régionale conforme
de l'Amérique du Sud)

0        5        10 km

1 cm sur la carte équivaut
à 3,25 km sur le terrain.

■ Dans le cas d'une éruption
du Pichincha, quels sont les
risques majeurs pour Quito ?

- Des pluies de cendres volcaniques pourraient laisser
  jusqu'à 5 cm de cendres
  sur la ville.

- Des lahars (coulées de boue
  formées de débris volcaniques et d'eau) pourraient
  engloutir les quartiers les
  plus pauvres et les plus
  densément peuplés, et
  entraîner la mort d'un grand
  nombre d'habitants.

CORBIS/Reuters.

## CONTRE LA MENACE, LA PRÉVENTION !

Pour protéger la population de la menace du Pichincha,
les autorités de la ville ont adopté des mesures préven-
tives. D'abord, l'activité du Pichincha et des autres volcans
à proximité est constamment surveillée. Lorsque c'est
nécessaire, un système d'alerte à trois couleurs est aussi
mis en place et annoncé dans les quotidiens. L'alerte orange
signale une éruption imminente ; l'alerte rouge annonce
un danger très grand et une éruption du volcan. Le vert
indique qu'il n'y a aucun danger pour la population.

Aucune évacuation généralisée n'est prévue, car il est
impossible de déplacer d'un coup 1,5 million d'habitants !
Des campagnes d'information sont organisées dans les
médias et des dépliants sur les mesures à prendre sont dis-
tribués. On y recommande notamment de prévoir des
provisions pour quelques semaines, de se munir de masques
antipoussière, de lunettes protectrices, d'une trousse de
premiers soins et d'une radio à piles.

**L'éruption du volcan Pichincha en octobre 1999.** Cette éruption
a rappelé aux autorités de la ville de Quito et aux habitants
(Quiténiens) qu'il est important de savoir comment faire face
à une catastrophe naturelle.

# LES ÎLES GALAPAGOS – PARC NATUREL

Les îles Galapagos, situées dans l'océan Pacifique à environ 1000 km au large de la côte ouest de l'Amérique du Sud, constituent une province de l'Équateur. Cet archipel, reconnu comme une réserve marine[1] depuis 1998, fait partie du patrimoine naturel[2] mondial. Attrait important pour les touristes, le parc national des Galapagos couvre 97 % de l'archipel. Les autorités ont décidé d'en assurer la protection en l'aménageant et en le réglementant pour éviter qu'il se dégrade. Mais les autorités doivent aussi assurer le développement économique des îles. Pour elles, l'enjeu est important : rechercher un équilibre entre la nature et la fréquentation touristique.

1. Zone à l'intérieur de laquelle la faune et la flore aquatiques sont protégées.
2. Ensemble des ressources naturelles héritées des générations précédentes.

**Les îles Galapagos**

### Le parc national et la réserve marine des Galapagos
### EN BREF

| | |
|---|---|
| Année de création | 1959 (parc) 1998 (réserve marine) |
| Superficie | 8000 km² |
| Population | Environ 20 000 hab. |
| Année d'inscription sur la Liste du patrimoine mondial de l'Unesco | 1978 (parc) 2001 (réserve marine) |
| Nombre de visiteurs par année | Environ 90 000 |
| Attraction principale | 5000 espèces animales et végétales, dont 80 % sont uniques au monde |

Source : Fondation Charles-Darwin, 2006.

**Légende**

★ Capitale du pays

○ Ville de plus de 1 million d'habitants

**Échelle**

1 : 73 500 000
(projection azimutale équivalente de Lambert)

0  1000  2000 km

1 cm sur la carte équivaut à 735 km sur le terrain.

CORBIS : K. Schafer.

**Des îles volcaniques.** Les îles Galapagos présentent un relief sculpté de coulées de lave et de cratères. Sur la photo, une formation volcanique, connue sous le nom de « Pinnacle Rock » ou « Rocher du Gendarme », offre aux visiteurs un paysage unique à la pointe de la petite île Bartolomé.

NHPA : D. Middleton.

**La mangrove.** Formation végétale caractéristique des littoraux marins tropicaux, la mangrove est présente dans les îles Galapagos. Elle est constituée de forêts dont les arbres (palétuviers) fixent leurs racines dans l'eau. La mangrove protège les côtes des ouragans et sert de refuge à de nombreuses espèces d'animaux.

# LE DIFFICILE ÉQUILIBRE ENTRE PROTECTION ET DÉVELOPPEMENT

Pour les autorités des îles Galapagos, il est difficile de concilier le développement économique et le bien-être des divers groupes (population locale, touristes et pêcheurs, notamment) avec la conservation et l'utilisation durable des ressources naturelles. Une chose est certaine, le parc national et la réserve marine des îles Galapagos constituent l'un des sites les plus protégés de la planète. Mais les habitants des îles se sentent souvent exclus du processus par lequel les mesures de conservation leur sont imposées. La population locale se plaint du trop grand achalandage des îles : trop de touristes, trop de bateaux. L'environnement se dégrade.

PHOTOTHÈQUE ERPI.

PHOTOTHÈQUE ERPI.

CORBIS : O. Franken.

**Une faune unique.** Les îles Galapagos abritent de très nombreux animaux qu'on ne trouve nulle part ailleurs dans le monde, comme la tortue géante. Celle-ci peut peser plus de 270 kg et vivre plus de 100 ans. On y rencontre aussi l'iguane marin, le seul lézard au monde adapté au milieu marin, et l'otarie à fourrure, la plus petite otarie sur la planète. Toutes ces espèces sont protégées.

## Le parc national et la réserve marine des Galapagos

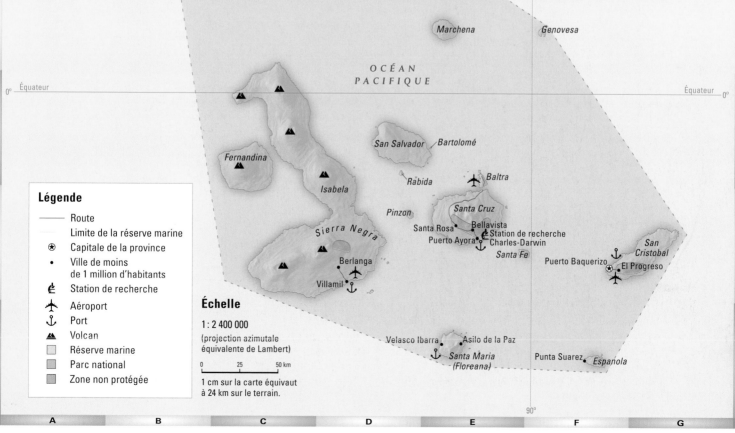

Darwin

Wolf

Pinta

Marchena

Genovesa

90°

N
O · E
S

OCÉAN
PACIFIQUE

Équateur 0° — — Équateur 0°

San Salvador · Bartolomé

Fernandina

Rábida · ✈ Baltra

Isabela

Pinzon

Santa Cruz

Sierra Negra

Santa Rosa · Bellavista

Puerto Ayora ⚓ · ⚓ Station de recherche Charles-Darwin

San Cristóbal

Santa Fe

Berlanga

Puerto Baquerizo · ⚓
El Progreso

Villamil ⚓

### Légende

| | |
|---|---|
| —— | Route |
| --- | Limite de la réserve marine |
| ✳ | Capitale de la province |
| • | Ville de moins de 1 million d'habitants |
| ⚓ | Station de recherche |
| ✈ | Aéroport |
| ⚓ | Port |
| ▲ | Volcan |
| ▢ | Réserve marine |
| ▢ | Parc national |
| ▢ | Zone non protégée |

### Échelle

1 : 2 400 000

(projection azimutale équivalente de Lambert)

0    25    50 km

1 cm sur la carte équivaut à 24 km sur le terrain.

Velasco Ibarra · Asilo de la Paz

Santa Maria
(Floreana)

Punta Suarez · Española

90°

L'Europe, qui couvre une superficie de près de 10 millions de km², est délimitée à l'est par l'Asie, au sud par la mer Méditerranée, à l'ouest par l'océan Atlantique et au nord par l'océan Arctique. Plusieurs îles et archipels de l'Atlantique sont rattachés à l'Europe, notamment l'Islande, les Açores et les îles Canaries.

Les Alpes représentent la plus haute chaîne de montagnes de l'Europe. De gigantesques plissements de la roche les ont fait naître il y a des millions d'années.

**EUROPE**

OCÉAN ARCTIQUE

Cercle polaire arctique

Mer de Barents

Islande

Mer de Norvège

Laponie

Péninsule de Kola

Mer Blanche

Pétchora

ASIE

OCÉAN ATLANTIQUE

Îles Féroé

Îles Shetland

Îles Orcades

Îles Hébrides

Chaîne scandinave

Scandinavie

Golfe de Botnie

Plaine de Finlande

Lac Onega

Onega

Monts Oural

Lac Vänern

Lac Ladoga

Plaine de Russie

Mer du Nord

Mer d'Irlande

Mer Baltique

Plaine nord-européenne

Plateau de Russie centrale

Oural

Plateau de la Volga

Tamise

Manche

Ardennes

Rhin

Elbe

Oder

Vistule

Don

Volga

Seine

Meuse

Loire

Plaine d'Ukraine

Dniepr

Dniestr

Carpates

Golfe de Gascogne

Dordogne

Garonne

Saône

Rhône

Jura

Alpes

Mont Blanc 4808 m

Grossglockner 3798 m

Plaine de Hongrie

Alpes de Transylvanie

Mer d'Azov

Péninsule de Crimée

Mer Caspienne

Monts Cantabriques

Douro

Pyrénées

Ebre

Massif central

Pô

Alpes dinariques

Danube

Mer Noire

Caucase

Mont Elbrous 5642 m

Péninsule Ibérique

Tage

Apennins

Corse

Mer Adriatique

Péninsule Balkanique

Îles Baléares

Sardaigne

Vésuve 1277 m

Mont Olympe 2917 m

Mer Égée

Sierra Morena

Mulhacen 3482 m

Détroit de Gibraltar

Mer Tyrrhénienne

Mer Ionienne

Sicile

Mont Etna 3323 m

Rhodes

Crète

Mer Méditerranée

AFRIQUE

Tropique du Cancer

**Échelle**

1 : 27 500 000

(projection de Bonne)

0    250    500    750 km

1 cm sur la carte équivaut à 275 km sur le terrain.

**Légende**

—— Frontière internationale

▲ Montagne

Altitude

Plus de 3000 m
2000-3000 m
1000-2000 m
500-1000 m
200-500 m
0-200 m

Profondeur de l'eau

Moins de 200 m
200-2000 m
2000-4000 m
Plus de 4000 m

L'Europe rassemble une quarantaine de pays, malgré sa petite taille. Elle comprend plus de 800 millions d'habitants, ce qui en fait l'un des endroits les plus densément peuplés du monde. La plupart des pays européens existent depuis des siècles. Certains pays, comme le Royaume-Uni, la France et l'Espagne, ont été à la tête de grands empires coloniaux.

L'Union européenne (UE) est chargée de maintenir la paix en Europe et de favoriser le développement économique et social. Au début de 2006, elle regroupait 25 pays d'Europe.

**Échelle**

1 : 27 500 000
(projection de Bonne)

0     250     500     750 km

1 cm sur la carte équivaut à 275 km sur le terrain.

**Légende**

—— Frontière internationale

✪ Capitale du pays

1. À la mise sous presse de cet atlas, la capitale du Monténégro était Podgorica, mais doit être prochainement Cetinje.

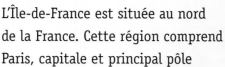
L'Île-de-France est située au nord de la France. Cette région comprend Paris, capitale et principal pôle d'attraction touristique du pays. L'Île-de-France est la plus petite région de France, mais elle est également la plus peuplée et la plus riche. C'est aussi la région qui accueille le plus de touristes dans le monde, soit plus de 35 millions chaque année, dont 20 millions d'étrangers. Comment le territoire de l'Île-de-France réussit-il à accueillir autant de visiteurs ?

## L'Île-de-France, un territoire touristique organisé

### Légende

- —— Limite de la région administrative
- —— Limite du département
- —— Autoroute
- ○ Ville
- ✈ Aéroport
- 🚆 Gare de TGV (train à grande vitesse)
- 📷 Attraction
- ▨ Ville de Paris
- ▨ Petite couronne
- ▨ Grande couronne
- ▨ Parc naturel régional

### Échelle

1 : 1 150 000

(projection conique conforme de Lambert)

0 ————— 25 km

1 cm sur la carte équivaut à 11,5 km sur le terrain.

### L'Île-de-France EN BREF

| Pays | France |
|---|---|
| Superficie | 12 072 km² |
| Climat | Océanique avec influence continentale |
| Population | 11,5 millions d'habitants |
| Densité de population | 953 hab./km² |
| Revenu annuel moyen par habitant | 35 000 $ CA |
| Monnaie | Euro |
| Langue | Français |
| Nombre de touristes en 2004 | Environ 35 millions (dont 60 % d'étrangers) |
| Dépenses des touristes en 2004 | 65 milliards $ CA |
| Emplois créés par le tourisme en 2004 | Environ 240 000 |

Sources : Quid, 2006 ; INSEE, 2004.

### Climatogramme de Paris

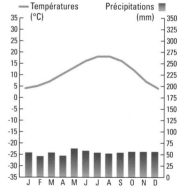

— Températures (°C)    Précipitations (mm)

Source : MétéoMédia, 2006.

L'Île-de-France, dont Paris fait partie, se trouve dans un bassin, à la limite des influences océanique à l'ouest et continentale à l'est. Poussé par les vents d'ouest, l'air de l'océan Atlantique a un effet régulateur : les hivers sont doux et les étés, frais. Les précipitations, assez abondantes, sont réparties sur toute l'année. On conçoit facilement que ce n'est pas pour son climat que les touristes viennent en Île-de-France, mais bien pour son patrimoine historique, artistique et culturel.

**Les 10 sites touristiques les plus fréquentés en France en 2004**

| Sites | Région | Nombre de visiteurs |
|---|---|---|
| 1. Disneyland Paris | Île-de-France | 12,4 millions |
| 2. Forêt de Fontainebleau | Île-de-France | 12 millions |
| 3. Notre-Dame de Paris | Île-de-France | 10 millions |
| 4. Sacré-Cœur de Montmartre | Île-de-France | 8 millions |
| 5. Tour Eiffel | Île-de-France | 5,9 millions |
| 6. Musée du Louvre | Île-de-France | 5,7 millions |
| 7. Centre Georges-Pompidou | Île-de-France | 5,3 millions |
| 8. Aquaboulevard de Paris | Île-de-France | 4,9 millions |
| 9. Château de Versailles | Île-de-France | 3,7 millions |
| 10. Cité des sciences et de l'industrie de la Villette | Île-de-France | 2,9 millions |

Source : Observatoire régional du tourisme, Paris–Île-de-France (données de 2003).

## UN GROS DÉFI : FACILITER LES DÉPLACEMENTS

L'Île-de-France reçoit chaque année 35 millions de touristes, soit 3 fois sa population. Certaines zones connaissent une affluence exceptionnelle, non seulement en raison des touristes qui veulent visiter les nombreux attraits de la région, mais aussi en raison du trafic habituel des Franciliens, les habitants de l'Île-de-France. L'enjeu est clair : bien accueillir les touristes en facilitant leurs déplacements et préserver la qualité de vie des Franciliens en... facilitant leurs déplacements. La région s'est donc dotée d'un réseau de transport très développé, mais qui arrive bientôt à saturation. Chaque nouveau projet d'infrastructures de transport, comme le projet de construction d'un troisième aéroport en Île-de-France, suscite des débats passionnés. Les partisans d'un réseau de transport plus efficace s'opposent à ceux qui privilégient un environnement sain. Pour diminuer les impacts du tourisme sur l'environnement et sur la vie des habitants, on construit souvent les nouveaux aménagements à l'extérieur de la capitale, comme le parc d'attractions de Disneyland Paris.

**Le château de Versailles.** Le tourisme culturel est un point fort de la région qui abonde en monuments, musées et châteaux. Versailles, une ancienne résidence royale située au sud-ouest de Paris, est le château le plus visité de France.

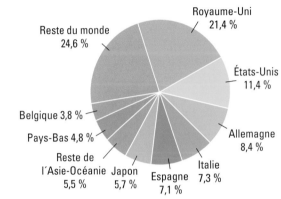

**La provenance des touristes étrangers en Île-de-France en 2004**

Royaume-Uni 21,4 %
Reste du monde 24,6 %
États-Unis 11,4 %
Belgique 3,8 %
Allemagne 8,4 %
Pays-Bas 4,8 %
Italie 7,3 %
Reste de l'Asie-Océanie 5,5 %
Japon 5,7 %
Espagne 7,1 %

Source : Institut national de la statistique et des études économiques (INSEE), 2005.

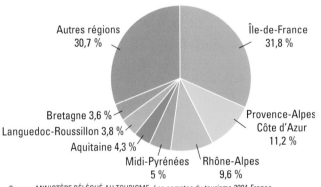

**La répartition des touristes en France en 2004 (par région)**

Autres régions 30,7 %
Île-de-France 31,8 %
Provence-Alpes Côte d'Azur 11,2 %
Bretagne 3,6 %
Languedoc-Roussillon 3,8 %
Aquitaine 4,3 %
Midi-Pyrénées 5 %
Rhône-Alpes 9,6 %

Source : MINISTÈRE DÉLÉGUÉ AU TOURISME, Les comptes du tourisme 2004, France.

**La forêt de Fontainebleau.** Forêt au passé ancien, elle appartient au domaine royal dès le 11e siècle. En 1998, l'Unesco classe ce site comme « réserve de biosphère ». Cela ne l'empêche pas de recevoir de nombreux visiteurs en raison de la richesse et de la variété de sa faune et de sa flore.

**L'île de la Cité.** En 2003, les autorités ont interdit aux autocars de touristes l'accès à l'île de la Cité afin de résoudre le problème de pollution sonore et atmosphérique. Désormais, pour aller visiter la célèbre cathédrale Notre-Dame de Paris, il faut prendre une navette fluviale, le transport en commun ou s'y rendre à pied !

# PARIS – VILLE PATRIMONIALE

Paris, l'une des grandes métropoles du monde, est la capitale de la France et la ville la plus peuplée du pays. Paris est bâtie sur les rives de la Seine, fleuve qui la traverse à peu près en son milieu sur plus de 12 km. La ville est reconnue mondialement pour ses nombreux monuments, comme la tour Eiffel, le musée du Louvre et la cathédrale Notre-Dame de Paris. Être à la fois capitale du pays et ville patrimoniale n'est pas une mince tâche. Les autorités ont un défi important à relever: conserver et restaurer les sites patrimoniaux, mais aussi innover pour que la ville conserve son caractère moderne.

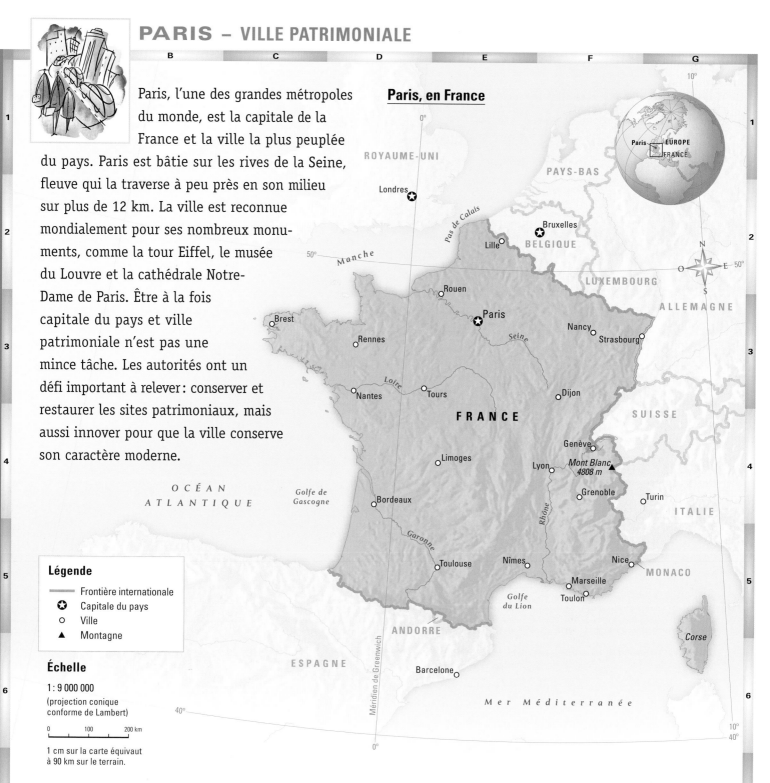

**Paris, en France**

## Légende

— Frontière internationale
✪ Capitale du pays
○ Ville
▲ Montagne

## Échelle

1 : 9 000 000
(projection conique conforme de Lambert)

0    100    200 km

1 cm sur la carte équivaut à 90 km sur le terrain.

## PARIS ET SON PATRIMOINE

### Principal site protégé

- Rives de la Seine, inscrites en 1991 sur la Liste du patrimoine mondial de l'Unesco.

### Valeur culturelle du site

Les rives de la Seine sont le témoin de l'évolution de Paris et de son histoire depuis 2000 ans. Elles comprennent des chefs-d'œuvre d'architecture, comme la cathédrale Notre-Dame de Paris et la Sainte-Chapelle du Palais, situées sur l'île de la Cité, une petite île dans la Seine où se sont établis les premiers Parisiens. Les larges places et avenues construites sur les rives du fleuve ont influencé l'urbanisme dans le monde entier.

Sources : Organisation des villes du patrimoine mondial (OVPM) ; Unesco, 2006.

CORBIS/SYGMA : B. Annebicque.

**Les rives de la Seine.** La Seine, fleuve qui traverse la ville de Paris, contribue à mettre en valeur le magnifique paysage que constituent les édifices et les monuments qui la bordent. Ces chefs-d'œuvre d'architecture ont une valeur historique inestimable.

## L'agglomération de Paris

Saint-Denis

Asnières-sur-Seine

Clichy

Courbevoie

Aubervilliers

Bobigny

Nanterre

**QUARTIER DE LA DÉFENSE**

Boulevard périphérique

Basilique du Sacré-Cœur

**MONTMARTRE**

**P a r i s**

Bois de Boulogne

Arc de Triomphe

Opéra Garnier

**RIVE DROITE**

Cimetière du Père-Lachaise

Champs-Élysées

**TEMPLE**

Tour Eiffel

Seine

Musée du Louvre

**MARAIS**

Montreuil

Saint-Cloud

**CHAMP-DE-MARS**

**SAINT-GERMAIN-DES-PRÉS**

**ÎLE DE LA CITÉ**

Bastille

Cathédrale Notre-Dame de Paris

Vincennes

Parc de Saint-Cloud

Jardin du Luxembourg

Sorbonne

Château de Vincennes

Boulogne-Billancourt

**VAUGIRARD**

**QUARTIER LATIN**

Zoo

**MONTPARNASSE**

**RIVE GAUCHE**

Bois de Vincennes

Meudon

Montrouge

Boulevard périphérique

Marne

Ivry-sur-Seine

Seine

### Légende

— Autoroute
— Route
— Rue
○ Ville
📷 Centre d'intérêt
▨ Espace vert

### Échelle

1 : 150 000

(projection conique conforme de Lambert)

0    2    4 km

1 cm sur la carte équivaut à 1,5 km sur le terrain.

## LA CITÉ DU PATRIMOINE

« Je pense qu'il faut que nous nous battions avec énergie, à la fois pour le patrimoine que nous avons reçu et pour le patrimoine que nous léguerons. »

Bertrand Delanoë, maire de Paris, 2006.

Lorsque le site des rives de la Seine a été reconnu comme patrimoine mondial, l'Unesco a recommandé aux autorités de la ville de contrôler la hauteur des constructions afin de maintenir l'intégralité du site et des perspectives. Le défi pour la première destination touristique au monde était important : intégrer une ville moderne à une ville ancienne dont le site et la richesse patrimoniale sont réputés dans le monde entier. C'est pourquoi il existe à Paris plusieurs groupes de citoyens qui se donnent pour mission de protéger le patrimoine de leur ville. Un de ces groupes, la Commission du Vieux Paris, a comme mission de conseiller le maire en matière de conservation, de protection, de restauration et de mise en valeur du patrimoine.

PHOTOTHÈQUE ERPI.

**L'avenue des Champs-Élysées et l'Arc de Triomphe.** L'avenue des Champs-Élysées, qui mène à l'Arc de Triomphe de l'Étoile, est célèbre dans le monde entier. Elle est un des emblèmes de la ville de Paris, au même titre que la tour Eiffel.

# LA SAVOIE – TERRITOIRE TOURISTIQUE

Pourquoi la Savoie, située dans le sud-est de la France, au cœur des Alpes et de l'Europe, attire-t-elle tant les touristes? Formée à 89% de montagnes, la Savoie constitue le plus grand domaine skiable du monde et compte de nombreuses stations reconnues mondialement, comme Val-d'Isère, Tignes ou Courchevel. Mais, la fréquentation touristique procure-t-elle de réels avantages à une collectivité qui est, par tradition, agricole?

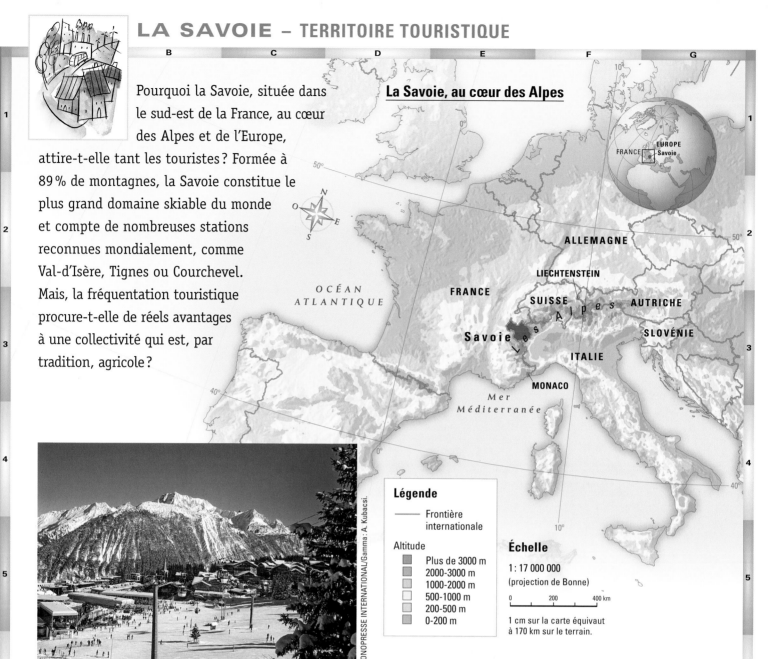

### La Savoie, au cœur des Alpes

**Légende**

— Frontière internationale

Altitude
- Plus de 3000 m
- 2000-3000 m
- 1000-2000 m
- 500-1000 m
- 200-500 m
- 0-200 m

**Échelle**

1 : 17 000 000

(projection de Bonne)

0    200    400 km

1 cm sur la carte équivaut à 170 km sur le terrain.

PONOPRESSE INTERNATIONAL/Gamma : A. Kubacsi.

**Les Alpes.** Avec leurs hauts sommets culminant à plus de 3000 m, les Alpes savoyardes attirent toute l'année de nombreux touristes et sportifs étrangers, comme ici, à Val-d'Isère.

### La Savoie EN BREF

| Pays | France |
|---|---|
| Superficie | 6028 km$^2$ |
| Climat | De montagne |
| Population | Environ 392 000 habitants |
| Densité de population | 65 hab./km$^2$ |
| Revenu annuel moyen par habitant | 40 845 $ CA |
| Monnaie | Euro |
| Langue | Français |
| Nombre de touristes en 2004 | Environ 10 millions |
| Dépenses des touristes en 2004 | 9,1 milliards $ CA |
| Emplois créés par le tourisme en 2004 | Environ 44 000 |

Sources : Agences touristiques départementales Savoie – Haute-Savoie, 2006 ; Les chambres de commerce et d'industrie Rhônes-Alpes, 2006 (données de 2003-2004).

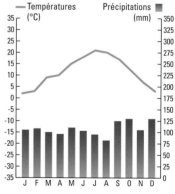

### Climatogramme de Voglans

— Températures (°C)    Précipitations (mm)

Source : Météo France, 2006.

Le climat de montagne de la Savoie, notamment celui de Voglans, est idéal pour les adeptes de plein air, comme les skieurs alpins et nordiques. Les températures ne sont pas excessives, été comme hiver, et le domaine skiable reçoit d'abondantes chutes de neige. Le climat de la Savoie est influencé par son relief. L'altitude moyenne avoisine les 1500 m.

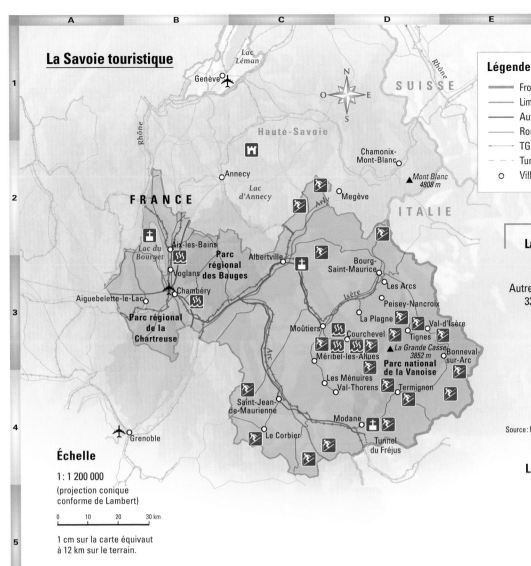

## La Savoie touristique

**Légende**

Frontière internationale
Limite du département
Autoroute
Route
TGV
Tunnel
○ Ville

✈ Aéroport
▲ Montagne
☐ Savoie
☐ Espace vert
Station de ski alpin
Source thermale
Château
Église ou abbaye

**Échelle**

1 : 1 200 000

(projection conique
conforme de Lambert)

0    10    20    30 km

1 cm sur la carte équivaut
à 12 km sur le terrain.

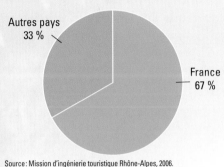

**La provenance des touristes en Savoie en 2004**

Autres pays 33 %

France 67 %

Source : Mission d'ingénierie touristique Rhône-Alpes, 2006.

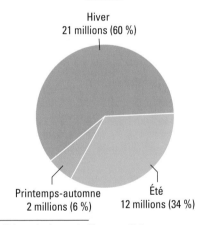

**La répartition des nuitées[1] en Savoie en 2004**

Hiver
21 millions (60 %)

Printemps-automne
2 millions (6 %)

Été
12 millions (34 %)

1. Nuit passée dans un établissement d'hébergement payant.
Source : Agences touristiques départementales Savoie–Haute-Savoie, 2006.

## AMÉNAGER OU PROTÉGER LA MONTAGNE ?

En 2004, les activités touristiques rapportent plus de 9 milliards de dollars canadiens à la Savoie, ce qui représente 55 % de son économie. Il n'est donc pas facile de protéger la nature face à des intérêts économiques aussi importants. En effet, le paysage de montagne a été modifié pour mettre en place des infrastructures permettant d'accueillir les touristes (réseaux de transport, hôtels, restaurants, stations de ski). Néanmoins, le développement durable de la région et la préservation du patrimoine naturel sont au centre des préoccupations des autorités. À ce jour, diverses mesures environnementales ont été prises : création de nombreux parcs naturels, révision des normes de construction, restauration et sauvegarde des milieux fragiles.

Les graphiques ci-dessus illustrent deux points importants : 67 % des touristes qui séjournent en Savoie viennent de France et 60 % des touristes visitent la Savoie en hiver. Même si le tourisme favorise le développement économique de la région, la commercialisation des espaces naturels par l'industrie touristique peut constituer une menace pour l'environnement.

**Le parc national de la Vanoise.** Créés dans le but de diminuer les impacts du tourisme sur l'environnement, les parcs naturels, comme le parc national de la Vanoise, ont pour mission de préserver et de valoriser les paysages.

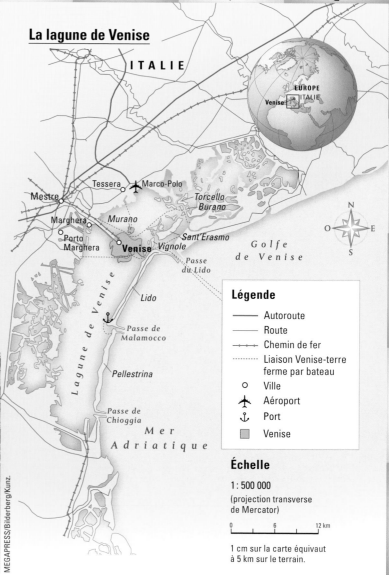

**La lagune de Venise**

Située au bord de la mer Adriatique, dans le nord-est de l'Italie, la ville de Venise est bâtie sur 118 îlots très rapprochés au cœur d'une lagune protégée de la mer par un cordon de sable, le Lido. Les touristes découvrent à Venise un site naturel unique et une véritable ville-musée. Les images de Venise, comme les promenades en gondole[1] ou en *vaporetto*[2], attirent un grand nombre de touristes : 15 millions en 2004! Cette petite ville piétonnière construite sur l'eau doit faire face à une réalité importante : le tourisme de masse.

1. Barque plate et longue à un seul aviron, utilisée surtout pour le transport des touristes.
2. Bateau qui assure la liaison entre la terre ferme, les îlots et le Lido.

**Venise et le Grand Canal.** Principale artère de Venise, le Grand Canal est soumis à un trafic incessant de bateaux qui provoquent des vagues et des remous nuisibles aux fondations des bâtiments.

**Venise EN BREF**

| Venise | |
|---|---|
| Pays | Italie |
| Superficie de l'agglomération | 413 km² |
| Superficie de la ville | 160 km² |
| Climat | Méditerranéen |
| Population de la ville | 60 000 habitants |
| Population de l'agglomération | 269 000 habitants |
| Densité de population | 375 hab./km² |
| Revenu annuel moyen par habitant | 36 800 $ CA |
| Monnaie | Euro |
| Langue | Italien |
| Nombre de touristes en 2004 | 15 millions |
| Dépenses des touristes en 2004 | 10,4 milliards $ CA |
| Emplois créés par le tourisme en 2004 | 15 000 |

Sources : Organisation des villes du patrimoine mondial (OVPM), 2006 ; Organisation mondiale du tourisme (OMT), 2006 (données de 2004) ; Unesco, 2006 (données de 2005).

**Climatogramme de Venise**

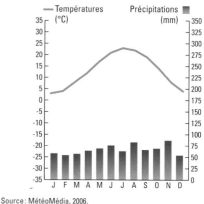

Source : MétéoMédia, 2006.

La ville de Venise jouit d'un climat agréable, de type méditerranéen : les étés sont chauds et les hivers sont doux, en raison de l'influence adoucissante de la mer Adriatique. Les précipitations, assez abondantes, sont réparties sur toute l'année. L'amplitude thermique n'y est pas très grande, les températures ne variant que d'une vingtaine de degrés entre l'été et l'hiver.

# La ville de Venise

**Échelle**

1 : 40 000
(projection transverse
de Mercator)

0    500    1000 m

1 cm sur la carte équivaut
à 400 m sur le terrain.

**Légende**

▬▬▬ Rue
▬▬▬ Canal
📷 Attraction
⬜ Espace vert

## Venise : tourisme à la hausse, population à la baisse

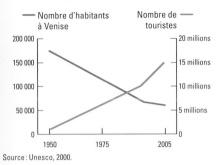

—— Nombre d'habitants à Venise        Nombre de touristes ——

Source : Unesco, 2000.

En 1951, Venise comptait 175 000 habitants et, en 2005, 60 000. La ville a donc perdu 65 % de sa population en 55 ans. Au cours de cette même période, le flux touristique a fait un bond de 1500 %, passant de 1 million à 15 millions de visiteurs. Le tourisme de masse est une cause importante du départ des Vénitiens. D'une part, il entraîne une flambée des prix et une augmentation du coût de la vie. D'autre part, il nuit à la qualité de vie de la population locale. Ainsi, Venise se transforme en ville-musée et perd peu à peu sa vocation de ville résidentielle.

## VENISE, VICTIME DE SON SUCCÈS

Le tourisme est la principale activité économique de Venise et une grande partie des Vénitiens en dépendent pour vivre. Cependant, le tourisme de masse contribue à la dégradation de la lagune et de la ville. Ainsi, les remous et les vibrations des nombreux bateaux entraînent l'érosion des rives. À Venise, le sol s'affaisse, les édifices et les œuvres d'art se détériorent. Les autorités ont envisagé plusieurs solutions qui permettront à Venise de continuer de vivre du tourisme : mise en place d'un système d'épuration des eaux usées, consolidation des berges et des fondations des édifices, construction d'un port à l'extérieur de la lagune, etc. Peut-être faudra-t-il, dans l'avenir, tenir compte des capacités d'accueil de la ville et limiter le nombre de touristes.

**La place Saint-Marc.** Célèbre pour son palais des Doges, son campanile et sa basilique, la place Saint-Marc est le cœur de la ville de Venise. L'affluence des visiteurs sur la place est telle qu'il est parfois très difficile d'observer ces monuments et encore moins de les visiter, à moins de s'armer de patience !

**La menace des *acqua alta* ou « hautes eaux ».** Les marées exceptionnellement hautes constituent une menace de taille pour Venise. Depuis 1966, année où la ville a subi une inondation record, la sauvegarde des monuments, comme la place Saint-Marc, est une préoccupation d'envergure mondiale. Plus récemment, le 31 octobre 2004, Venise a été submergée à 90 %.

L'EUROPE • L'EUROPE • L'EUROPE • L'EUROPE • L'EUROPE

Rome est la capitale de l'Italie et la ville la plus peuplée du pays. Depuis sa fondation, en 753 avant notre ère, Rome est associée à l'histoire de l'humanité. Elle abrite, notamment, de nombreux vestiges de l'Antiquité, comme le Colisée et le Forum. À l'origine, Rome était composée de villages perchés sur sept collines dont les plus connues sont le Palatin, l'Aventin et le Capitole. Son territoire s'est étendu au fil des siècles. Comment conserver l'ancien dans la ville moderne qu'est devenue Rome? Comment protéger les sites patrimoniaux contre la pollution et la grande affluence touristique? Voilà des défis que Rome, la ville la plus visitée du monde, après Paris, doit relever aujourd'hui.

**Rome, en Italie**

### Légende

— Frontière internationale
✪ Capitale du pays
○ Ville
▲ Volcan

### Échelle

1 : 10 000 000
(projection azimutale équidistante)

0 ———— 250 km

1 cm sur la carte équivaut à 100 km sur le terrain.

## ROME ET SON PATRIMOINE

### Principaux sites protégés

- Centre historique de Rome, inscrit en 1980 sur la Liste du patrimoine mondial de l'Unesco, qui a été étendu en 1990 jusqu'aux murs d'Urbain VIII.
- Cité du Vatican, inscrite en 1984 sur la Liste du patrimoine mondial de l'Unesco.

### Valeur culturelle des sites

Le centre historique de Rome et la Cité du Vatican comprennent de nombreux monuments qui ont fortement influencé le développement de l'architecture et des arts.

Sources : Organisation des villes du patrimoine mondial (OVPM); Unesco, 2006.

CORBIS/Reuters: T. Gentile.

**La basilique Saint-Pierre de Rome.** Tant pour sa superficie que pour sa renommée, la basilique Saint-Pierre est le monument religieux le plus important de l'Église catholique. Elle se trouve au cœur du plus petit État du monde, la Cité du Vatican, enclavé dans la ville de Rome. La basilique attire chaque année des millions de visiteurs. La ville de Rome profite de cette affluence touristique, mais elle doit aussi en assurer la gestion.

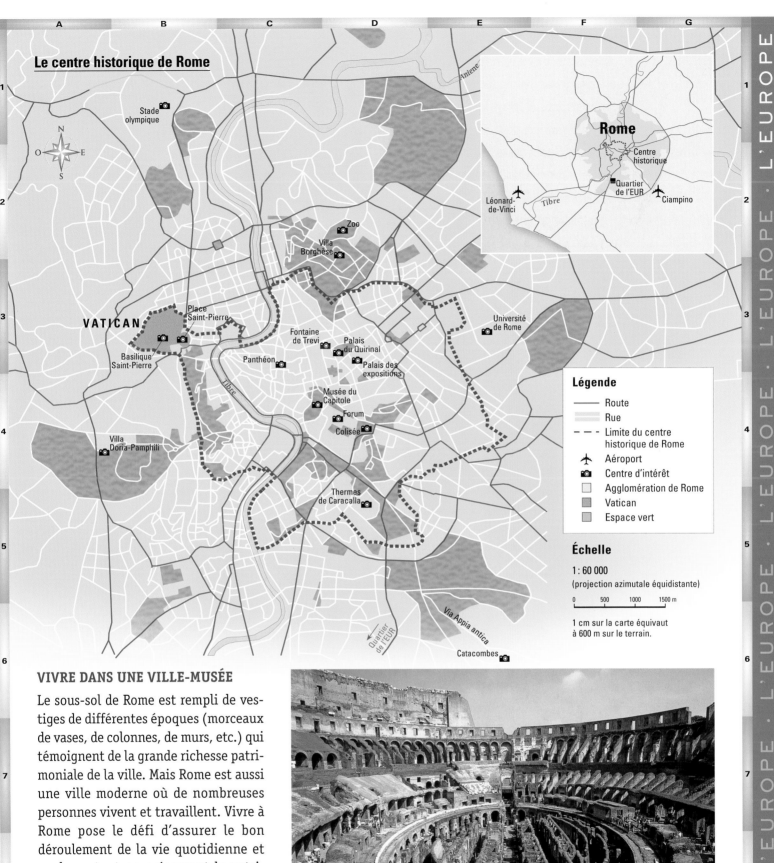

## Le centre historique de Rome

Stade olympique

N
O · E
S

Rome
Centre historique
Quartier de l'EUR
Léonard-de-Vinci
Tibre
Ciampino

Zoo
Villa Borghèse

VATICAN
Place Saint-Pierre
Basilique Saint-Pierre
Tibre
Fontaine de Trevi
Panthéon
Palais du Quirinal
Palais des expositions
Université de Rome
Musée du Capitole
Forum
Colisée

Villa Doria-Pamphili

Thermes de Caracalla

Quartier de l'EUR

Via Appia antica

Catacombes

### Légende

──── Route
━━━━ Rue
- - - Limite du centre historique de Rome
✈ Aéroport
📷 Centre d'intérêt
☐ Agglomération de Rome
▨ Vatican
▨ Espace vert

### Échelle

1 : 60 000
(projection azimutale équidistante)

0    500    1000    1500 m

1 cm sur la carte équivaut à 600 m sur le terrain.

## VIVRE DANS UNE VILLE-MUSÉE

Le sous-sol de Rome est rempli de vestiges de différentes époques (morceaux de vases, de colonnes, de murs, etc.) qui témoignent de la grande richesse patrimoniale de la ville. Mais Rome est aussi une ville moderne où de nombreuses personnes vivent et travaillent. Vivre à Rome pose le défi d'assurer le bon déroulement de la vie quotidienne et moderne tout en préservant le patrimoine. Modernité ou conservation ? Les projets de modernisation ne manquent pas, mais ils sont souvent retardés ou abandonnés en raison de la mise au jour de vestiges du passé. Les autorités doivent donc faire des choix qui suscitent de grands débats dans la population. Rome doit continuer de se moderniser sans être écrasée par son passé.

**Le Colisée.** Cet amphithéâtre, où se déroulaient des combats de gladiateurs dans la Rome antique, a été restauré de multiples fois de l'Antiquité à nos jours. Comme d'autres monuments historiques très visités, le Colisée est menacé par la pollution de l'air attribuable notamment aux gaz d'échappement des automobiles.

CORBIS: T. Bognar.

Athènes est la capitale de la Grèce et la ville la plus peuplée du pays. Son patrimoine historique est riche. Il est constitué de nombreux vestiges de l'époque de la Grèce antique, comme l'Acropole et le Parthénon. Athènes est aussi une ville moderne en expansion, qui a connu des transformations considérables pour accueillir les Jeux olympiques d'été de 2004. Les autorités de la ville ont dû alors relever un défi important pour moderniser la ville tout en conservant sa grande valeur patrimoniale.

**Athènes, en Grèce**

EUROPE
GRÈCE
Athènes

BULGARIE

Mer Noire

Mer de Marmara

ANCIENNE RÉPUBLIQUE YOUGOSLAVE DE MACÉDOINE

Thessalonique

ALBANIE

Corfou

ITALIE

▲ Mont Olympe 2917 m

Larissa

Mer Égée

GRÈCE

Mer Ionienne

Lamia

TURQUIE

Thèbes

Marathon

Patras

Corinthe

Le Pirée ✪ Athènes

Mer Méditerranée

Sparte

Cyclades

Rhodes

Héraklion

Crète

**Légende**

― Frontière internationale
✪ Capitale du pays
○ Ville
▲ Montagne

**Échelle**

1 : 7 000 000

(projection azimutale équidistante)

0      100      200 km

1 cm sur la carte équivaut à 70 km sur le terrain.

## ATHÈNES ET SON PATRIMOINE

### Principal site protégé

- L'Acropole (et ses temples), inscrite en 1987 sur la Liste du patrimoine mondial de l'Unesco.

### Valeur culturelle du site

L'Acropole, où s'élèvent quatre des plus grands chefs-d'œuvre de l'art grec classique (le Parthénon, les Propylées, l'Érechthéion et le temple d'Athéna Niké), peut être considérée comme un élément majeur du patrimoine mondial et l'un des principaux sites archéologiques de la civilisation occidentale. Elle illustre les civilisations, les mythes et les religions qui se sont épanouis en Grèce pendant plus d'un millénaire.

Source : Unesco, 2006.

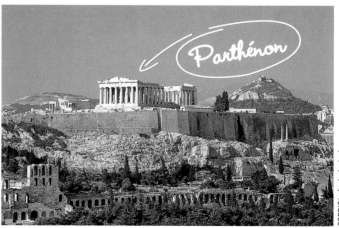

*Parthénon*

CORBIS/zefa · L. Janicek.

**L'Acropole et le Parthénon.** Située sur un plateau qui surplombe la ville d'Athènes, l'Acropole servait autrefois de forteresse et de sanctuaire. C'est là que se dresse le plus célèbre monument de toute la Grèce : le Parthénon. Ce temple, consacré à la gloire de la déesse Athéna (protectrice de la cité), est constamment restauré, protégé et mis en valeur.

L'EUROPE · L'EUROPE · L'EUROPE · L'EUROPE · L'EUROPE

## Le centre historique d'Athènes

Parc du Champ-de-Mars

Musée national archéologique

Colline Stréphi

Colline du Lycabette

Bibliothèque nationale et université

Cimetière du Céramique

Musée national d'histoire

Musée d'art cycladique

Musée d'art grec ancien

Musée byzantin

Bibliothèque d'Hadrien

Temple d'Héphaïstos

Agora

Parlement

Érechthéion

Propylées

Parthénon

Musée de l'Acropole

Jardin national

Temple d'Athéna Niké

Acropole

Porte d'Hadrien

Parc Pangrati

Colline de la Pnyx

Parc archéologique

Stade Panathinaïko

Colline de Philopappos

### Légende

—— Route

Rue

– – – Limite du centre historique d'Athènes

📷 Centre d'intérêt

Colline de l'Acropole

Espace vert

### Échelle

1 : 25 000

(projection azimutale équidistante)

0    200    400    600 m

1 cm sur la carte équivaut à 250 m sur le terrain.

## DE L'ACROPOLE AUX JEUX OLYMPIQUES

Comme plusieurs villes patrimoniales, Athènes voit chaque année des millions de touristes affluer pour visiter ses sites antiques. Le tourisme n'est pas sans conséquences et amène pollution, bruit et dégradation des sites.

Pour accueillir les Jeux olympiques d'été de 2004, Athènes a dû regarder vers l'avenir et moderniser non seulement ses installations sportives, mais aussi ses voies de communication. Cela ne s'est pas fait sans problèmes. La réalisation des travaux a entraîné de grands défis d'organisation. Il a fallu construire des stades et des autoroutes, prolonger des lignes de métro, continuer de recevoir les touristes et protéger les sites patrimoniaux. Des visions différentes se sont affrontées. Les autorités ont dû travailler de concert avec les archéologues et les groupes écologiques pour garder intact le patrimoine culturel.

**Le stade olympique.** La tenue des Jeux olympiques d'été de 2004 fut pour Athènes une occasion d'accélérer la modernisation de la ville.

CORBIS/Reuters : Y. Behkakis.

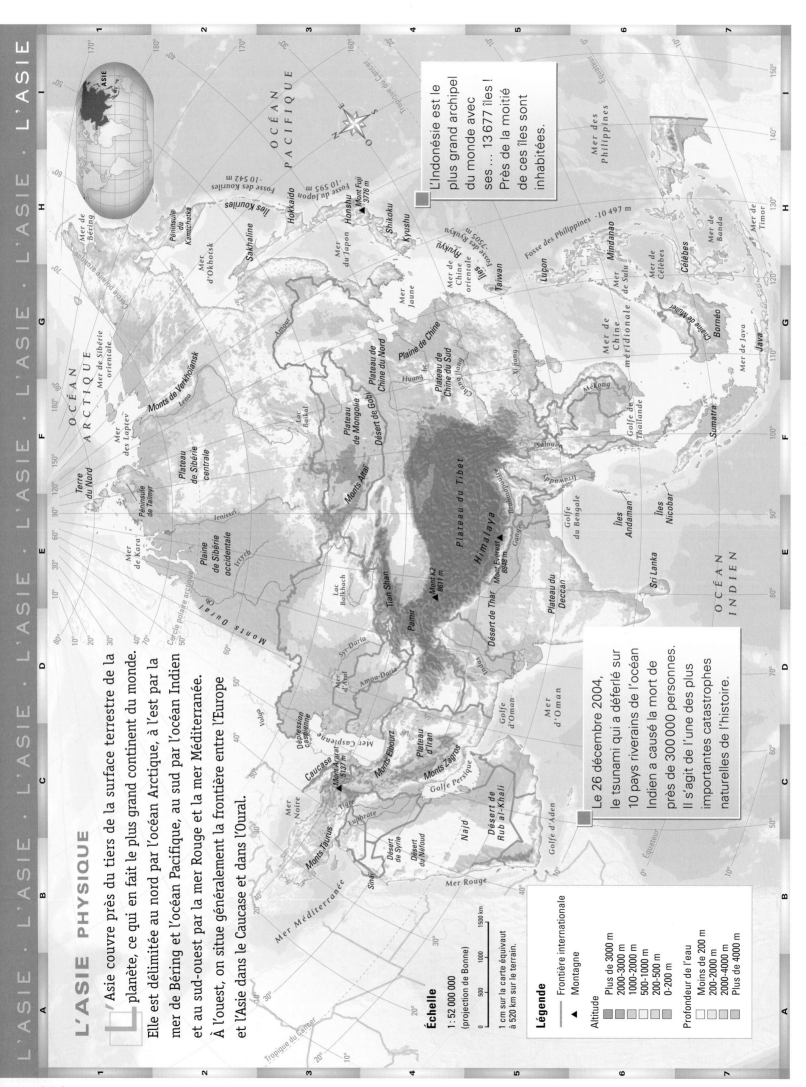

# L'ASIE PHYSIQUE

L'Asie couvre près du tiers de la surface terrestre de la planète, ce qui en fait le plus grand continent du monde.

Elle est délimitée au nord par l'océan Arctique, à l'est par la mer de Béring et l'océan Pacifique, au sud par l'océan Indien et au sud-ouest par la mer Rouge et la mer Méditerranée. À l'ouest, on situe généralement la frontière entre l'Europe et l'Asie dans le Caucase et dans l'Oural.

### Échelle

1 : 52 000 000
(projection de Bonne)

| 0 | 500 | 1000 | 1500 km |

1 cm sur la carte équivaut à 520 km sur le terrain.

### Légende

—— Frontière internationale

▲ Montagne

Altitude

Plus de 3000 m
2000-3000 m
1000-2000 m
500-1000 m
200-500 m
0-200 m

Profondeur de l'eau

Moins de 200 m
200-2000 m
2000-4000 m
Plus de 4000 m

L'Indonésie est le plus grand archipel du monde avec ses... 13 677 îles ! Près de la moitié de ces îles sont inhabitées.

Le 26 décembre 2004, le tsunami qui a déferlé sur 10 pays riverains de l'océan Indien a causé la mort de près de 300 000 personnes. Il s'agit de l'une des plus importantes catastrophes naturelles de l'histoire.

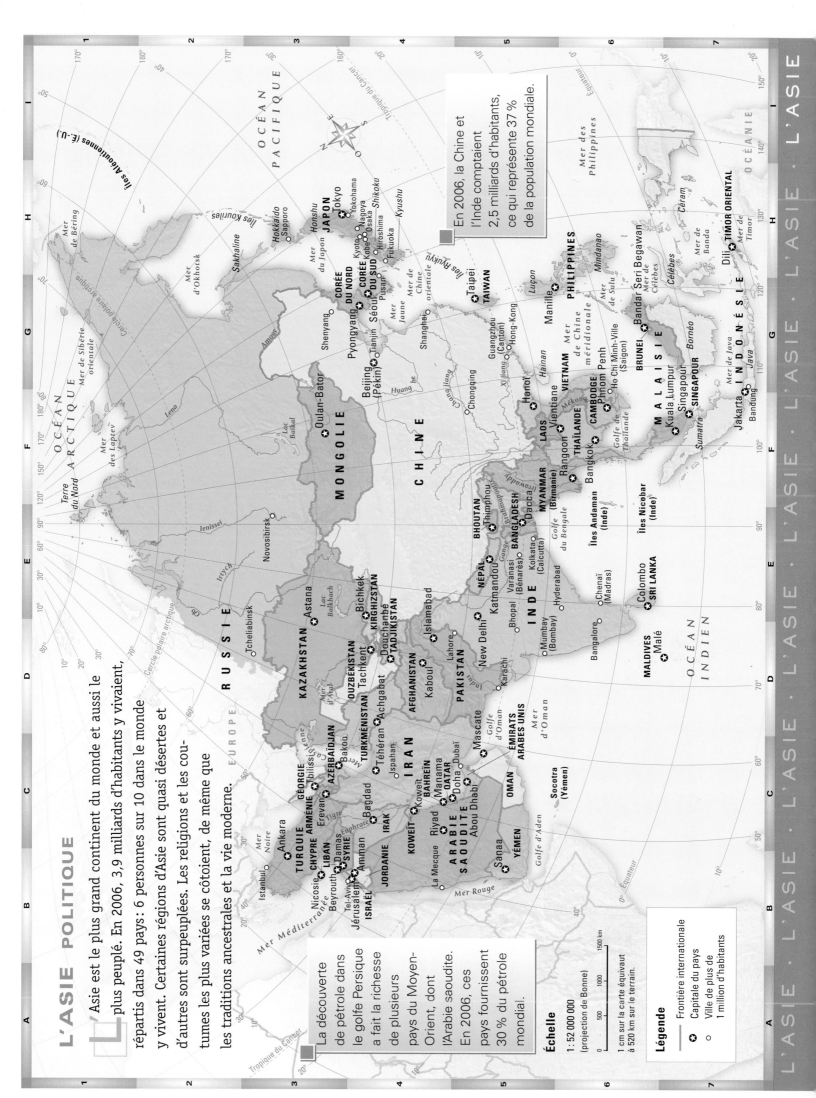

## L'ASIE POLITIQUE

L'Asie est le plus grand continent du monde et aussi le plus peuplé. En 2006, 3,9 milliards d'habitants y vivaient, répartis dans 49 pays : 6 personnes sur 10 dans le monde y vivent. Certaines régions d'Asie sont quasi désertes et d'autres sont surpeuplées. Les religions et les coutumes les plus variées se côtoient, de même que les traditions ancestrales et la vie moderne.

La découverte de pétrole dans le golfe Persique a fait la richesse de plusieurs pays du Moyen-Orient, dont l'Arabie saoudite. En 2006, ces pays fournissent 30 % du pétrole mondial.

En 2006, la Chine et l'Inde comptaient 2,5 milliards d'habitants, ce qui représente 37 % de la population mondiale.

### Échelle

1 : 52 000 000
(projection de Bonne)

0   500   1000   1500 km

1 cm sur la carte équivaut à 520 km sur le terrain.

### Légende

— Frontière internationale
⚑ Capitale du pays
○ Ville de plus de 1 million d'habitants

Situé au sud-ouest de l'Asie, le golfe Persique sépare la péninsule Arabique de l'Iran. Grâce au détroit d'Ormuz, il communique avec le golfe et la mer d'Oman. Plusieurs pays bordent le golfe Persique : l'Iran, l'Irak, le Koweït, l'Arabie saoudite, le Bahreïn, le Qatar et les Émirats arabes unis. Les principales richesses de la région du golfe Persique sont le pétrole et le gaz naturel, deux ressources énergétiques qui mettent des millions d'années à se former. La région possède notamment près de 60 % des réserves mondiales de pétrole ; elle est donc indépendante sur le plan énergétique. Pourtant, ces réserves finiront par s'épuiser. Quel sera alors le moteur économique de la région du golfe Persique ?

**Le golfe Persique, le réservoir de la planète**

ASIE
Région du golfe Persique

AFGHANISTAN

PAKISTAN

IRAK

Bandar Khomeyni
Abadan
Fao
KOWEÏT
Koweït
Ahmadi
Kharg

IRAN

Golfe Persique

Bandar Abbas
Jazireh-ye Sirri

ARABIE SAOUDITE

Djubail
Ras Tanura
Damman
BAHREÏN
Manama
QATAR
Doha
Halul
Das
Sharjah
Dubaï
Détroit d'Ormuz

Golfe d'Oman

Riyad

Abou Dhabi
Mascate

Mer d'Oman

ÉMIRATS ARABES UNIS

OMAN

**Légende**

| | |
|---|---|
| ⎯⎯ | Frontière internationale |
| ⎯⎯ | Oléoduc |
| ⎯⎯ | Gazoduc |
| ✪ | Capitale du pays |
| ○ | Ville |
| 🝆 | Site de production de pétrole |
| 🝆 | Site de production de gaz naturel |
| ⬡ | Raffinage pétrolier |
| ⚓ | Port pétrolier |

**Échelle**

1 : 11 400 000

(projection conique conforme de Lambert)

0   100   200   300 km

1 cm sur la carte équivaut à 114 km sur le terrain.

N O E S

**Le transport terrestre du pétrole.** Le pétrole peut être acheminé vers une raffinerie ou vers l'étranger par des tuyaux de canalisation, les oléoducs.

PONOPRESSE INTERNATIONAL/Gamma/Photo News : E. Lalmand.

**Le détroit d'Ormuz.** Reliant le golfe Persique au golfe puis à la mer d'Oman, le détroit d'Ormuz occupe une place stratégique : près du quart de la production mondiale de pétrole y transite.

CORBIS.

L'ASIE · L'ASIE · L'ASIE · L'ASIE · L'ASIE · L'ASIE · L'ASIE

**Le pétrole en 2004 : production, consommation, exportation et importation**

| Principaux pays producteurs | Nombre de barils par jour (en millions) |
|---|---|
| Arabie saoudite | 10,37 |
| Russie | 9,27 |
| États-Unis | 8,69 |
| Iran | 4,09 |
| Mexique | 3,83 |
| Chine | 3,62 |
| Norvège | 3,18 |
| Canada | 3,14 |

| Principaux pays consommateurs | Nombre de barils par jour (en millions) |
|---|---|
| États-Unis | 20,7 |
| Chine | 6,5 |
| Japon | 5,4 |
| Allemagne | 2,6 |
| Russie | 2,6 |
| Canada | 2,3 |
| Inde | 2,3 |
| Brésil | 2,2 |

| Principaux pays exportateurs | Nombre de barils par jour (en millions) |
|---|---|
| Arabie saoudite | 8,73 |
| Russie | 6,67 |
| Norvège | 2,91 |
| Iran | 2,55 |
| Venezuela | 2,36 |
| Émirats arabes unis | 2,33 |
| Koweït | 2,20 |
| Nigeria | 2,19 |

| Principaux pays importateurs | Nombre de barils par jour (en millions) |
|---|---|
| États-Unis | 12,1 |
| Japon | 5,3 |
| Chine | 2,9 |
| Allemagne | 2,4 |
| Corée du Sud | 2,2 |
| France | 1,9 |
| Italie | 1,7 |
| Espagne | 1,6 |

Source : Energy Information Administration (EIA), 2006.

## UN JOUR, LES RÉSERVES SERONT À SEC...

Bien des pays n'ont pas de pétrole ou en possèdent peu. Ils doivent donc en importer des pays qui en ont beaucoup, notamment ceux de la région du golfe Persique. Presque tous les pays de cette région sont membres de l'Organisation des pays exportateurs de pétrole (OPEP). En tant que propriétaires des gisements pétrolifères, les membres de l'OPEP fixent le prix du pétrole qui est exporté ainsi que les quantités. De leur côté, les grandes entreprises pétrolières présentes dans la région tentent d'exercer un certain pouvoir sur la production de pétrole. Celui-ci représente un enjeu majeur, et son prix peut varier considérablement. La moindre augmentation de coût a des répercussions importantes sur l'économie des pays importateurs. Pour diminuer la dépendance vis-à-vis du pétrole et en ménager les réserves, ne faudrait-il pas songer à le remplacer progressivement par des sources d'énergie renouvelables ?

Créée en 1960, l'Organisation des pays exportateurs de pétrole (OPEP) regroupe les 11 pays suivants : Arabie saoudite, Irak, Iran, Koweït, Venezuela, Qatar, Indonésie, Libye, Émirats arabes unis, Algérie et Nigeria. Son objectif est de coordonner les politiques pétrolières des États membres, notamment pour rentabiliser leurs investissements.

CP IMAGES/Abaca Press.

**Un champ pétrolifère au large du Qatar.** Faute de moyens techniques, les pays de la région du golfe Persique font souvent appel aux grandes multinationales pétrolières pour exploiter leurs champs pétrolifères sous-marins.

# LE BANGLADESH – MILIEU À RISQUE

Situé en Asie du Sud, le Bangladesh est un petit État très densément peuplé. La majeure partie du pays occupe un vaste delta formé par trois fleuves: le Gange et le Brahmapoutre, qui prennent naissance dans l'Himalaya, et la Meghana. Ces cours d'eau et le climat chaud et humide favorisent l'agriculture. Les terres très fertiles se trouvent dans des plaines inondables. Il arrive souvent que les cultures soient submergées sous plusieurs mètres d'eau. Cela a alors des conséquences désastreuses sur la population et l'économie.

Le Bangladesh s'étend sur une immense plaine où une bonne partie du territoire est à moins de 30 m au-dessus du niveau de la mer. L'absence de dénivellation et les pluies, qui accompagnent les cyclones tropicaux et la mousson d'été, provoquent régulièrement des inondations causant ainsi des dommages importants.

**Le Bangladesh: un pays presque plat**

ASIE
BANGLADESH

*Himalaya*

NÉPAL

*Brahmapoutre*

INDE

Saidpur
Rangpur

Barrage Farraka

*Jamuna*

Mymensingh

Sylhet

*Meghana*

Rajshahi

**BANGLADESH**

*Gange*

Dacca

Comilla

INDE

Jessore

*Chittagong Hills*

Réservoir Karnaphuli

Khulna

Barisal

*Plaine de Chittagong*

Chittagong

Kolkata (Calcutta)

*Delta du Gange*

Mongla

Mont Keokradong 1230 m

*Bouches du Gange*

Cox's Bazar

*Golfe du Bengale*

MYANMAR (BIRMANIE)

OCÉAN INDIEN

## Légende

— Frontière internationale
⊛ Capitale du pays
○ Ville
✈ Aéroport
▲ Montagne
⊢ Barrage
▨ Plaine inondable

**Altitude**

De 0-30 m
De 30-100 m
Plus de 100 m

## Échelle

1 : 4 700 000
(projection conique conforme de Lambert)

0    40    80    120 km

1 cm sur la carte équivaut à 47 km sur le terrain.

**Les conséquences des inondations et des cyclones tropicaux au Bangladesh dans les 100 dernières années**

| Événements | Nombre d'événements | Pertes de vie | Nombre de personnes touchées | Coût des pertes matérielles |
|---|---|---|---|---|
| Inondations | 68 | 50 103 | 323 millions | 16 milliards $ CA |
| Cyclones | 146 | 614 143 | 64 millions | 3,4 milliards $ CA |

Source: Centre for Research on the Epidemiology of Disasters (CRED), 2006.

REUTERS.

**Des paysans sur un *char*.** Les *chars* sont des îles fluviales du delta, formées de sable et de limon. Plusieurs millions de Bangladais vivent sur ces îles précaires où ils se construisent une maison et cultivent la terre.

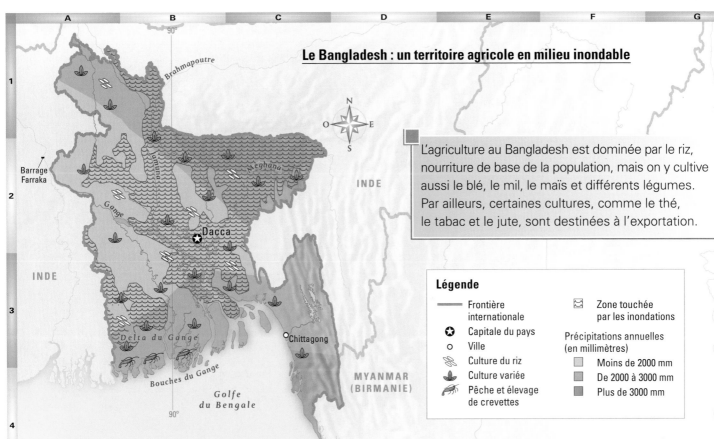

## Le Bangladesh : un territoire agricole en milieu inondable

L'agriculture au Bangladesh est dominée par le riz, nourriture de base de la population, mais on y cultive aussi le blé, le mil, le maïs et différents légumes. Par ailleurs, certaines cultures, comme le thé, le tabac et le jute, sont destinées à l'exportation.

**Légende**

— Frontière internationale

⬟ Capitale du pays

○ Ville

🌾 Culture du riz

🌿 Culture variée

🦐 Pêche et élevage de crevettes

▨ Zone touchée par les inondations

**Précipitations annuelles (en millimètres)**

☐ Moins de 2000 mm

▨ De 2000 à 3000 mm

▨ Plus de 3000 mm

**Échelle**

1 : 6 000 000

(projection conique conforme de Lambert)

0    50    100    150 km

1 cm sur la carte équivaut à 60 km sur le terrain.

**Climatogramme de Dacca**

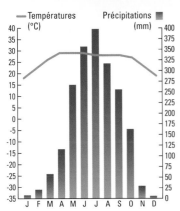

— Températures (°C)    ▨ Précipitations (mm)

Source : Organisation météorologique mondiale, 2006.

Traversé par le tropique du Cancer, le Bangladesh a un climat tropical avec un hiver doux d'octobre à mars, et un été chaud et humide de mars à juin. La plus grande partie des précipitations s'abattent sur le Bangladesh pendant la mousson[1] d'été, de juin à octobre. Le climat tropical permet de cultiver une grande variété de produits.

### VIVRE AVEC LES FORCES DE LA NATURE

Chaque année, le Bangladesh est frappé par les inondations et les cyclones tropicaux. Les bonnes années, les crues irriguent et fertilisent les champs, apportant le limon, qui constitue un engrais naturel pour les cultures. Mais les mauvaises années, les inondations et les cyclones dévastent tout, emportant villages, bétail et récoltes. Comme il est pratiquement impossible d'empêcher ces catastrophes naturelles, la protection et la gestion des terres et des ressources en eau sont donc cruciales. Avec l'aide d'experts internationaux, le Bangladesh a mis sur pied plusieurs projets pour lutter d'une manière efficace et durable contre l'érosion et les inondations. Entre autres projets, il est prévu de construire 4000 km de digues pour protéger 80 % du pays et de mettre en place un système de surveillance par satellite. Cela permettra de mieux s'adapter aux risques et de prendre des décisions pour diminuer les effets dévastateurs.

REUTERS.

**L'agriculture au Bangladesh.** Au Bangladesh, les terres agricoles sont fertilisées naturellement par les crues des cours d'eau chargés d'alluvions[2]. L'agriculture compte ainsi pour plus du quart de l'économie du pays. La plus importante culture est le riz, celui-ci étant à la base de l'alimentation des Bangladais, dont 75 % sont des paysans.

---

1. En Asie du Sud et du Sud-Est, les vents de mousson sont des vents puissants qui soufflent, en été, de la mer vers la terre apportant de fortes pluies. En hiver, ils soufflent de la terre vers la mer apportant un temps sec et un peu plus frais.

---

2. Les alluvions sont des dépôts de sédiments d'un cours d'eau, qui sont constitués de boues et de limons.

# BEIJING (PÉKIN) – VILLE PATRIMONIALE

Beijing est la capitale de la Chine et la deuxième ville du pays en importance, après Shanghai. Elle compte plusieurs sites, dont certains sont des chefs-d'œuvre architecturaux, qui font partie de la Liste du patrimoine mondial de l'Unesco. La ville de Beijing a changé depuis les années 1950 et les transformations se sont accentuées avec l'annonce de l'accueil des Jeux olympiques d'été de 2008. La ville ancienne, avec ses vieux quartiers, fait de plus en plus place à la ville moderne, avec ses centres commerciaux et ses quartiers d'affaires. Devant ces changements, la protection du patrimoine pourrait être menacée.

## Beijing, en Chine

**Légende**

— Frontière internationale
☆ Capitale du pays
○ Ville

**Échelle**

1 : 36 000 000
(projection conique conforme de Lambert)

0   500   1000 km

1 cm sur la carte équivaut à 360 km sur le terrain.

## BEIJING ET SON PATRIMOINE

### Principaux sites protégés

- Cité interdite, inscrite en 1987 sur la Liste du patrimoine mondial de l'Unesco.
- Temple du Ciel, inscrit en 1998 sur la Liste du patrimoine mondial de l'Unesco.
- Palais d'été, inscrit en 1998 sur la Liste du patrimoine mondial de l'Unesco.

### Valeur culturelle des sites

- La Cité interdite représente un témoignage extraordinaire de la civilisation chinoise au temps des dynasties Ming et Qing (de 1421 à 1911). Elle forme un ensemble remarquable de paysages, d'architecture, de mobiliers et d'objets d'art.
- Le temple du Ciel est constitué d'un ensemble majestueux de bâtiments dédiés au culte. Son agencement symbolise la relation entre le ciel et la Terre.
- Le Palais d'été est une expression exceptionnelle de l'art créatif du jardin paysager chinois. Il intègre harmonieusement les réalisations humaines et la nature.

Source : Unesco, 2006.

CORBIS/Raga : J. Fuste.

**La Cité interdite.** Située dans le centre historique de Beijing, la Cité interdite est le plus grand des sites touristiques chinois. Elle fait partie des rares vestiges du patrimoine chinois qui ont été conservés et bien restaurés.

## Le cœur de Beijing

Beijing

Shichiang

Lishuiqiao

Caochangdi

Jardin botanique

Palais d'été

Lac Kunming

Quartier olympique

Qinghuayuan

Université de Pékin

Haidian

Bahe

Bibliothèque nationale

Zoo

Stade des ouvriers

Palais national des Beaux-Arts

Chaoyang

Shijingshan

Cité interdite

Temple du Soleil

Tonghui

Gare

Place Tianan men

Lianhua

Temple du Ciel

Parc de Tian Tan

Zhouzhuang

Changxindian

Fengtai

Liangshui

Dayangfang

Hongxing

Yongding he

Nanyuan

Nanyuan

Tianjin

### Légende

— Route
▬ Rue
○ Ville
✈ Aéroport
⊛ Quartier olympique
📷 Centre d'intérêt
▨ Espace vert

### Échelle

1 : 210 000
(projection conique
conforme de Lambert)

0    2    4    6 km

1 cm sur la carte équivaut
à 2,1 km sur le terrain.

## BEIJING FACE À LA MODERNITÉ

Faire de Beijing une ville moderne est une priorité de la Chine depuis les années 1970. La ville de Beijing a amorcé un virage important dans les années 1990 en décidant de démolir une grande partie des vieux quartiers pour construire des édifices modernes. À l'approche des Jeux olympiques d'été de 2008, construire une nouvelle ville et l'aménager pour faciliter la circulation est la principale préoccupation des autorités. Par ailleurs, un fonds spécial a été alloué à la protection des monuments historiques. Les efforts de modernisation auront-ils des répercussions sur la richesse patrimoniale de Beijing ?

**Le Palais d'été.** Dernier jardin impérial de Chine, le Palais d'été est, avec plus de 3000 bâtiments, le plus grand jardin de Chine et l'un des sites les plus visités de la capitale. Comme la Cité interdite, le Palais d'été est un site protégé.

Le Japon, deuxième puissance économique du monde après les États-Unis, possède peu de terres cultivables (13,9 % de la superficie de son territoire) pour nourrir… plus de 127 millions de personnes ! Comment ce pays fortement urbanisé et industrialisé, reconnu comme chef de file dans les domaines de l'électronique, de l'informatique et de l'automobile, réussit-il à nourrir sa population ?

### Le Japon : beaucoup de forêts et peu de terres agricoles

ASIE
JAPON

RUSSIE

HOKKAIDO
Sapporo

CORÉE
DU NORD

CORÉE
DU SUD

Mer
du Japon

OCÉAN
PACIFIQUE

HONSHU

Plaine
du Kanto

Tokyo

Nagoya

Kyoto
Kobe
Osaka

Yokohama

Hiroshima

Kitakyushu

Fukuoka

SHIKOKU

KYUSHU

Mer de
Chine
orientale

**Échelle**

1 : 12 200 000

(projection basée sur le système de coordonnées japonais)

0    100    200    300 km

1 cm sur la carte équivaut à 122 km sur le terrain.

**Légende**

⬟ Capitale du pays
○ Ville
▨ Forêt
▨ Zone agricole

Source : Ministère de l'Agriculture, des Forêts et de la Pêche, Japon, 2005.

### Climatogramme de Sapporo

— Température (°C)    Précipitation (mm)

### Climatogramme de Fukuoka

— Température (°C)    Précipitation (mm)

Source : MétéoMédia, 2006.

**Des rizières, un paysage caractéristique du territoire agricole du Japon.** La culture du riz se fait principalement dans les plaines.

CORBIS/B.S.P.I.

Au nord du Japon, dans la ville de Sapporo, située à 43° de latitude Nord, le climat est continental avec des étés courts et frais, et des hivers longs et rudes. Par contre, au sud du Japon, comme à Fukuoka, ville située à 33° de latitude Nord, le climat est presque tropical avec des étés très chauds et très humides, et des hivers plutôt doux. Comme le territoire du Japon s'étend sur plus de 2000 km en longueur, le climat varie beaucoup du nord au sud, ce qui influence la diversité des produits agricoles.

L'ASIE · L'ASIE · L'ASIE · L'ASIE · L'ASIE · L'ASIE · L'ASIE · L'ASIE

**Les 10 principaux produits agricoles du Japon en 2004**

| Produits | Quantité (en milliers de tonnes) |
|---|---|
| 1. Légumes | 11 256 |
| 2. Riz | 10 912 |
| 3. Produits laitiers | 8 334 |
| 4. Betterave à sucre | 4 656 |
| 5. Fruits et noix | 4 445 |
| 6. Tubercules (y compris pommes de terre) | 4 307 |
| 7. Viande | 3 031 |
| 8. Œufs | 2 471 |
| 9. Canne à sucre | 1 187 |
| 10. Blé et orge | 1 100 |

Source : Organisation des Nations unies pour l'alimentation et l'agriculture (FAO), 2005.

**Les principaux produits agricoles importés par le Japon en 2004**

Viande 21,5 %
Aliments préparés 14,3 %
Autres produits 14,9 %
Céréales 14,1 %
Produits laitiers 3,1 %
Tabac 6,8 %
Légumes 7,8 %
Fruits 8 %
Huiles végétales 9,5 %

**La provenance des importations japonaises de produits alimentaires en 2004**

États-Unis 23 %
Chine 14 %
Union européenne 11 %
Autres pays 25 %
Australie 8 %
Russie 3 %
Canada 7 %
Indonésie 4 %
Thaïlande 5 %

Source : Ministère de l'Agriculture, des Forêts et de la Pêche, Japon, 2005.

ASSOCIATED PRESS AP.

PHOTO JAPAN : K. Hamm.

**La plaine du Kanto.** Bien que la plus grande partie de la plaine, située dans l'île de Honshu, soit occupée par des constructions résidentielles, commerciales ou industrielles, l'agriculture y tient toujours une place importante.

## DES SOLUTIONS POUR SE NOURRIR

Le territoire agricole du Japon est limité et les banlieues des grandes villes empiètent de plus en plus sur les terres cultivables, refoulant les agriculteurs vers de moins bonnes terres. Malgré des rendements élevés, l'agriculture au Japon ne suffit pas à satisfaire les besoins alimentaires de ses habitants. Le pays doit donc importer 60 % des produits nécessaires pour nourrir sa population.

Pour protéger son territoire agricole, le Japon a adopté en 1999 une politique dont les principaux objectifs sont les suivants : garantir des approvisionnements alimentaires stables, favoriser l'expansion durable du territoire agricole et encourager le développement agricole dans les régions rurales.

**Les principales productions agricoles des quatre grandes îles du Japon**

| | |
|---|---|
| **Hokkaido** (climat tempéré) | Riz, blé, avoine, pommes de terre, oignons, produits laitiers. |
| **Honshu** (climat tempéré) | Au nord : riz. Au centre : riz, thé, mandarines, fraises, cerises, raisins, pêches, pommes, pommes de terre, blé. Au sud : riz, agrumes. |
| **Kyushu** (climat tropical) | Riz, fruits tropicaux. |
| **Shikoku** (climat tropical) | Riz, thé, pêches, concombres, poivrons, aubergines. |

Source : Ministère de l'Agriculture, des Forêts et de la Pêche, Japon, 2005.

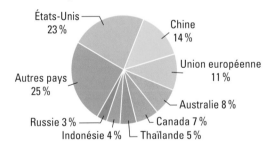

**L'agriculture urbaine à Yokohama.** Dans les villes, les Japonais mettent à profit la moindre parcelle de terre cultivable.

# MANILLE – VILLE SOUMISE À DES RISQUES NATURELS

Manille est la capitale des Philippines, un pays d'Asie constitué d'un ensemble de 7000 îles. L'archipel des Philippines est situé dans la partie ouest de l'océan Pacifique, en bordure de deux plaques tectoniques, dans une zone appelée « ceinture de feu ». Manille est une ville très exposée aux risques naturels : inondations, typhons, tremblements de terre, raz de marée, éruptions volcaniques, etc. En bref, la nature aggrave les conditions de vie déjà difficiles d'une partie de la population.

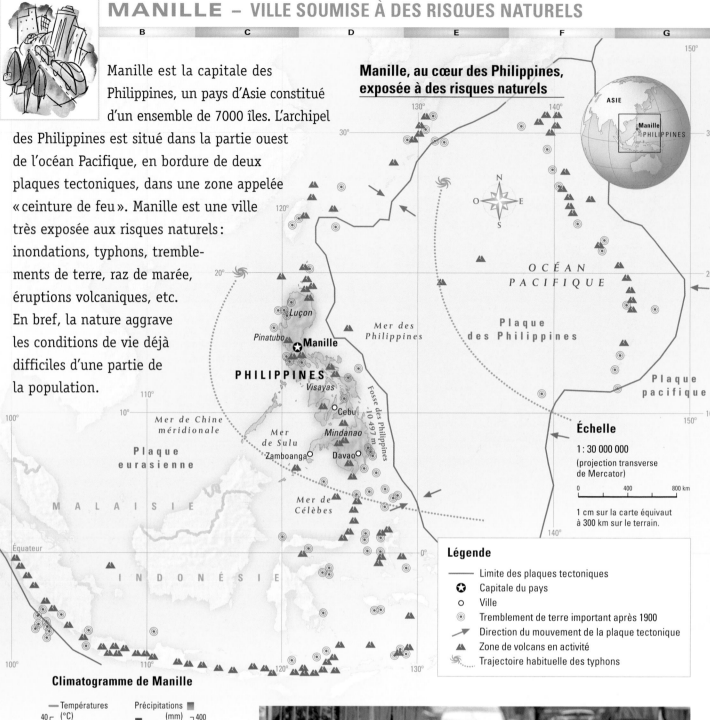

**Manille, au cœur des Philippines, exposée à des risques naturels**

**Échelle**

1 : 30 000 000
(projection transverse de Mercator)

0    400    800 km

1 cm sur la carte équivaut à 300 km sur le terrain.

**Légende**

— Limite des plaques tectoniques
⊛ Capitale du pays
○ Ville
◉ Tremblement de terre important après 1900
➚ Direction du mouvement de la plaque tectonique
▲ Zone de volcans en activité
⊙⋯ Trajectoire habituelle des typhons

**Climatogramme de Manille**

— Températures (°C)    Précipitations (mm)

Source : MétéoMédia, 2006.

Manille jouit d'un climat très chaud, comme le montre la courbe des températures. Les colonnes de précipitations indiquent qu'il y a une saison sèche et une saison humide. La saison humide annonce l'arrivée des typhons, qui sont d'immenses tempêtes. Il y a une vingtaine de typhons chaque année.

ASSOCIATED PRESS AP.

**Manille inondée.** Après les fortes pluies causées par le passage d'un typhon, les inondations provoquent d'importants dommages aux infrastructures de la ville. Des milliers d'habitants doivent alors être évacués de leurs foyers.

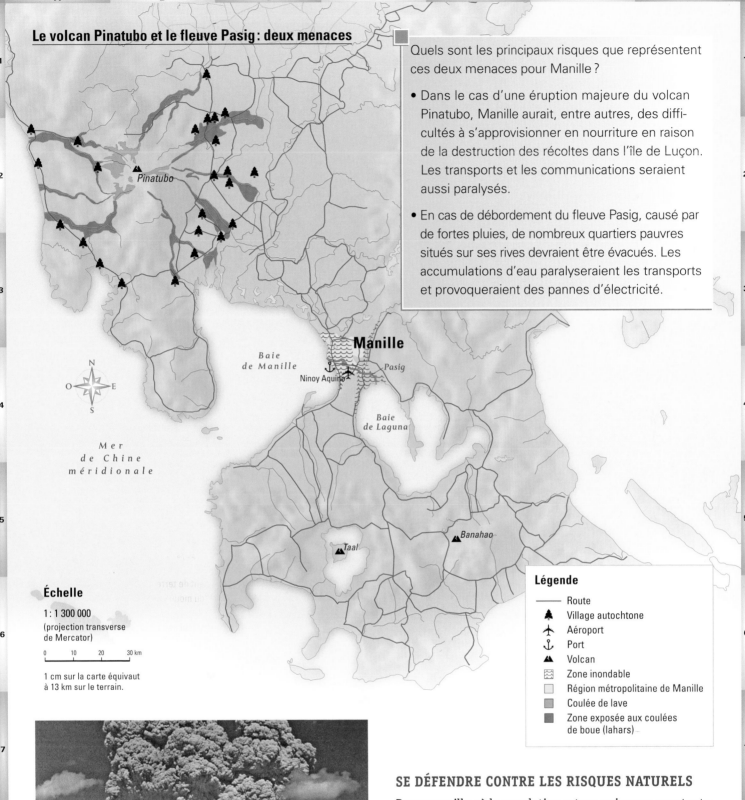

## Le volcan Pinatubo et le fleuve Pasig : deux menaces

Pinatubo

Baie
de Manille

Manille

Ninoy Aquino

Pasig

Baie
de Laguna

Mer
de Chine
méridionale

Taal

Banahao

**Échelle**

1 : 1 300 000

(projection transverse
de Mercator)

0    10    20    30 km

1 cm sur la carte équivaut
à 13 km sur le terrain.

Quels sont les principaux risques que représentent
ces deux menaces pour Manille ?

- Dans le cas d'une éruption majeure du volcan
Pinatubo, Manille aurait, entre autres, des difficultés à s'approvisionner en nourriture en raison
de la destruction des récoltes dans l'île de Luçon.
Les transports et les communications seraient
aussi paralysés.

- En cas de débordement du fleuve Pasig, causé par
de fortes pluies, de nombreux quartiers pauvres
situés sur ses rives devraient être évacués. Les
accumulations d'eau paralyseraient les transports
et provoqueraient des pannes d'électricité.

**Légende**

— Route
🌲 Village autochtone
✈ Aéroport
⚓ Port
🌋 Volcan
〰 Zone inondable
⬜ Région métropolitaine de Manille
⬛ Coulée de lave
⬛ Zone exposée aux coulées
de boue (lahars)

**L'éruption du volcan Pinatubo.** En juin 1991, après 600 ans d'inactivité,
le Pinatubo s'est réveillé brutalement. Plus de 2 millions de personnes
ont été touchées par cette éruption, considérée comme l'une des
plus importantes du 20e siècle. Près de 1000 personnes ont perdu
la vie à la suite de cette éruption volcanique.

US GEOLOGICAL SURVEY, Denver.

## SE DÉFENDRE CONTRE LES RISQUES NATURELS

Dans une ville où la population est en croissance constante,
les mesures adoptées par les autorités pour protéger les
citoyens des risques naturels ne sont pas suffisantes en
raison des faibles moyens financiers de la ville. Malgré tout,
des organisations informent la population de l'activité du
Pinatubo et des autres volcans de l'île, des variations du
niveau du fleuve Pasig et de l'arrivée imminente de
typhons. Elles forment du personnel compétent qui pourra,
par exemple, construire une digue pour dévier des coulées
de boue ou pour contenir les eaux qui débordent. Il existe
aussi des réseaux d'entraide. Ces mesures contribuent à
diminuer les dommages liés aux catastrophes naturelles.

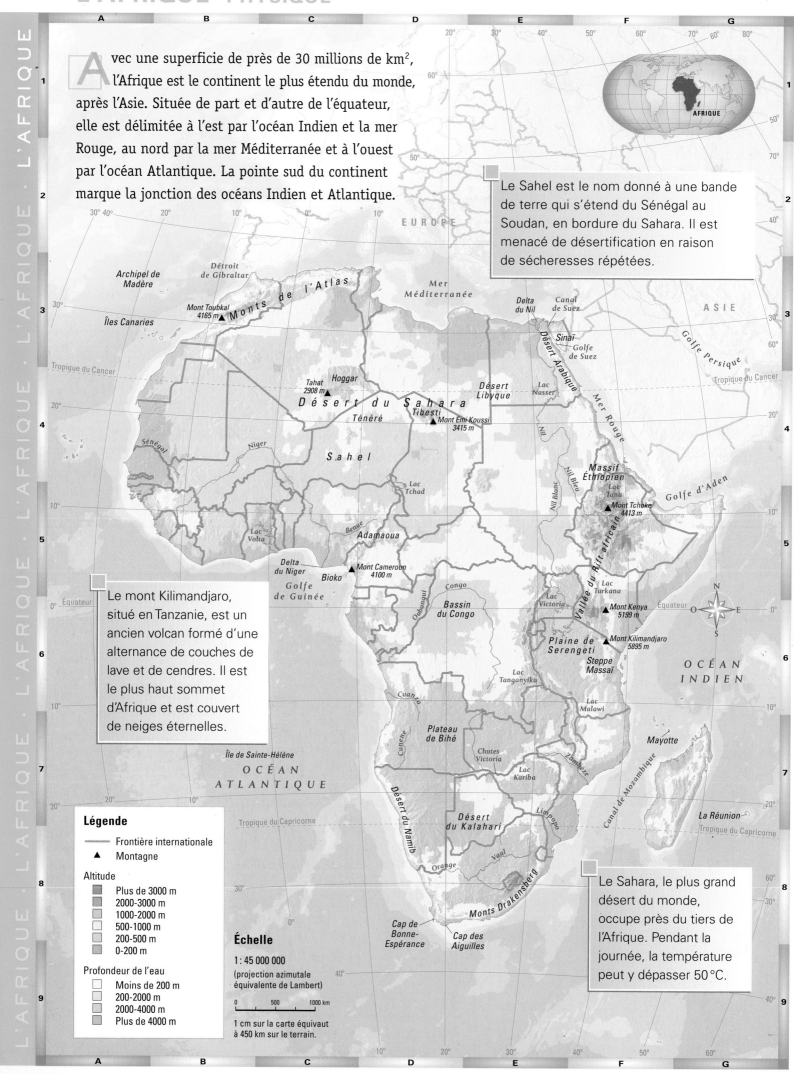

**A**vec une superficie de près de 30 millions de km², l'Afrique est le continent le plus étendu du monde, après l'Asie. Située de part et d'autre de l'équateur, elle est délimitée à l'est par l'océan Indien et la mer Rouge, au nord par la mer Méditerranée et à l'ouest par l'océan Atlantique. La pointe sud du continent marque la jonction des océans Indien et Atlantique.

Le Sahel est le nom donné à une bande de terre qui s'étend du Sénégal au Soudan, en bordure du Sahara. Il est menacé de désertification en raison de sécheresses répétées.

Le mont Kilimandjaro, situé en Tanzanie, est un ancien volcan formé d'une alternance de couches de lave et de cendres. Il est le plus haut sommet d'Afrique et est couvert de neiges éternelles.

Le Sahara, le plus grand désert du monde, occupe près du tiers de l'Afrique. Pendant la journée, la température peut y dépasser 50 °C.

**Légende**

—— Frontière internationale
▲ Montagne

Altitude

■ Plus de 3000 m
■ 2000-3000 m
□ 1000-2000 m
□ 500-1000 m
■ 200-500 m
■ 0-200 m

Profondeur de l'eau

□ Moins de 200 m
□ 200-2000 m
□ 2000-4000 m
□ Plus de 4000 m

**Échelle**

1 : 45 000 000
(projection azimutale équivalente de Lambert)

0    500    1000 km

1 cm sur la carte équivaut à 450 km sur le terrain

En 2006, l'Afrique comptait 53 pays et une population de 913 millions d'habitants. Jusqu'aux années 1960, l'Afrique a été, pour une grande part, intégrée aux empires coloniaux européens. À la fin des années 1980, presque tous les pays d'Afrique avaient acquis leur indépendance. Beaucoup d'Africains vivent sous le seuil de la pauvreté et font face à des problèmes de santé et à l'analphabétisme.

Le Caire, avec 16 millions d'habitants, est la plus grande ville d'Afrique et la capitale de l'Égypte. Elle est située sur les rives du Nil, un des plus longs fleuves du monde.

Le Nigeria est le pays le plus peuplé d'Afrique avec plus de 128 millions d'habitants. Malheureusement, en 2005, l'espérance de vie dans ce pays n'était que de 47 ans.

Plus de 300 millions d'Africains ont moins de 1 $ par jour pour vivre.

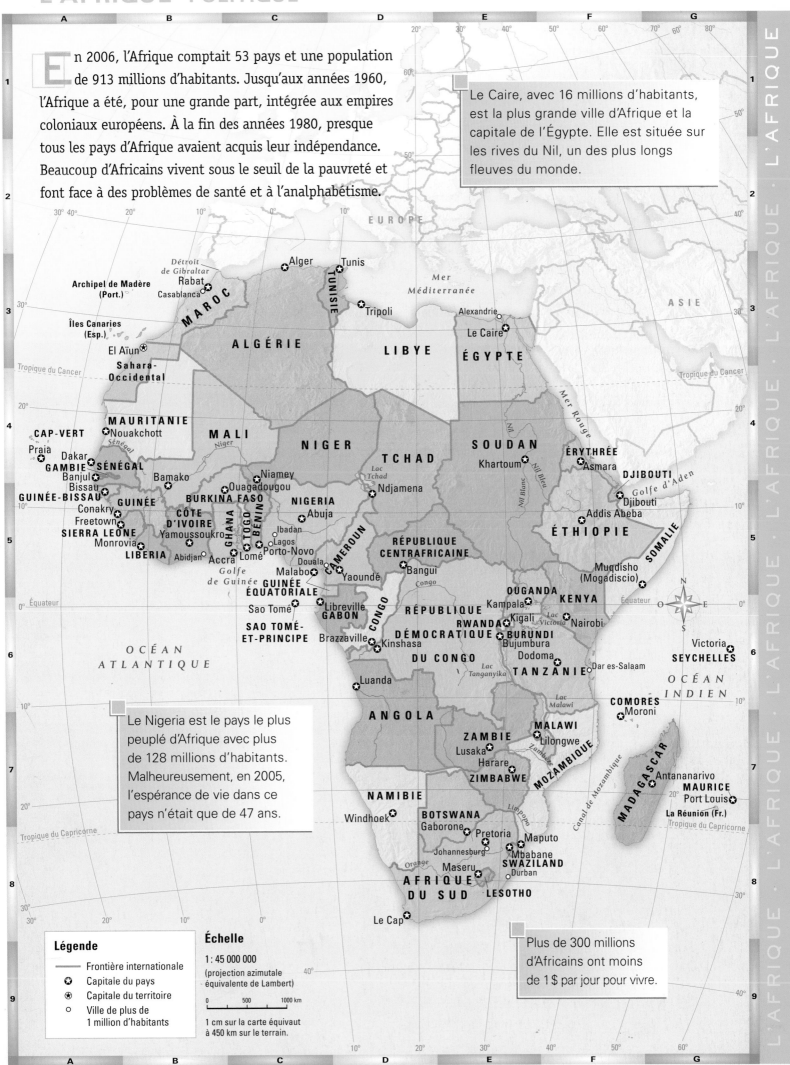

**Légende**

- Frontière internationale
- ⊛ Capitale du pays
- ⊛ Capitale du territoire
- ○ Ville de plus de 1 million d'habitants

**Échelle**

1 : 45 000 000

(projection azimutale équivalente de Lambert)

0   500   1000 km

1 cm sur la carte équivaut à 450 km sur le terrain.

Situé en Afrique, le Sahel constitue une zone de transition entre la partie aride du Sahara, au nord, et les régions tropicales plus humides, au sud. Plusieurs pays, représentés sur la carte ci-dessous et compris dans la région subsaharienne, sont traversés par le Sahel.

Les terres agricoles sont très importantes pour la population du Sahel, qui est surtout rurale. Souvent très pauvres, les habitants vivent principalement de l'agriculture et de l'élevage. Mais le Sahel est un milieu fragile, caractérisé par des précipitations faibles et irrégulières (milieu semi-aride), menacé par de fréquentes périodes de sécheresse et par les criquets pèlerins, des insectes qui ravagent les récoltes. Dans ces conditions, comment est-il possible de cultiver au Sahel, une des régions les plus vulnérables du monde?

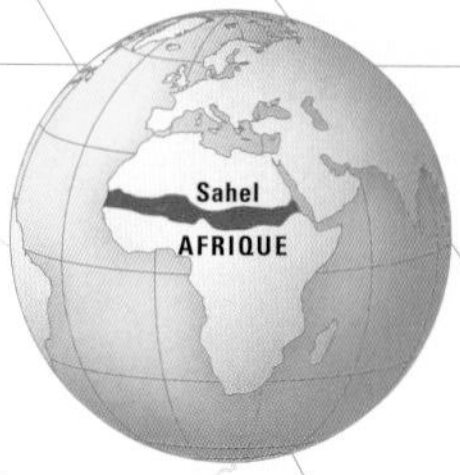

## Le Sahel: un territoire agricole en milieu semi-aride

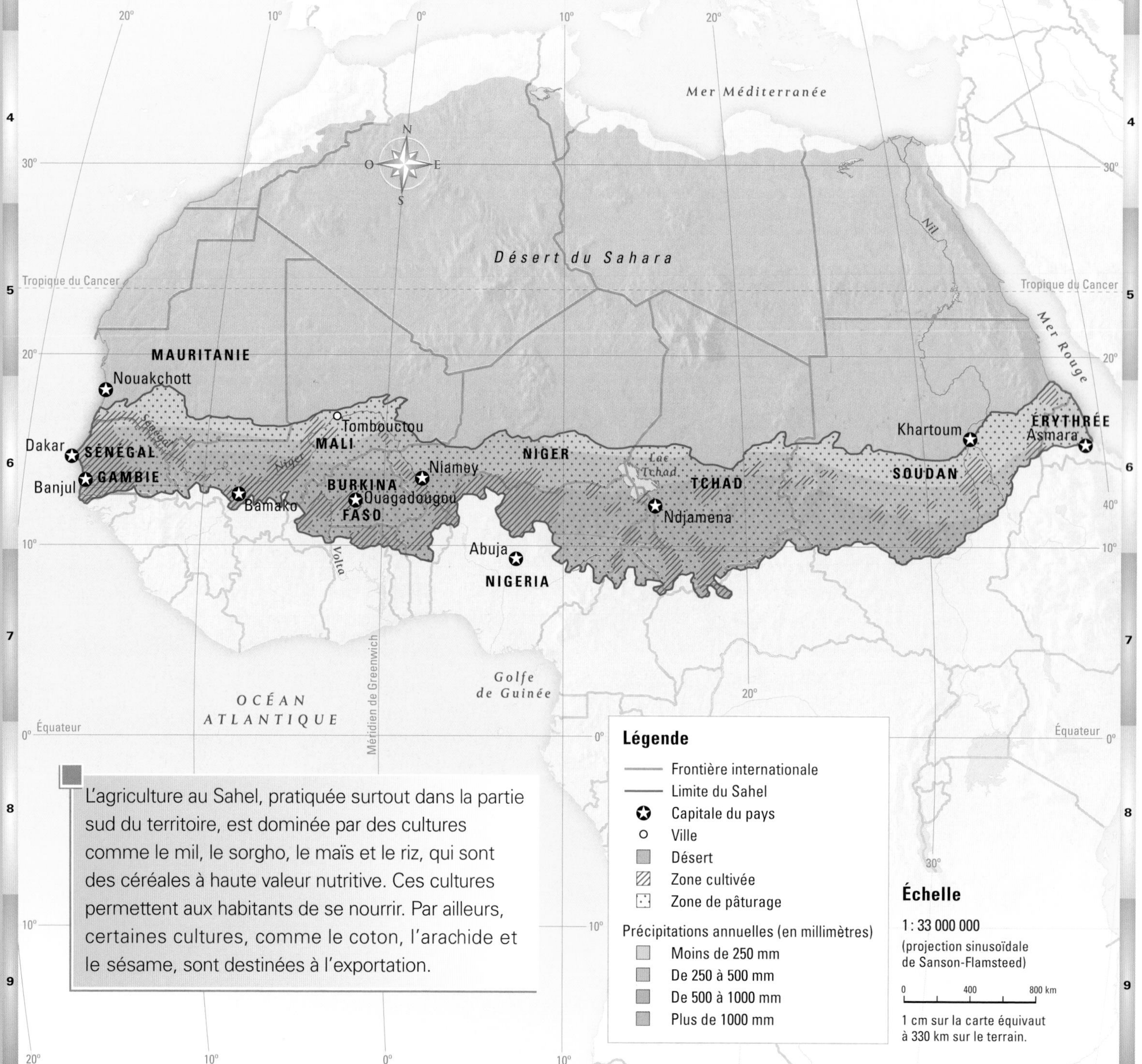

Mer Méditerranée

Désert du Sahara

Tropique du Cancer

Mer Rouge

MAURITANIE
Nouakchott

Tombouctou
Dakar
SÉNÉGAL    MALI
Banjul
GAMBIE          Niamey          NIGER
Bamako    BURKINA                    Lac
          FASO  Ouagadougou          Tchad        TCHAD
                                              Ndjamena

Khartoum          ÉRYTHRÉE
                  Asmara

SOUDAN

Abuja
NIGERIA

Golfe
de Guinée

OCÉAN
ATLANTIQUE          Équateur

L'agriculture au Sahel, pratiquée surtout dans la partie sud du territoire, est dominée par des cultures comme le mil, le sorgho, le maïs et le riz, qui sont des céréales à haute valeur nutritive. Ces cultures permettent aux habitants de se nourrir. Par ailleurs, certaines cultures, comme le coton, l'arachide et le sésame, sont destinées à l'exportation.

### Légende

— Frontière internationale
— Limite du Sahel
✪ Capitale du pays
○ Ville
▨ Désert
▨ Zone cultivée
⊡ Zone de pâturage

Précipitations annuelles (en millimètres)
▢ Moins de 250 mm
▢ De 250 à 500 mm
▢ De 500 à 1000 mm
▢ Plus de 1000 mm

### Échelle

1 : 33 000 000
(projection sinusoïdale de Sanson-Flamsteed)

0    400    800 km

1 cm sur la carte équivaut à 330 km sur le terrain.

L'AFRIQUE · L'AFRIQUE · L'AFRIQUE · L'AFRIQUE · L'AFRIQUE · L'AFRIQUE

ALPHA PRESSE/Peter Arnold : R. Giling.

**L'élevage et la désertification au Niger.** Le Sahel fait face à la dégradation des sols, due notamment à la désertification ou à l'avancée du désert dans des régions qui n'étaient ni sèches ni arides auparavant. La situation est préoccupante au Niger et dans tout le Sahel. Le surpâturage a pour effet d'épuiser les terres et de fragiliser l'environnement.

## UN MILIEU À RISQUE OÙ L'EAU EST INSUFFISANTE

La production agricole du Sahel, en déficit deux années sur trois en raison du manque d'eau, ne suffit pas à satisfaire les besoins alimentaires des habitants. Dans ces conditions, l'atteinte de l'autosuffisance alimentaire est presque impossible. La gestion de l'eau est essentielle parce que la ressource est rare et que la population, qui ne cesse de croître, en a besoin non seulement pour les usages domestiques, mais aussi pour les cultures et l'élevage du bétail. L'heure est à la recherche de solutions : par exemple, creuser des puits et utiliser des techniques d'irrigation qui exigent moins d'eau. Ces techniques doivent toutefois être peu coûteuses, étant donné la pauvreté qui règne au Sahel. Par ailleurs, elles sont souvent mal utilisées.

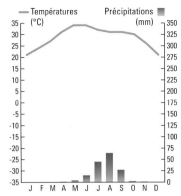

**Climatogramme de Tombouctou (Mali)**

Source : MétéoMédia, 2006.

Ce climatogramme rend compte des conditions de pratique de l'agriculture au Sahel, plus particulièrement à Tombouctou, ville du Mali fondée par les Touaregs, une des nombreuses ethnies qui composent la population du Sahel. Il y fait chaud toute l'année et les pluies rares et irrégulières constituent l'une des contraintes les plus difficiles à surmonter au Sahel. Inévitablement, les conditions climatiques influencent les cultures, souvent disposées en entonnoir autour d'un puits ou d'un point d'eau.

PUBLIPHOTO : P.L. Tétreault.

**Les rives fertiles du fleuve Niger au Mali.** L'agriculture autour du fleuve contraste avec celle pratiquée dans le reste du Sahel. Sur les terres irriguées, on cultive du manioc, du maïs, du millet, du riz, du sorgho et des ignames. Les femmes du Mali, comme celles des autres pays du Sahel, exécutent la plupart des travaux des champs.

KICKSTART.

**La pompe à pédales.** De plus en plus utilisée, peu coûteuse et très efficace, la pompe à pédales peut tirer plusieurs milliers de litres d'eau à l'heure, ce qui permet de réduire de moitié le temps d'irrigation des terres. Les agriculteurs réduisent ainsi leurs heures de travail tout en augmentant leurs revenus.

L'AFRIQUE • L'AFRIQUE • L'AFRIQUE • L'AFRIQUE • L'AFRIQUE • L'AFRIQUE

Le Caire est la capitale de l'Égypte, pays situé en Afrique du Nord. C'est la plus grande ville d'Égypte et d'Afrique et la plus influente. Cette métropole[1] compte à elle seule plus de 16 millions de personnes et couvre une superficie de 794 km². L'importance du Caire se traduit également par la concentration de ses activités industrielles, financières et commerciales. La vie culturelle y est aussi intense et diversifiée.

Le Caire se reconnaît notamment à ses caractéristiques physiques. Située en plein désert, la métropole est traversée par un fleuve, le Nil, dont les rives sont bordées d'étroites zones cultivables. Dans un tel environnement, il n'est pas facile de répondre aux besoins de la population. Pourquoi alors tant d'Égyptiens s'installent-ils au Caire ou dans sa banlieue[2] ?

1. Grande ville qui exerce une influence économique et culturelle considérable sur le pays ou la partie du monde où elle se situe.
2. Ensemble des localités entourant une grande ville.

Le Caire s'agrandit au détriment des terres agricoles qui l'entourent. Chaque année, la superficie des zones cultivables diminue de 10 km². Dans un pays désertique, les conséquences de l'étalement urbain sont énormes.

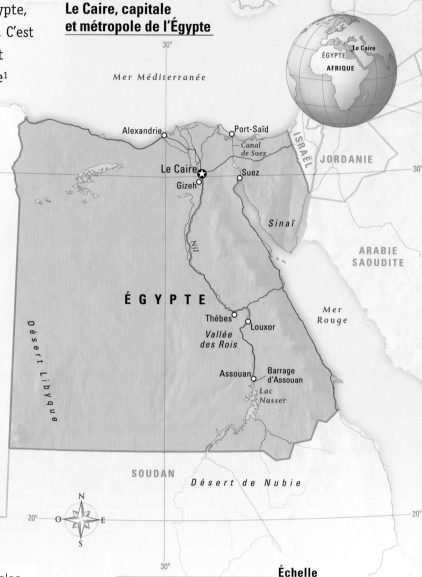

**Le Caire, capitale et métropole de l'Égypte**

**Légende**

— Frontière internationale
— Route
✪ Capitale du pays
○ Ville

**Échelle**

1 : 12 000 000
(projection conique conforme de Lambert)

0    100    200    300 km

1 cm sur la carte équivaut à 120 km sur le terrain.

CORBIS : R. Holmes.

**Une caractéristique physique.** L'agglomération du Caire s'étend de part et d'autre du Nil sur plus de 30 km. Comme ce fleuve est une voie importante de transport, il joue un rôle considérable dans l'économie de la ville et du pays.

CORBIS : Y. Arthus-Bertrand.

**Un repère culturel.** La citadelle de Saladin est une imposante forteresse. Elle souligne l'importance de la culture arabe et islamique au Caire.

## L'aménagement urbain du Caire

Al-Obour

Le Caire

Bahtim

Héliopolis

Choubra àl-Kheima

Le Caire

Boulaq

Opéra du Caire

Musée égyptien

Cité des Morts

Nasr City

Mosquée-université d'al-Azhar

Gizeh

Citadelle de Saladin

Université du Caire

Cité du 6-Octobre

Media City

Grandes pyramides

Zoo

Cité du 15-Mai

Nil

Al-Maadi

La plupart des 300 000 nouveaux arrivants qui s'établissent au Caire chaque année sont des Égyptiens. Il s'agit souvent de personnes pauvres qui quittent la campagne dans l'espoir de trouver en ville du travail et de meilleures conditions de vie. Le Caire offre, à lui seul, plus de la moitié des emplois du pays.

### LE CAIRE EN MAL D'ESPACE

Il est difficile de circuler au Caire. Bien que la ville dispose d'un métro et d'infrastructures routières, le centre-ville est continuellement engorgé. Le nombre de voitures augmente constamment, ce qui a une conséquence directe sur la pollution attribuable aux gaz d'échappement. Le Caire figure ainsi parmi les métropoles les plus polluées du monde.

La densité de la population du Grand Caire est aussi l'une des plus élevées de la planète avec 20 150 habitants au km². Bien que les autorités aient mis en place un programme de construction de villes nouvelles, une grave crise du logement affecte les résidents les plus démunis. Les logements sont, en effet, très rares et très chers.

Chaque jour, les Cairotes produisent 9000 tonnes de déchets. L'incinération d'une bonne partie de ces ordures contribue à la mauvaise qualité de l'air. Le taux de maladies respiratoires est d'ailleurs très élevé au Caire.

Comment organiser la vie et répondre aux besoins des Cairotes sur un territoire si étendu et si densément peuplé ? Les autorités sont de plus en plus conscientes de ces enjeux.

**Légende**

—— Limite de l'agglomération du Caire ou Limite du Grand Caire

······ Limite du centre historique du Caire

—— Autoroute

—— Route

········ Ligne de métro

✈ Aéroport

📷 Centre d'intérêt

□ Villes du Caire et de Gizeh

□ Banlieue

□ Zone agricole

□ Zone désertique

**Échelle**

1 : 330 000
(projection conique conforme de Lambert)

0     4     8 km

1 cm sur la carte équivaut à 3,3 km sur le terrain.

La région des Grands Lacs africains est située au sud-est de l'Afrique. C'est une des régions les plus peuplées du monde et une des plus fertiles d'Afrique en raison de son ancienne activité volcanique. Néanmoins, la région connaît de graves problèmes de pauvreté et de santé publique, car les conflits politiques nuisent à son économie. En dépit de la situation, ce territoire attire les touristes, particulièrement au Kenya et en Tanzanie. Ces deux pays ont mis en valeur leur patrimoine naturel en créant notamment de nombreux parcs et des réserves naturelles.

### Le territoire touristique des Grands Lacs africains

**Échelle**

1 : 19 300 000

(projection Sanson-Flamsteed)

0      500 km

1 cm sur la carte équivaut à 193 km sur le terrain.

**Légende**

| | |
|---|---|
| ——— | Frontière internationale |
| ——— | Route |
| ✪ | Capitale du pays |
| ○ | Ville |
| ✈ | Aéroport |
| ▲ | Montagne |
| ▢ | Territoire touristique |
| ▢ | Aire protégée |

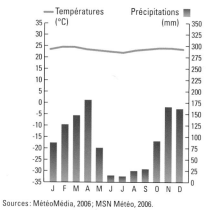

IMAGES OF AFRICA PHOTOBANK/Alamy.

**Safari-photo dans le parc national de Serengeti, en Tanzanie.**
De nombreux pays d'Afrique ont su associer la protection d'une faune exceptionnelle et les avantages d'un tourisme lucratif.

### Deux pays des Grands Lacs africains
EN BREF

| Pays | Kenya | Tanzanie |
|---|---|---|
| Superficie | 580 370 km² | 945 090 km² |
| Climat | Climat tropical | Climat tropical |
| Population | 33,9 millions d'habitants | 36,8 millions d'habitants |
| Densité de population | 42 hab./km² | 38,9 hab./km² |
| Revenu annuel moyen par habitant | 1450 $ CA | 845 $ CA |
| Monnaies | Shilling kenyan | Shilling tanzanien |
| Langues | Anglais et swahili | Anglais et swahili |
| Nombre de touristes en 2004 | 1 132 000 | 566 000 |
| Dépenses des touristes en 2004 | 644 millions $ CA | 774 millions $ CA |
| Emplois créés par le tourisme | 180 000 (2004) | 50 000 (2005) |

Sources: Unesco, 2006; Haut-commissariat de Tanzanie, 2006.

### Climatogramme de Mwanza (Tanzanie)

— Températures (°C)     Précipitations � (mm)

Sources: MétéoMédia, 2006; MSN Météo, 2006.

La ville de Mwanza jouit d'un climat tropical avec une saison sèche et deux saisons des pluies. Les touristes affluent dans la région pendant la saison sèche, soit de juin à septembre, car le climat se prête mieux aux diverses activités.

## La Tanzanie, destination touristique

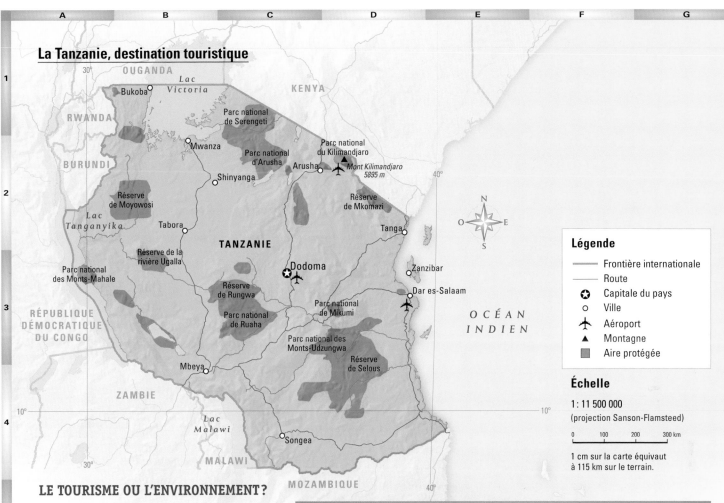

**Légende**

─── Frontière internationale
─── Route
✪ Capitale du pays
○ Ville
✈ Aéroport
▲ Montagne
▨ Aire protégée

**Échelle**

1 : 11 500 000
(projection Sanson-Flamsteed)

0    100    200    300 km

1 cm sur la carte équivaut
à 115 km sur le terrain.

## LE TOURISME OU L'ENVIRONNEMENT?

La nature constitue l'attrait principal de la région des Grands Lacs africains. Les autorités tentent de la sauvegarder en créant des parcs et des réserves. Ce sont ces lieux préservés qui attirent les touristes, mais la pratique du safari-photo, par exemple, n'est pas sans conséquence sur l'environnement. En effet, le passage fréquent des véhicules quatre-quatre, l'abandon de grandes quantités de déchets dans les parcs et la construction de nombreux complexes hôteliers à leurs abords finissent par causer des problèmes. Le caractère sauvage de la région est ainsi modifié et l'étendue de l'habitat des animaux est réduite.

CORBIS : T. Svensonn.

**Le mont Kilimandjaro.** Situé dans le nord-est de la Tanzanie, le Kilimandjaro attire 20 000 touristes chaque année. Sa cote de popularité risque cependant de baisser s'il perd sa belle parure blanche. En effet, la calotte glaciaire à son sommet perd près de 50 cm d'épaisseur chaque année en raison du réchauffement de la planète.

ALPHAPRESSE/Stillpictures : J. Boethling.

**Les Massaïs.** Un peuple dont le mode de vie a été bouleversé.

## LE TOURISME : PROFIT OU PERTE POUR LES HABITANTS ?

Pour certains peuples, comme les Massaïs du Kenya, la venue des touristes a modifié fortement leur mode de vie. Les Massaïs, qui habitaient à la frontière entre la Tanzanie et le Kenya depuis des siècles, ont perdu leurs territoires au profit des parcs. Ils ne peuvent plus exploiter leurs terres et sont contraints d'accepter, de la part des organisateurs de voyages, de petits emplois qui ne leur rapportent que très peu. La plus grande partie des revenus du tourisme, soit environ 85 %, va aux entreprises touristiques, qui sont étrangères.

# L'OCÉANIE PHYSIQUE

Constituée par l'Australie, la Nouvelle-Zélande, la Mélanésie, la Micronésie et la Polynésie, l'Océanie est le plus petit continent habité du globe. Outre l'Australie et la Nouvelle-Zélande, l'Océanie se compose d'un ensemble de plus de 25 000 îles (volcaniques ou formées de coraux) réparties sur une vaste superficie dans l'océan Pacifique. Ces îles sont, pour la plupart, inhabitées.

La fosse des Mariannes est la fosse océanique la plus profonde connue à ce jour. Elle s'étend sur plus de 2500 km. Sa largeur est de près de 70 km et sa profondeur atteint 11 034 m.

Fréquemment, les îles de l'Océanie sont frappées par des tempêtes tropicales, les typhons. Elles subissent aussi des raz-de-marée, ces gigantesques vagues dues à des éruptions volcaniques ou à des séismes sous-marins.

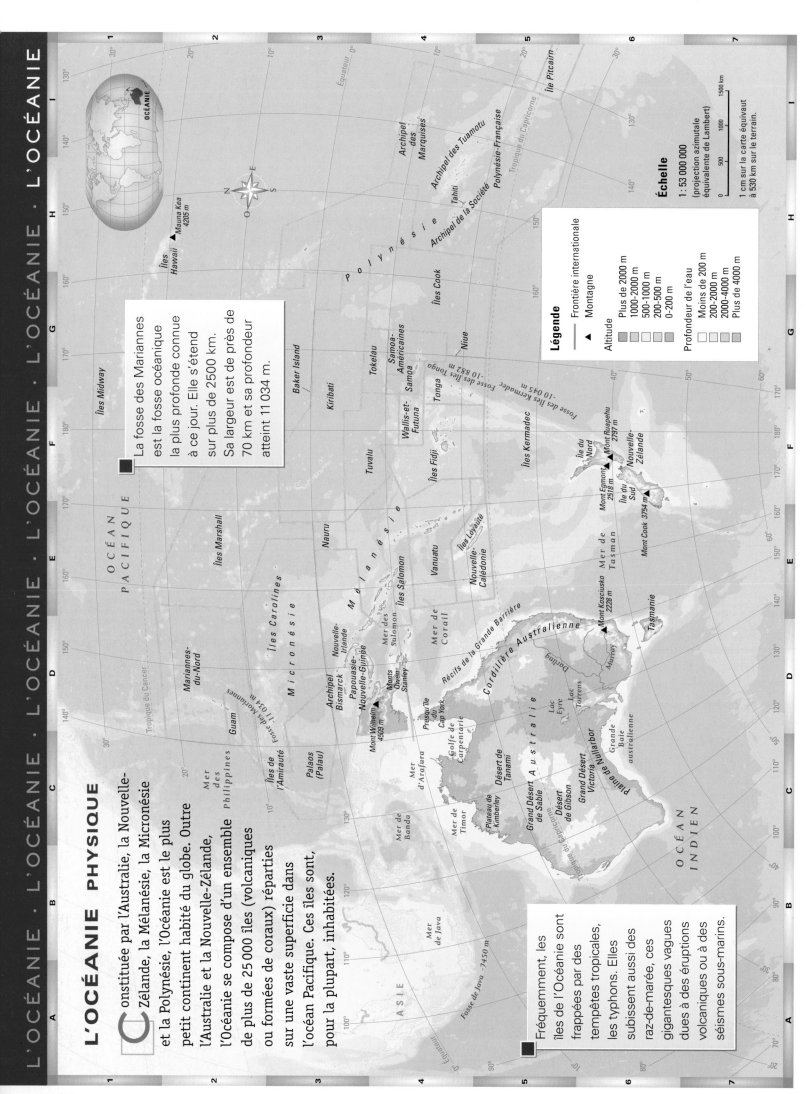

OCÉANIE

OCÉAN PACIFIQUE

ASIE

OCÉAN INDIEN

Équateur

Tropique du Cancer

Tropique du Capricorne

Mer de Java

Mer de Banda

Mer de Timor

Mer d'Arafura

Fosse de Java -7450 m

Palaos (Palau)

Îles de l'Amirauté

Fossé des Mariannes -11 034 m

Guam

Mariannes-du-Nord

Îles Carolines

Micronésie

Philippines

Mer des Philippines

Nauru

Îles Marshall

Îles Midway

Îles Hawaï

Mauna Kea 4205 m

Baker Island

Kiribati

Tuvalu

Tokelau

Samoa-Américaines
Samoa

Wallis-et-Futuna

Îles Fidji

Tonga

Niue

Fosse des Îles Tonga -10 882 m

Fosse des Îles Kermadec -10 045 m

Îles Cook

Polynésie

Archipel de la Société

Tahiti

Polynésie-Française

Archipel des Tuamotu

Archipel des Marquises

Île Pitcairn

Îles Kermadec

Mont Egmont 2518 m

Île du Nord

Mont Ruapehu 2797 m

Nouvelle-Zélande

Île du Sud

Mont Cook 3754 m

Mer de Tasman

Tasmanie

Mont Kosciusko 2228 m

Cordillère Australienne

Murray

Darling

Lac Eyre

Lac Torrens

Récifs de la Grande Barrière

Mer de Corail

Nouvelle-Calédonie

Îles Loyauté

Vanuatu

Îles Salomon

Mer des Salomon

Mélanésie

Archipel Bismarck

Nouvelle-Irlande

Papouasie-Nouvelle-Guinée

Monts Owen Stanley

Mont Wilhelm 4509 m

Golfe de Carpentarie

Presqu'île du Cap York

Australie

Grand Désert de Sable

Désert de Tanami

Plateau de Kimberley

Grand Désert de Gibson

Grand Désert Victoria

Plaine de Nullarbor

Grande Baie australienne

Nouvelle-Guinée

Mer des Philippines

## Légende

Frontière internationale

▲ Montagne

Altitude

| | |
|---|---|
| | Plus de 2000 m |
| | 1000-2000 m |
| | 500-1000 m |
| | 200-500 m |
| | 0-200 m |

Profondeur de l'eau

| | |
|---|---|
| | Moins de 200 m |
| | 200-2000 m |
| | 2000-4000 m |
| | Plus de 4000 m |

## Échelle

1 : 53 000 000
(projection azimutale équivalente de Lambert)

0    500    1000    1500 km

1 cm sur la carte équivaut à 530 km sur le terrain.

# L'OCÉANIE POLITIQUE

a population de l'Océanie représente moins de 0,5% de la population mondiale. C'est au cours du 16e siècle que des Européens ont commencé à explorer cette partie du monde. Certaines des îles sont alors devenues des colonies du Royaume-Uni, de la France, puis des États-Unis. La région était alors essentiellement occupée par des peuples indigènes, comme les aborigènes d'Australie et les Maoris de la Nouvelle-Zélande.

La population de l'Océanie habite, dans une proportion de 60 %, en Australie, pays qui occupe 90 % de la superficie de l'Océanie.

Le réchauffement de la planète aggrave les risques d'inondation des îles les plus au sud de l'Océanie et pourrait même les faire disparaître.

## Légende

- Frontière internationale
- ✪ Capitale du pays
- ○ Ville de plus de 1 million d'habitants
- • Ville de moins de 1 million d'habitants

### Échelle

1 : 53 000 000
(projection azimutale équivalente de Lambert)

0    500    1000    1500 km

1 cm sur la carte équivaut à 530 km sur le terrain.

### Carte

N E S O

ASIE

OCÉAN PACIFIQUE

OCÉAN INDIEN

Équateur

Tropique du Cancer

Tropique du Capricorne

Île Pitcairn (R.-U.)

Archipel des Marquises

Archipel des Tuamotu

Polynésie-Française (Fr.)

Tahiti
Papeete

Archipel de la Société

P o l y n é s i e

Hawaii (E.-U.)
Honolulu

Îles Midway (E.-U.)

Îles Cook (N.-Z.)
Avarua

Niue (N.-Z.)

Tokelau (N.-Z.)

Samoa-Américaines (E.-U.)
Pago Pago

SAMOA
Apia

TONGA
Nuku'alofa

Vaiaku
TUVALU

Wallis-et-Futuna (Fr.)

FIDJI
Suva

KIRIBATI

Delap-Uliga-Darrit

Bairiki

MARSHALL

Yaren
NAURU

Palikir

MICRONÉSIE

Mariannes-du-Nord (E.-U.)
Garapan
Agana
Guam (E.-U.)

PALAOS (Palau)
Koror

Mer des Philippines

Mer de Banda

Mer de Java

Mer d'Arafura

Mer de Timor

M é l a n é s i e

Mer des Salomon

Rabaul

PAPOUASIE NOUVELLE-GUINÉE
Lae
Port Moresby

Golfe de Carpentarie

SALOMON
Honiara

VANUATU
Port-Vila

Nouvelle-Calédonie (Fr.)
Nouméa

Îles Loyauté

Mer de Corail

Îles Kermadec (N.-Z.)

AUSTRALIE

Darwin

Alice Springs

Lac Eyre

Lac Torrens

Grande Baie australienne

Perth

Brisbane
Gold Coast
Newcastle
Sydney
Wollongong
Canberra
Melbourne
Geelong
Adélaïde

Murray
Darling

Tasmanie
Hobart

Mer de Tasman

NOUVELLE-ZÉLANDE
Auckland
Hamilton
Wellington
Christchurch

OCÉAN PACIFIQUE

# SYDNEY – MÉTROPOLE

La ville de Sydney est située en bordure de l'océan Pacifique, au sud-est de l'Australie. Même si Sydney n'est pas la capitale du pays, elle en est la métropole. En effet, vu l'étendue de son territoire, la densité de sa population et la concentration de ses activités industrielles, commerciales, administratives et culturelles, Sydney est la principale ville d'Australie. Elle est le plus important centre financier du pays et une destination touristique internationale. Moderne et influente, elle est citée en exemple pour la qualité de vie offerte à ses résidents. Est-il possible que quatre millions de personnes partageant le même territoire n'aient aucune difficulté à se loger ou à se déplacer ?

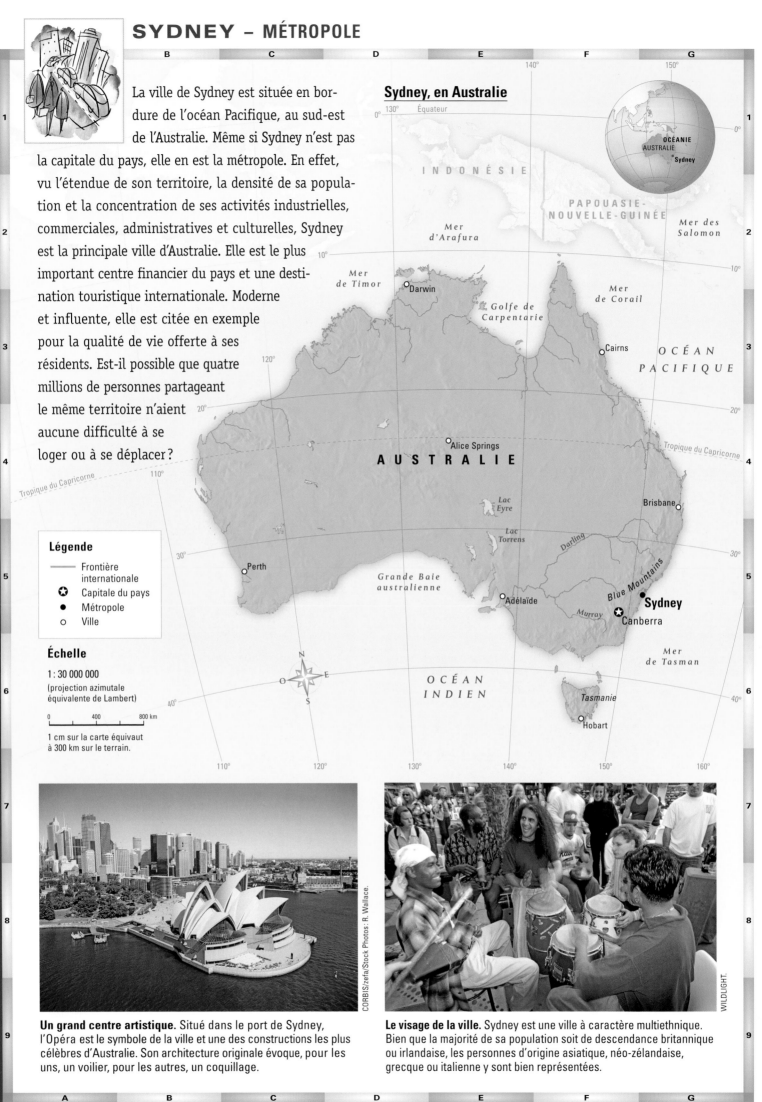

### Sydney, en Australie

**Légende**

— Frontière internationale
⊛ Capitale du pays
● Métropole
○ Ville

**Échelle**

1 : 30 000 000

(projection azimutale équivalente de Lambert)

0    400    800 km

1 cm sur la carte équivaut à 300 km sur le terrain.

CORBIS/zefa/Stock Photos: R. Wallace.

WILDLIGHT.

**Un grand centre artistique.** Situé dans le port de Sydney, l'Opéra est le symbole de la ville et une des constructions les plus célèbres d'Australie. Son architecture originale évoque, pour les uns, un voilier, pour les autres, un coquillage.

**Le visage de la ville.** Sydney est une ville à caractère multiethnique. Bien que la majorité de sa population soit de descendance britannique ou irlandaise, les personnes d'origine asiatique, néo-zélandaise, grecque ou italienne y sont bien représentées.

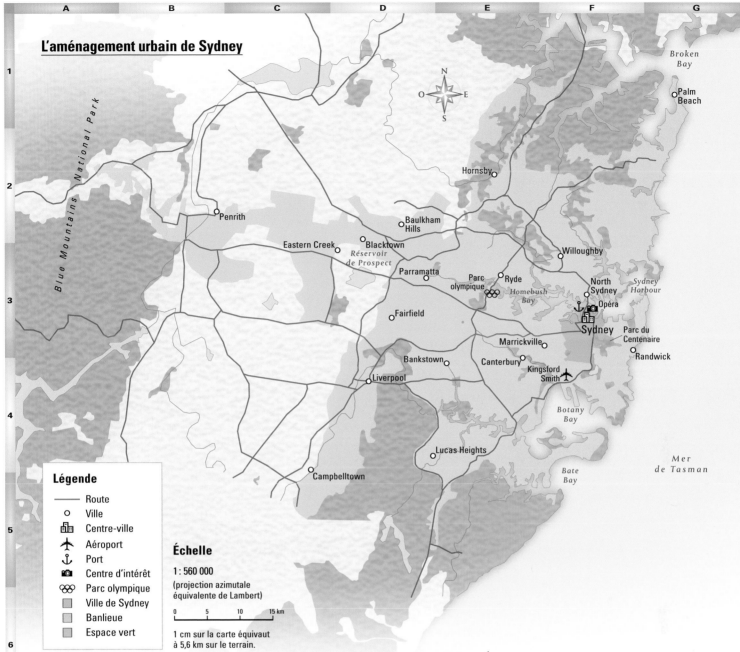

## L'aménagement urbain de Sydney

**Légende**

— Route
o Ville
🏬 Centre-ville
✈ Aéroport
⚓ Port
📷 Centre d'intérêt
⚭ Parc olympique
▢ Ville de Sydney
▢ Banlieue
▢ Espace vert

**Échelle**

1 : 560 000
(projection azimutale
équivalente de Lambert)

0    5    10    15 km

1 cm sur la carte équivaut
à 5,6 km sur le terrain.

### UNE VILLE MODERNE, MAIS...

Les habitants de Sydney vivent en majorité en banlieue. Ils parcourent chaque jour de longues distances pour se rendre à leur travail, au centre-ville. Comme ils le font souvent en voiture, les embouteillages sont nombreux et l'air, pollué. Le réseau de transport de cette métropole est pourtant bien structuré.

À Sydney, la population ainsi que le prix des maisons et des loyers ont augmenté plus rapidement que les revenus et le nombre de logements disponibles. Ce phénomène contribue notamment au refoulement des personnes vers la banlieue. Il peut donc être difficile de se loger à Sydney.

La quantité de déchets solides pose des problèmes à Sydney, parce qu'il s'en produit de plus en plus chaque année. Une partie de ces déchets est recyclée ; l'autre est transportée vers des décharges publiques situées à plus de 100 km au nord de la ville. Les autorités incitent pourtant la population à recycler davantage.

**LES AUTORITÉS DE SYDNEY TENTENT D'ASSURER LE BIEN-ÊTRE DE LA POPULATION EN RÉPONDANT À SES BESOINS DE DIFFÉRENTES FAÇONS. EN VOICI QUELQUES-UNES :**

- Les nouveaux quartiers résidentiels de la banlieue sont construits près des réseaux de transport.

- Le réseau de transport en commun, qui se compose de trains de banlieue, de trains légers électriques, d'autobus et d'un monorail, est très efficace.

- Les automobilistes doivent payer pour accéder au centre-ville... en voiture.

- Des voies piétonnières et des places publiques ont été aménagées au centre-ville.

- Des terrains pollués ont été aménagés en espaces verts. Le parc olympique est un exemple d'une telle transformation.

- Un projet visant à réduire les déchets domestiques est à l'étude : des bactéries pourraient absorber 99 % de ces déchets.

# TAHITI – TERRITOIRE TOURISTIQUE

Située dans l'océan Pacifique Sud, Tahiti est la plus grande et la plus connue des îles de la Polynésie-Française. La réputation de paradis exotique de Tahiti n'est plus à faire. Les images diffusées par les agences de voyages font croire que l'île n'est que plages de sable blanc baignées d'une eau turquoise. Mais qu'en est-il vraiment ?

## Tahiti, en Polynésie-Française

La Polynésie-Française, territoire d'outre-mer français, est composée de cinq archipels : archipel de la Société, dont Tahiti est l'île principale et Papeete, le chef-lieu ; archipels des Australes, des Gambier, des Tuamotu et des Marquises, que le peintre français Paul Gauguin a contribué à faire connaître à la fin du 19e siècle.

Los Angeles (6500 km)

Tokyo (9500 km)

Paris (18 000 km)

Archipel des Marquises

Archipel de la Société

Motu One
Manuae
Maupihaa
Maupiti
Tahaa
Raiatea
Tupai
Bora Bora
Huahine
Maïao
Moorea
Tetiaroa
Papeete
Mehetia

**Tahiti**

OCÉAN PACIFIQUE SUD

Archipel des Tuamotu

POLYNÉSIE-FRANÇAISE

Sydney (5400 km)

Archipel des Australes

Tropique du Capricorne

Archipel des Gambier

Tropique du Capricorne

Auckland (4000 km)

Santiago (8000 km)

### Légende

○ Ville

→ En direction de la ville indiquée

### Échelle

1 : 19 000 000
(projection conique conforme de Lambert)

0     200     400 km

1 cm sur la carte équivaut à 190 km sur le terrain.

**Paysage de Tahiti.** Tahiti, une île parmi les 130 îles de la Polynésie-Française, est formée d'anciens volcans couverts d'une végétation abondante.

CORBIS/zefa : F. Damm.

**Paysage de Bora Bora.** Située à 280 km au nord-ouest de Tahiti, Bora Bora est une autre île de l'archipel de la Société. Bien connue également des touristes, elle est surnommée « la perle du Pacifique ».

CORBIS : Y. Arthus-Bertrand.

## Tahiti EN BREF

| Pays | France (Polynésie-Française) |
|---|---|
| Superficie | 1043 km² |
| Climat | Tropical |
| Population | 169 000 habitants |
| Densité de population | 162 hab./km² |
| Revenu annuel moyen par habitant | 28 940 $ CA |
| Monnaie | Franc CFP |
| Langues | Tahitien, français |
| Nombre de touristes en 2004 | Environ 210 000 |
| Dépenses des touristes en 2004 | 567 millions $ CA |
| Emplois créés par le tourisme en 2004 | Environ 30 000 |

Sources: Présidence de la Polynésie-Française, 2006; Ministère du Tourisme de la Polynésie-Française, 2006; Institut statistique de la Polynésie-Française (données de 2004), 2006.

### Climatogramme de Papeete (Tahiti)

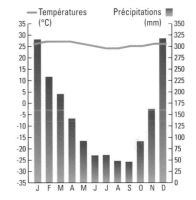

Source: MétéoMédia, 2006.

Le climat de Tahiti est tropical, c'est-à-dire chaud et humide, avec une saison des pluies. Tahiti étant située dans l'hémisphère Sud, les saisons y sont inversées par rapport à l'hémisphère Nord. L'été commence en décembre et se termine en mars, tandis que l'hiver s'étale de juin à septembre. Pour les touristes, la saison hivernale est la meilleure période pour venir à Tahiti. Il y a peu de pluies et la température moyenne avoisine les 25°C.

## Tahiti

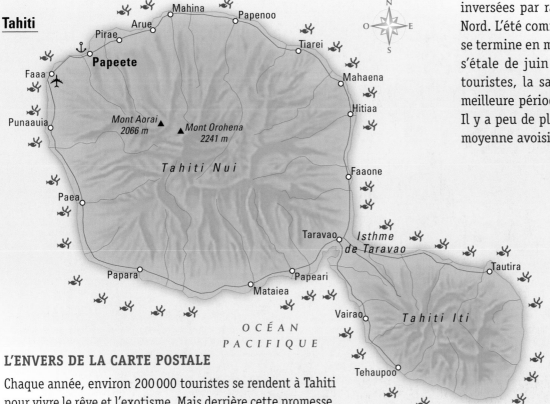

### Légende

- —— Route
- —— Cours d'eau
- ○ Ville ou village
- ✈ Aéroport
- ⚓ Port
- ▲ Montagne
- 🐟 Récif de corail

### Échelle

1 : 400 000

(projection conique conforme de Lambert)

0    5    10 km

1 cm sur la carte équivaut à 4 km sur le terrain.

### L'ENVERS DE LA CARTE POSTALE

Chaque année, environ 200 000 touristes se rendent à Tahiti pour vivre le rêve et l'exotisme. Mais derrière cette promesse, la réalité est un peu différente. En raison du nombre croissant de touristes et de sa petite superficie, Tahiti fait face à un grave problème de pollution de l'eau et de gestion des déchets. La pratique de certaines activités sportives et la construction de nouveaux aménagements touristiques mettent en péril l'environnement fragile de Tahiti. Par ailleurs, les Tahitiens perdent peu à peu leur identité culturelle au contact des touristes qui leur transmettent un mode de vie propre aux sociétés de consommation.

**Papeete.** Le chef-lieu de Tahiti attire les touristes avec ses plages et ses magnifiques paysages volcaniques. Grâce à son port et à son aéroport international tout proche, Papeete est la plaque tournante du transport touristique de cette partie du monde très éloignée de l'Europe, de l'Amérique du Nord et même du Japon.

CORBIS: D. Peebles.

# L'ARCTIQUE

Le pôle Nord est recouvert par l'océan Arctique qui, au nord du 75e parallèle, est gelé en permanence et forme la banquise. Malgré un climat extrêmement rigoureux, l'Arctique est habité par des populations vivant d'élevage, de chasse ou de pêche. Si le réchauffement climatique de la planète se poursuit tel qu'il est prévu, la fonte de la banquise aura d'énormes conséquences. Cela provoquera progressivement la montée des eaux et l'inondation des côtes, le déplacement de villages autochtones construits au niveau de la mer et la migration, voire l'extinction, de nombreuses espèces animales.

ARCTIQUE

OCÉAN PACIFIQUE

Anchorage
Vancouver
Alaska (É.-U.)
Whitehorse
Fleuve Yukon
Barrow
Fleuve Mackenzie
Inuvik
Cercle polaire arctique
Détroit de Béring
Mer des Tchouktches
Pevek
Kolyma
Mer de Sibérie orientale
Tiksi
Lena
Limite des glaces en été
CANADA
Coppermine
Banks
Victoria
Mer de Beaufort
Îles de la Nouvelle-Sibérie
Mer des Laptev
RUSSIE
Pôle Nord magnétique (2005)
OCÉAN ARCTIQUE
Pôle Nord
Norilsk
Iénisséi
Resolute
Île d'Ellesmere
Alert
Mer de Kara
Ob
New York
Iqaluit
Île de Baffin
Baie de Baffin
Nouvelle-Zemble
Vorkouta
Limite de la banquise
Spitzberg (Norv.)
Mer de Barents
Petchora
Groenland (Dan.)
Détroit de Davis
Nuuk
Limite des glaces en été
Mer du Groenland
Kirkenes
Mourmansk
Arkhangelsk
Mer Blanche
Tromso
Mer du Labrador
Limite des glaces en hiver
Détroit du Danemark
Cercle polaire arctique
Mer de Norvège
NORVÈGE
SUÈDE
FINLANDE
OCÉAN ATLANTIQUE
Reykjavik
ISLANDE
Moscou
Paris

Limite des glaces en hiver

ISTOCKPHOTO: P. Van Wagner.

**L'ours polaire.** Le réchauffement de la planète pourrait causer, à moyen terme, l'extinction de l'ours polaire en raison de la fonte de la banquise, son principal territoire de chasse.

**Échelle**

1 : 40 000 000
(projection azimutale équidistante)

0      500      1000 km

1 cm sur la carte équivaut à 400 km sur le terrain.

**Légende**

——— Frontière internationale
——— Limite des glaces en hiver
- - - Limite des glaces en été
——— Limite de la banquise
——→ En direction de la ville indiquée
○ Ville de plus de 1 million d'habitants
● Ville de moins de 1 million d'habitants
◉ Pôle magnétique
☐ Banquise
☐ Zone d'icebergs

# L'ANTARCTIQUE

Le pôle Sud est occupé par le continent Antarctique, le continent le plus froid de la planète. L'Antarctique est presque totalement recouvert d'une épaisse couche de glace qui atteint par endroits plus de 4000 m d'épaisseur. Au contact du froid, la mer gèle autour de l'Antarctique et forme une banquise permanente. Mais celle-ci est en train de s'effriter. En raison du réchauffement de la planète, la glace fond plus rapidement qu'elle ne se renouvelle. Ainsi, le pôle Sud a perdu entre 2002 et 2005 environ 150 km³ de glace par année, soit 150 fois la consommation annuelle d'eau potable de l'ensemble des Québécois!

ANTARCTIQUE

OCÉAN ATLANTIQUE

OCÉAN ANTARCTIQUE

Cercle polaire antarctique

Limite des glaces en été

Terre de la Reine-Maud

Terre d'Enderby

Mer de Weddell

Terre de Graham

Banquise de Larsen

Île Adélaïde

Île Alexandre

Terre de Coats

Île Berkner

Banquise de Ronne

Banquise de Filchner

ANTARCTIQUE

Banquise d'Amery

Terre de la Princesse-Elisabeth

Monts Transantarctiques

Terre d'Ellsworth

Mont Vinson 4897 m

Pôle Sud

OCÉAN INDIEN

Terre Mary-Byrd

Mer d'Amundsen

Mont Kirkpatrick 4528 m

Banquise de Ross

Mer de Ross

Île Roosevelt

Mont Erebus 3795 m

Terre Victoria

Terre Adélie

Terre de Wilkes

Pôle Sud magnétique (2004)

OCÉAN PACIFIQUE

Limite des glaces en été

Cercle polaire antarctique

Limite des glaces en hiver

New York

Moscou

Beijing (Pékin)

Canberra

Paris

Limite de la banquise

Limite des glaces en hiver

**Une colonie de manchots empereurs.** Espèce protégée qu'on ne trouve qu'en Antarctique, le manchot empereur n'est plus chassé, mais il est à la merci de la pollution ainsi que du réchauffement de la planète qui diminue son habitat naturel.

ISTOCKPHOTO: W. Schoenfeld.

## Légende

— Limite des glaces en hiver
- - - Limite des glaces en été
— Limite de la banquise
→ En direction de la ville indiquée
▲ Montagne
⊙ Pôle magnétique
☐ Banquise
☐ Zone d'icebergs

## Échelle

1 : 40 000 000
(projection azimutale équidistante)

0      500      1000 km

1 cm sur la carte équivaut à 400 km sur le terrain.

# FICHES STATISTIQUES DES 194 PAYS DU MONDE

a section « Fiches statistiques des 194 pays du monde » répertorie, comme son nom l'indique, les données de base des 194 pays reconnus officiellement par la communauté internationale en 2006.

Par ailleurs, il y a dans le monde une soixantaine de territoires d'outre-mer qui dépendent de pays comme la France, l'Australie, le Danemark, la Nouvelle-Zélande, la Norvège, le Royaume-Uni, les États-Unis ou les Pays-Bas. Ces territoires ne font pas l'objet de fiches séparées et sont inclus dans l'un ou l'autre des 194 pays reconnus.

Les statistiques qu'on trouve dans les fiches constituent un complément nécessaire à la lecture des cartes. Elles satisfont aussi à un besoin d'information sur l'état du monde actuel et permettent des comparaisons valables entre les différents territoires.

**Afghanistan**

| Capitale : | Kaboul |
| --- | --- |
| Superficie : | 652 090 km$^2$ |
| Population : | 30 millions d'hab. (Afghans) |
| Densité de population : | 46 hab./km$^2$ |
| Espérance de vie : | 46 ans |
| PIB par hab. : | 800 $ US |
| Monnaie : | afghani |
| Langues officielles : | dari, pashto |
| IDH : | non disponible |

Continent : Asie

**Afrique du Sud**

| Capitales : | Pretoria, Le Cap |
| --- | --- |
| Superficie : | 1 221 240 km$^2$ |
| Population : | 44,4 millions d'hab. (Sud-Africains) |
| Densité de population : | 36,3 hab./km$^2$ |
| Espérance de vie : | 44 ans |
| PIB par hab. : | 11 100 $ US |
| Monnaie : | rand |
| Langues officielles : | anglais, afrikaans |
| IDH : | 120e rang |

Continent : Afrique

**Albanie**

| Capitale : | Tirana |
| --- | --- |
| Superficie : | 28 748 km$^2$ |
| Population : | 3,6 millions d'hab. (Albanais) |
| Densité de population : | 125,2 hab./km$^2$ |
| Espérance de vie : | 77 ans |
| PIB par hab. : | 4900 $ US |
| Monnaie : | lek |
| Langue officielle : | albanais |
| IDH : | 72e rang |

Continent : Europe

**Algérie**

| Capitale : | Alger |
| --- | --- |
| Superficie : | 2 381 740 km$^2$ |
| Population : | 32,6 millions d'hab. (Algériens) |
| Densité de population : | 13,6 hab./km$^2$ |
| Espérance de vie : | 73 ans |
| PIB par hab. : | 6600 $ US |
| Monnaie : | dinar algérien |
| Langue officielle : | arabe |
| IDH : | 103e rang |

Continent : Afrique

**Allemagne**

| Capitale : | Berlin |
| --- | --- |
| Superficie : | 357 030 km$^2$ |
| Population : | 82,5 millions d'hab. (Allemands) |
| Densité de population : | 230,2 hab./km$^2$ |
| Espérance de vie : | 79 ans |
| PIB par hab. : | 29 700 $ US |
| Monnaie : | euro |
| Langue officielle : | allemand |
| IDH : | 20e rang |

Continent : Europe

**Andorre**

| Capitale : | Andorre-la-Vieille |
| --- | --- |
| Superficie : | 450 km$^2$ |
| Population : | 70 549 hab. (Andorrans) |
| Densité de population : | 156,5 hab./km$^2$ |
| Espérance de vie : | 84 ans |
| PIB par hab. : | 26 800 $ US |
| Monnaie : | euro |
| Langues officielles : | français, catalan |
| IDH : | non disponible |

Continent : Europe

**Angola**

| Capitale : | Luanda |
| --- | --- |
| Superficie : | 1 246 700 km$^2$ |
| Population : | 11,2 millions d'hab. (Angolais) |
| Densité de population : | 8,9 hab./km$^2$ |
| Espérance de vie : | 38 ans |
| PIB par hab. : | 2500 $ US |
| Monnaie : | kwanza |
| Langue officielle : | portugais |
| IDH : | 160e rang |

Continent : Afrique

**Antigua-et-Barbuda**

| Capitale : | Saint John's |
| --- | --- |
| Superficie : | 440 km$^2$ |
| Population : | 68 722 hab. (Antiguais et Barbudiens) |
| Densité de population : | 156,1 hab./km$^2$ |
| Espérance de vie : | 72 ans |
| PIB par hab. : | 11 000 $ US |
| Monnaie : | dollar des Caraïbes orientales |
| Langue officielle : | anglais |
| IDH : | 60e rang |

Continent : Amérique (centrale)

Sources : CENTRAL INTELLIGENCE AGENCY, *CIA World Factbook 2005*; BANQUE MONDIALE, *World Development Indicators 2005*; *Atlas encyclopédique mondial 2006*, Outremont, Libre Expression, 2005; The Flag Institute, 2006.

### Arabie saoudite

Continent : Asie

| | |
|---|---|
| Capitale : | Riyad |
| Superficie : | 2 149 690 km² |
| Population : | 26,5 millions d'hab. (Saoudiens) |
| Densité de population : | 12,2 hab./km² |
| Espérance de vie : | 75 ans |
| PIB par hab. : | 12 000 $ US |
| Monnaie : | riyal saoudien |
| Langue officielle : | arabe |
| IDH : | 77ᵉ rang |

### Argentine

Continent : Amérique (du Sud)

| | |
|---|---|
| Capitale : | Buenos Aires |
| Superficie : | 2 780 400 km² |
| Population : | 39,6 millions d'hab. (Argentins) |
| Densité de population : | 14,2 hab./km² |
| Espérance de vie : | 76 ans |
| PIB par hab. : | 12 400 $ US |
| Monnaie : | peso argentin |
| Langue officielle : | espagnol |
| IDH : | 34ᵉ rang |

### Arménie

Continent : Asie

| | |
|---|---|
| Capitale : | Erevan |
| Superficie : | 29 800 km² |
| Population : | 3 millions d'hab. (Arméniens) |
| Densité de population : | 100 hab./km² |
| Espérance de vie : | 72 ans |
| PIB par hab. : | 5100 $ US |
| Monnaie : | dram |
| Langue officielle : | arménien |
| IDH : | 83ᵉ rang |

### Australie

Continent : Océanie

| | |
|---|---|
| Capitale : | Canberra |
| Superficie : | 7 741 220 km² |
| Population : | 20,1 millions d'hab. (Australiens) |
| Densité de population : | 2,5 hab./km² |
| Espérance de vie : | 80 ans |
| PIB par hab. : | 32 000 $ US |
| Monnaie : | dollar australien |
| Langue officielle : | anglais |
| IDH : | 3ᵉ rang |

### Autriche

Continent : Europe

| | |
|---|---|
| Capitale : | Vienne |
| Superficie : | 83 860 km² |
| Population : | 8,2 millions d'hab. (Autrichiens) |
| Densité de population : | 97,5 hab./km² |
| Espérance de vie : | 79 ans |
| PIB par hab. : | 32 900 $ US |
| Monnaie : | euro |
| Langue officielle : | allemand |
| IDH : | 17ᵉ rang |

### Azerbaïdjan

Continent : Asie

| | |
|---|---|
| Capitale : | Bakou |
| Superficie : | 86 600 km² |
| Population : | 8 millions d'hab. (Azerbaïdjanais) |
| Densité de population : | 91,3 hab./km² |
| Espérance de vie : | 63 ans |
| PIB par hab. : | 4600 $ US |
| Monnaie : | manat azerbaïdjanais |
| Langue officielle : | azéri |
| IDH : | 101ᵉ rang |

### Bahamas

Continent : Amérique (centrale)

| | |
|---|---|
| Capitale : | Nassau |
| Superficie : | 13 880 km² |
| Population : | 301 790 hab. (Bahamiens) |
| Densité de population : | 21,7 hab./km² |
| Espérance de vie : | 66 ans |
| PIB par hab. : | 18 800 $ US |
| Monnaie : | dollar des Bahamas |
| Langue officielle : | anglais |
| IDH : | 50ᵉ rang |

### Bahreïn

Continent : Asie

| | |
|---|---|
| Capitale : | Manama |
| Superficie : | 690 km² |
| Population : | 688 345 hab. (Bahreïnis) |
| Densité de population : | 997,6 hab./km² |
| Espérance de vie : | 74 ans |
| PIB par hab. : | 20 500 $ US |
| Monnaie : | dinar bahreini |
| Langue officielle : | arabe |
| IDH : | 43ᵉ rang |

### Bangladesh

Continent : Asie

| | |
|---|---|
| Capitale : | Dacca |
| Superficie : | 144 000 km² |
| Population : | 144,4 millions d'hab. (Bangladais) |
| Densité de population : | 1002 hab./km² |
| Espérance de vie : | 62 ans |
| PIB par hab. : | 2100 $ US |
| Monnaie : | taka |
| Langue officielle : | bengali |
| IDH : | 139ᵉ rang |

### Barbade

Continent : Amérique (centrale)

| | |
|---|---|
| Capitale : | Bridgetown |
| Superficie : | 430 km² |
| Population : | 279 254 hab. (Barbadiens) |
| Densité de population : | 649,4 hab./km² |
| Espérance de vie : | 73 ans |
| PIB par hab. : | 17 300 $ US |
| Monnaie : | dollar de la Barbade |
| Langue officielle : | anglais |
| IDH : | 30ᵉ rang |

### Belgique

Continent : Europe

| | |
|---|---|
| Capitale : | Bruxelles |
| Superficie : | 30 510 km² |
| Population : | 10,4 millions d'hab. (Belges) |
| Densité de population : | 339,7 hab./km² |
| Espérance de vie : | 79 ans |
| PIB par hab. : | 31 800 $ US |
| Monnaie : | euro |
| Langues officielles : | néerlandais, français, allemand |
| IDH : | 9ᵉ rang |

### Belize

Continent : Amérique (centrale)

| | |
|---|---|
| Capitale : | Belmopan |
| Superficie : | 22 960 km² |
| Population : | 279 457 hab. (Béliziens) |
| Densité de population : | 12,1 hab./km² |
| Espérance de vie : | 68 ans |
| PIB par hab. : | 6800 $ US |
| Monnaie : | dollar de Belize |
| Langue officielle : | anglais |
| IDH : | 91ᵉ rang |

## Bénin

| | | |
|---|---|---|
| Capitale : | Porto-Novo | |
| Superficie : | 112 620 km² | |
| Population : | 7,5 millions d'hab. (Béninois) | |
| Densité de population : | 66,2 hab./km² | |
| Espérance de vie : | 53 ans | |
| PIB par hab. : | 1200 $ US | |
| Monnaie : | franc CFA | |
| Langue officielle : | français | |
| IDH : | 162e rang | |

Continent : Afrique

## Brésil

| | |
|---|---|
| Capitale : | Brasilia |
| Superficie : | 8 547 400 km² |
| Population : | 186,2 millions d'hab. (Brésiliens) |
| Densité de population : | 21,7 hab./km² |
| Espérance de vie : | 72 ans |
| PIB par hab. : | 8500 $ US |
| Monnaie : | real |
| Langue officielle : | portugais |
| IDH : | 63e rang |

Continent : Amérique (du Sud)

## Bhoutan

| | |
|---|---|
| Capitale : | Thimphou |
| Superficie : | 47 000 km² |
| Population : | 2,3 millions d'hab. (Bhoutanais) |
| Densité de population : | 47,4 hab./km² |
| Espérance de vie : | 54 ans |
| PIB par hab. : | 1400 $ US |
| Monnaie : | ngultrum |
| Langue officielle : | dzong-ka |
| IDH : | 134e rang |

Continent : Asie

## Brunei

| | |
|---|---|
| Capitale : | Bandar Seri Begawan |
| Superficie : | 5770 km² |
| Population : | 372 361 hab. (Brunéiens) |
| Densité de population : | 64,5 hab./km² |
| Espérance de vie : | 75 ans |
| PIB par hab. : | 23 600 $ US |
| Monnaie : | dollar de Brunei |
| Langue officielle : | malais |
| IDH : | 33e rang |

Continent : Asie

## Biélorussie

| | |
|---|---|
| Capitale : | Minsk |
| Superficie : | 207 600 km² |
| Population : | 10,4 millions d'hab. (Biélorusses) |
| Densité de population : | 49,6 hab./km² |
| Espérance de vie : | 69 ans |
| PIB par hab. : | 7600 $ US |
| Monnaie : | rouble biélor |
| Langues officielles : | biélorusse, russe |
| IDH : | 67e rang |

Continent : Europe

## Bulgarie

| | |
|---|---|
| Capitale : | Sofia |
| Superficie : | 110 910 km² |
| Population : | 7,5 millions d'hab. (Bulgares) |
| Densité de population : | 67,1 hab./km² |
| Espérance de vie : | 72 ans |
| PIB par hab. : | 9000 $ US |
| Monnaie : | lev |
| Langue officielle : | bulgare |
| IDH : | 55e rang |

Continent : Europe

## Bolivie

| | |
|---|---|
| Capitale : | Sucre |
| Superficie : | 1 098 580 km² |
| Population : | 8,9 millions d'hab. (Boliviens) |
| Densité de population : | 8 hab./km² |
| Espérance de vie : | 66 ans |
| PIB par hab. : | 2700 $ US |
| Monnaie : | boliviano |
| Langue officielle : | espagnol |
| IDH : | 113e rang |

Continent : Amérique (du Sud)

## Burkina Faso

| | |
|---|---|
| Capitale : | Ouagadougou |
| Superficie : | 274 200 km² |
| Population : | 14 millions d'hab. (Burkinabés) |
| Densité de population : | 50,7 hab./km² |
| Espérance de vie : | 48 ans |
| PIB par hab. : | 1200 $ US |
| Monnaie : | franc CFA |
| Langue officielle : | français |
| IDH : | 175e rang |

Continent : Afrique

## Bosnie-Herzégovine

| | |
|---|---|
| Capitale : | Sarajevo |
| Superficie : | 51 130 km² |
| Population : | 4,1 millions d'hab. (Bosniens) |
| Densité de population : | 78,7 hab./km² |
| Espérance de vie : | 78 ans |
| PIB par hab. : | 6800 $ US |
| Monnaie : | Deutsche Mark convertible |
| Langues officielles : | bosniaque, serbe, croate |
| IDH : | 68e rang |

Continent : Europe

## Burundi

| | |
|---|---|
| Capitale : | Bujumbura |
| Superficie : | 27 830 km² |
| Population : | 6,4 millions d'hab. (Burundais) |
| Densité de population : | 228,9 hab./km² |
| Espérance de vie : | 50 ans |
| PIB par hab. : | 700 $ US |
| Monnaie : | franc du Burundi |
| Langues officielles : | français, kirundi |
| IDH : | 169e rang |

Continent : Afrique

## Botswana

| | |
|---|---|
| Capitale : | Gaborone |
| Superficie : | 581 730 km² |
| Population : | 1,7 million d'hab. (Botswanais ou Botswaniens) |
| Densité de population : | 2,8 hab./km² |
| Espérance de vie : | 34 ans |
| PIB par hab. : | 10 100 $ US |
| Monnaie : | pula |
| Langue officielle : | anglais |
| IDH : | 131e rang |

Continent : Afrique

## Cambodge

| | |
|---|---|
| Capitale : | Phnom Penh |
| Superficie : | 181 040 km² |
| Population : | 13,7 millions d'hab. (Cambodgiens) |
| Densité de population : | 75,1 hab./km² |
| Espérance de vie : | 59 ans |
| PIB par hab. : | 2100 $ US |
| Monnaie : | riel |
| Langue officielle : | khmer |
| IDH : | 130e rang |

Continent : Asie

| Cameroun | | |
|---|---|---|
| Capitale : | Yaoundé |
| Superficie : | 475 440 km² |
| Population : | 16,4 millions d'hab. (Camerounais) |
| Densité de population : | 34,4 hab./km² |
| Espérance de vie : | 51 ans |
| PIB par hab. : | 2000 $ US |
| Monnaie : | franc CFA |
| Langues officielles : | français, anglais |
| IDH : | 148e rang |

Continent : Afrique

| Canada | | |
|---|---|---|
| Capitale : | Ottawa |
| Superficie : | 9 970 610 km² |
| Population : | 32,9 millions d'hab. (Canadiens) |
| Densité de population : | 3,2 hab./km² |
| Espérance de vie : | 80 ans |
| PIB par hab. : | 32 800 $ US |
| Monnaie : | dollar canadien |
| Langues officielles : | français, anglais |
| IDH : | 5e rang |

Continent : Amérique (du Nord)

| Cap-Vert | | |
|---|---|---|
| Capitale : | Praia |
| Superficie : | 4030 km² |
| Population : | 418 224 hab. (Cap-Verdiens) |
| Densité de population : | 103,7 hab./km² |
| Espérance de vie : | 70 ans |
| PIB par hab. : | 6200 $ US |
| Monnaie : | escudo du Cap-Vert |
| Langue officielle : | portugais |
| IDH : | 105e rang |

Continent : Afrique

| Chili | | |
|---|---|---|
| Capitale : | Santiago |
| Superficie : | 756 630 km² |
| Population : | 16 millions d'hab. (Chiliens) |
| Densité de population : | 21,1 hab./km² |
| Espérance de vie : | 77 ans |
| PIB par hab. : | 11 300 $ US |
| Monnaie : | peso chilien |
| Langue officielle : | espagnol |
| IDH : | 37e rang |

Continent : Amérique (du Sud)

| Chine | | |
|---|---|---|
| Capitale : | Beijing (Pékin) |
| Superficie : | 9 598 050 km² |
| Population : | 1,4 milliard d'hab. (Chinois) |
| Densité de population : | 136,1 hab./km² |
| Espérance de vie : | 72 ans |
| PIB par hab. : | 6200 $ US |
| Monnaie : | yuan |
| Langue officielle : | chinois (mandarin) |
| IDH : | 85e rang |

Continent : Asie

| Chypre | | |
|---|---|---|
| Capitale : | Nicosie |
| Superficie : | 9250 km² |
| Population : | 780 133 hab. (Chypriotes ou Cypriotes) |
| Densité de population : | 84,3 hab./km² |
| Espérance de vie : | 78 ans |
| PIB par hab. : | 21 600 $ US |
| Monnaie : | livre chypriote |
| Langues officielles : | grec, turc |
| IDH : | 29e rang |

Continent : Asie

| Colombie | | |
|---|---|---|
| Capitale : | Bogota |
| Superficie : | 1 138 910 km² |
| Population : | 43 millions d'hab. (Colombiens) |
| Densité de population : | 37,7 hab./km² |
| Espérance de vie : | 72 ans |
| PIB par hab. : | 7100 $ US |
| Monnaie : | peso colombien |
| Langue officielle : | espagnol |
| IDH : | 69e rang |

Continent : Amérique (du Sud)

| Comores | | |
|---|---|---|
| Capitale : | Moroni |
| Superficie : | 2230 km² |
| Population : | 671 247 hab. (Comoriens) |
| Densité de population : | 301 hab./km² |
| Espérance de vie : | 62 ans |
| PIB par hab. : | 600 $ US |
| Monnaie : | franc comorien |
| Langues officielles : | français, shikomor (comorien), arabe |
| IDH : | 132e rang |

Continent : Afrique

| Congo | | |
|---|---|---|
| Capitale : | Brazzaville |
| Superficie : | 342 000 km² |
| Population : | 3,1 millions d'hab. (Congolais) |
| Densité de population : | 8,8 hab./km² |
| Espérance de vie : | 52 ans |
| PIB par hab. : | 800 $ US |
| Monnaie : | franc CFA |
| Langue officielle : | français |
| IDH : | 142e rang |

Continent : Afrique

| Congo, République démocratique du | | |
|---|---|---|
| Capitale : | Kinshasa |
| Superficie : | 2 344 860 km² |
| Population : | 60,1 millions d'hab. (Congolais) |
| Densité de population : | 25,6 hab./km² |
| Espérance de vie : | 51 ans |
| PIB par hab. : | 800 $ US |
| Monnaie : | franc congolais |
| Langue officielle : | français |
| IDH : | 167e rang |

Continent : Afrique

| Corée du Nord | | |
|---|---|---|
| Capitale : | Pyongyang |
| Superficie : | 120 540 km² |
| Population : | 23 millions d'hab. (Nord-Coréens) |
| Densité de population : | 190 hab./km² |
| Espérance de vie : | 71 ans |
| PIB par hab. : | 1800 $ US |
| Monnaie : | won |
| Langue officielle : | coréen |
| IDH : | non disponible |

Continent : Asie

| Corée du Sud | | |
|---|---|---|
| Capitale : | Séoul |
| Superficie : | 99 260 km² |
| Population : | 48,5 millions d'hab. (Sud-Coréens) |
| Densité de population : | 487,8 hab./km² |
| Espérance de vie : | 77 ans |
| PIB par hab. : | 20 300 $ US |
| Monnaie : | won |
| Langue officielle : | coréen |
| IDH : | 28e rang |

Continent : Asie

## Costa Rica

| | |
|---|---|
| Capitale : | San José |
| Superficie : | 51 100 km$^2$ |
| Population : | 4,1 millions d'hab. (Costaricains ou Costariciens) |
| Densité de population : | 78,5 hab./km$^2$ |
| Espérance de vie : | 77 ans |
| PIB par hab. : | 10 000 $ US |
| Monnaie : | colon costaricain |
| Langue officielle : | espagnol |
| IDH : | 47$^e$ rang |

Continent : Amérique (centrale)

## Dominique

| | |
|---|---|
| Capitale : | Roseau |
| Superficie : | 750 km$^2$ |
| Population : | 69 029 hab. (Dominicains ou Dominiquais) |
| Densité de population : | 92 hab./km$^2$ |
| Espérance de vie : | 75 ans |
| PIB par hab. : | 5500 $ US |
| Monnaie : | dollar des Caraïbes orientales |
| Langue officielle : | anglais |
| IDH : | 70$^e$ rang |

Continent : Amérique (centrale)

## Côte d'Ivoire

| | |
|---|---|
| Capitale : | Yamoussoukro |
| Superficie : | 322 460 km$^2$ |
| Population : | 17,3 millions d'hab. (Ivoiriens) |
| Densité de population : | 53,6 hab./km$^2$ |
| Espérance de vie : | 49 ans |
| PIB par hab. : | 1400 $ US |
| Monnaie : | franc CFA |
| Langue officielle : | français |
| IDH : | 163$^e$ rang |

Continent : Afrique

## Égypte

| | |
|---|---|
| Capitale : | Le Caire |
| Superficie : | 1 001 450 km$^2$ |
| Population : | 77,6 millions d'hab. (Égyptiens) |
| Densité de population : | 77,3 hab./km$^2$ |
| Espérance de vie : | 71 ans |
| PIB par hab. : | 4400 $ US |
| Monnaie : | livre égyptienne |
| Langue officielle : | arabe |
| IDH : | 119$^e$ rang |

Continent : Afrique

## Croatie

| | |
|---|---|
| Capitale : | Zagreb |
| Superficie : | 56 540 km$^2$ |
| Population : | 4,5 millions d'hab. (Croates) |
| Densité de population : | 79,5 hab./km$^2$ |
| Espérance de vie : | 74 ans |
| PIB par hab. : | 11 600 $ US |
| Monnaie : | kuna |
| Langue officielle : | croate |
| IDH : | 45$^e$ rang |

Continent : Europe

## Émirats arabes unis

| | |
|---|---|
| Capitale : | Abou Dhabi |
| Superficie : | 83 600 km$^2$ |
| Population : | 2,6 millions d'hab. (Émiriens ou Émiratis) |
| Densité de population : | 30,6 hab./km$^2$ |
| Espérance de vie : | 75 ans |
| PIB par hab. : | 29 100 $ US |
| Monnaie : | dirham des Émirats arabes unis |
| Langue officielle : | arabe |
| IDH : | 41$^e$ rang |

Continent : Asie

## Cuba

| | |
|---|---|
| Capitale : | La Havane |
| Superficie : | 110 860 km$^2$ |
| Population : | 11,4 millions d'hab. (Cubains) |
| Densité de population : | 102,3 hab./km$^2$ |
| Espérance de vie : | 77 ans |
| PIB par hab. : | 3300 $ US |
| Monnaie : | peso cubain |
| Langue officielle : | espagnol |
| IDH : | 52$^e$ rang |

Continent : Amérique (centrale)

## Équateur

| | |
|---|---|
| Capitale : | Quito |
| Superficie : | 283 560 km$^2$ |
| Population : | 13,4 millions d'hab. (Équatoriens) |
| Densité de population : | 47 hab./km$^2$ |
| Espérance de vie : | 76 ans |
| PIB par hab. : | 3900 $ US |
| Monnaie : | dollar des États-Unis |
| Langue officielle : | espagnol |
| IDH : | 82$^e$ rang |

Continent : Amérique (du Sud)

## Danemark

| | |
|---|---|
| Capitale : | Copenhague |
| Superficie : | 43 090 km$^2$ |
| Population : | 5,5 millions d'hab. (Danois) |
| Densité de population : | 126 hab./km$^2$ |
| Espérance de vie : | 78 ans |
| PIB par hab. : | 33 500 $ US |
| Monnaie : | couronne danoise |
| Langue officielle : | danois |
| IDH : | 14$^e$ rang |

Continent : Europe

## Érythrée

| | |
|---|---|
| Capitale : | Asmara |
| Superficie : | 117 600 km$^2$ |
| Population : | 4,6 millions d'hab. (Érythréens) |
| Densité de population : | 38,7 hab./km$^2$ |
| Espérance de vie : | 58 ans |
| PIB par hab. : | 1000 $ US |
| Monnaie : | nakfa |
| Langues officielles : | tigrinia, arabe, anglais |
| IDH : | 161$^e$ rang |

Continent : Afrique

## Djibouti

| | |
|---|---|
| Capitale : | Djibouti |
| Superficie : | 23 200 km$^2$ |
| Population : | 476 703 hab. (Djiboutiens) |
| Densité de population : | 20,5 hab./km$^2$ |
| Espérance de vie : | 43 ans |
| PIB par hab. : | 1300 $ US |
| Monnaie : | franc djiboutien |
| Langues officielles : | français, arabe |
| IDH : | 150$^e$ rang |

Continent : Afrique

## Espagne

| | |
|---|---|
| Capitale : | Madrid |
| Superficie : | 505 990 km$^2$ |
| Population : | 40,4 millions d'hab. (Espagnols) |
| Densité de population : | 79,7 hab./km$^2$ |
| Espérance de vie : | 80 ans |
| PIB par hab. : | 25 100 $ US |
| Monnaie : | euro |
| Langue officielle : | espagnol |
| IDH : | 21$^e$ rang |

Continent : Europe

## Estonie

| | |
|---|---|
| Capitale : | Tallinn |
| Superficie : | 45 100 km² |
| Population : | 1,4 million d'hab. (Estoniens) |
| Densité de population : | 29,5 hab./km² |
| Espérance de vie : | 72 ans |
| PIB par hab. : | 16 400 $ US |
| Monnaie : | couronne estonienne |
| Langue officielle : | estonien |
| IDH : | 38e rang |

Continent : Europe

## États-Unis

| | |
|---|---|
| Capitale : | Washington |
| Superficie : | 9 629 090 km² |
| Population : | 295,8 millions d'hab. (Américains) |
| Densité de population : | 30,7 hab./km² |
| Espérance de vie : | 78 ans |
| PIB par hab. : | 41 800 $ US |
| Monnaie : | dollar des États-Unis |
| Langue officielle : | anglais |
| IDH : | 10e rang |

Continent : Amérique (du Nord)

## Éthiopie

| | |
|---|---|
| Capitale : | Addis Abeba |
| Superficie : | 1 104 300 km² |
| Population : | 73,1 millions d'hab. (Éthiopiens) |
| Densité de population : | 66,1 hab./km² |
| Espérance de vie : | 49 ans |
| PIB par hab. : | 800 $ US |
| Monnaie : | nouveau birr |
| Langue officielle : | amharique |
| IDH : | 170e rang |

Continent : Afrique

## Fidji

| | |
|---|---|
| Capitale : | Suva |
| Superficie : | 18 270 km² |
| Population : | 893 354 hab. (Fidjiens) |
| Densité de population : | 48,8 hab./km² |
| Espérance de vie : | 70 ans |
| PIB par hab. : | 6000 $ US |
| Monnaie : | dollar fidjien |
| Langue officielle : | anglais (fidjien parlé) |
| IDH : | 92e rang |

Continent : Océanie

## Finlande

| | |
|---|---|
| Capitale : | Helsinki |
| Superficie : | 338 150 km² |
| Population : | 5,3 millions d'hab. (Finlandais) |
| Densité de population : | 15,4 hab./km² |
| Espérance de vie : | 78 ans |
| PIB par hab. : | 30 300 $ US |
| Monnaie : | euro |
| Langue officielle : | finnois |
| IDH : | 13e rang |

Continent : Europe

## France

| | |
|---|---|
| Capitale : | Paris |
| Superficie : | 551 500 km² |
| Population : | 60,7 millions d'hab. (Français) |
| Densité de population : | 109,9 hab./km² |
| Espérance de vie : | 80 ans |
| PIB par hab. : | 29 900 $ US |
| Monnaie : | euro |
| Langue officielle : | français |
| IDH : | 16e rang |

Continent : Europe

## Gabon

| | |
|---|---|
| Capitale : | Libreville |
| Superficie : | 267 670 km² |
| Population : | 1,4 million d'hab. (Gabonais) |
| Densité de population : | 5,1 hab./km² |
| Espérance de vie : | 55 ans |
| PIB par hab. : | 5800 $ US |
| Monnaie : | franc CFA |
| Langue officielle : | français |
| IDH : | 123e rang |

Continent : Afrique

## Gambie

| | |
|---|---|
| Capitale : | Banjul |
| Superficie : | 11 300 km² |
| Population : | 1,6 million d'hab. (Gambiens) |
| Densité de population : | 140,9 hab./km² |
| Espérance de vie : | 54 ans |
| PIB par hab. : | 1900 $ US |
| Monnaie : | dalasi |
| Langue officielle : | anglais |
| IDH : | 155e rang |

Continent : Afrique

## Géorgie

| | |
|---|---|
| Capitale : | Tbilissi |
| Superficie : | 69 700 km² |
| Population : | 4,7 millions d'hab. (Géorgiens) |
| Densité de population : | 67,1 hab./km² |
| Espérance de vie : | 76 ans |
| PIB par hab. : | 3400 $ US |
| Monnaie : | lari |
| Langue officielle : | géorgien |
| IDH : | 100e rang |

Continent : Asie

## Ghana

| | |
|---|---|
| Capitale : | Accra |
| Superficie : | 238 540 km² |
| Population : | 21,1 millions d'hab. (Ghanéens) |
| Densité de population : | 88,1 hab./km² |
| Espérance de vie : | 58 ans |
| PIB par hab. : | 2500 $ US |
| Monnaie : | cedi |
| Langue officielle : | anglais |
| IDH : | 138e rang |

Continent : Afrique

## Grèce

| | |
|---|---|
| Capitale : | Athènes |
| Superficie : | 131 960 km² |
| Population : | 10,7 millions d'hab. (Grecs) |
| Densité de population : | 80,8 hab./km² |
| Espérance de vie : | 79 ans |
| PIB par hab. : | 22 880 $ US |
| Monnaie : | euro |
| Langue officielle : | grec |
| IDH : | 24e rang |

Continent : Europe

## Grenade

| | |
|---|---|
| Capitale : | Saint-Georges |
| Superficie : | 340 km² |
| Population : | 89 502 hab. (Grenadiens) |
| Densité de population : | 263,2 hab./km² |
| Espérance de vie : | 65 ans |
| PIB par hab. : | 5000 $ US |
| Monnaie : | dollar des Caraïbes orientales |
| Langue officielle : | anglais |
| IDH : | 93e rang |

Continent : Amérique (centrale)

## Guatemala

| | |
|---|---|
| Capitale : | Guatemala |
| Superficie : | 108 890 km² |
| Population : | 14,7 millions d'hab. (Guatémaltèques) |
| Densité de population : | 134 hab./km² |
| Espérance de vie : | 69 ans |
| PIB par hab. : | 4300 $ US |
| Monnaie : | quetzal |
| Langue officielle : | espagnol |
| IDH : | 117e rang |

Continent : Amérique (centrale)

## Guinée

| | |
|---|---|
| Capitale : | Conakry |
| Superficie : | 245 860 km² |
| Population : | 9,5 millions d'hab. (Guinéens) |
| Densité de population : | 38,5 hab./km² |
| Espérance de vie : | 49 ans |
| PIB par hab. : | 2200 $ US |
| Monnaie : | franc guinéen |
| Langue officielle : | français |
| IDH : | 156e rang |

Continent : Afrique

## Guinée-Bissau

| | |
|---|---|
| Capitale : | Bissau |
| Superficie : | 36 120 km² |
| Population : | 1,5 million d'hab. (Bissau-Guinéens) |
| Densité de population : | 39,2 hab./km² |
| Espérance de vie : | 47 ans |
| PIB par hab. : | 800 $ US |
| Monnaie : | franc CFA |
| Langue officielle : | portugais |
| IDH : | 172e rang |

Continent : Afrique

## Guinée équatoriale

| | |
|---|---|
| Capitale : | Malabo |
| Superficie : | 28 050 km² |
| Population : | 535 881 hab. (Équato-Guinéens) |
| Densité de population : | 19,1 hab./km² |
| Espérance de vie : | 50 ans |
| PIB par hab. : | 50 200 $ US |
| Monnaie : | franc CFA |
| Langue officielle : | français |
| IDH : | 121e rang |

Continent : Afrique

## Guyana

| | |
|---|---|
| Capitale : | Georgetown |
| Superficie : | 214 970 km² |
| Population : | 765 283 hab. (Guyanais ou Guyaniens) |
| Densité de population : | 3,6 hab./km² |
| Espérance de vie : | 66 ans |
| PIB par hab. : | 3900 $ US |
| Monnaie : | dollar de Guyana |
| Langue officielle : | anglais |
| IDH : | 107e rang |

Continent : Amérique (du Sud)

## Haïti

| | |
|---|---|
| Capitale : | Port-au-Prince |
| Superficie : | 27 750 km² |
| Population : | 8,2 millions d'hab. (Haïtiens) |
| Densité de population : | 292,6 hab./km² |
| Espérance de vie : | 60 ans |
| PIB par hab. : | 1600 $ US |
| Monnaies : | gourde, dollar des États-Unis |
| Langues officielles : | français, créole haïtien |
| IDH : | 153e rang |

Continent : Amérique (centrale)

## Honduras

| | |
|---|---|
| Capitale : | Tegucigalpa |
| Superficie : | 112 090 km² |
| Population : | 7 millions d'hab. (Honduriens) |
| Densité de population : | 62,2 hab./km² |
| Espérance de vie : | 69 ans |
| PIB par hab. : | 2900 $ US |
| Monnaie : | lempira |
| Langue officielle : | espagnol |
| IDH : | 116e rang |

Continent : Amérique (centrale)

## Hongrie

| | |
|---|---|
| Capitale : | Budapest |
| Superficie : | 93 030 km² |
| Population : | 10,1 millions d'hab. (Hongrois ou Magyars) |
| Densité de population : | 105,6 hab./km² |
| Espérance de vie : | 73 ans |
| PIB par hab. : | 15 000 $ US |
| Monnaie : | forint |
| Langue officielle : | hongrois |
| IDH : | 35e rang |

Continent : Europe

## Inde

| | |
|---|---|
| Capitale : | New Delhi |
| Superficie : | 3 287 260 km² |
| Population : | 1,1 milliard d'hab. (Indiens) |
| Densité de population : | 328,6 hab./km² |
| Espérance de vie : | 64 ans |
| PIB par hab. : | 3400 $ US |
| Monnaie : | roupie indienne |
| Langues officielles : | hindi, anglais |
| IDH : | 127e rang |

Continent : Asie

## Indonésie

| | |
|---|---|
| Capitale : | Jakarta |
| Superficie : | 1 904 578 km² |
| Population : | 242 millions d'hab. (Indonésiens) |
| Densité de population : | 127 hab./km² |
| Espérance de vie : | 70 ans |
| PIB par hab. : | 3700 $ US |
| Monnaie : | roupie indonésienne |
| Langue officielle : | indonesia (malais) |
| IDH : | 110e rang |

Continent : Asie

## Irak

| | |
|---|---|
| Capitale : | Bagdad |
| Superficie : | 438 320 km² |
| Population : | 26,1 millions d'hab. (Irakiens ou Iraquiens) |
| Densité de population : | 59,4 hab./km² |
| Espérance de vie : | 69 ans |
| PIB par hab. : | 3400 $ US |
| Monnaie : | dinar irakien |
| Langues officielles : | arabe, kurde |
| IDH : | non disponible |

Continent : Asie

## Iran

| | |
|---|---|
| Capitale : | Téhéran |
| Superficie : | 1 633 190 km² |
| Population : | 68,1 millions d'hab. (Iraniens) |
| Densité de population : | 41,6 hab./km² |
| Espérance de vie : | 70 ans |
| PIB par hab. : | 8100 $ US |
| Monnaie : | rial |
| Langue officielle : | farsi (persan) |
| IDH : | 99e rang |

Continent : Asie

## Irlande

| | |
|---|---|
| Capitale : | Dublin |
| Superficie : | 70 270 km$^2$ |
| Population : | 4,1 millions d'hab. (Irlandais) |
| Densité de population : | 57,1 hab./km$^2$ |
| Espérance de vie : | 78 ans |
| PIB par hab. : | 34 100 $ US |
| Monnaie : | euro |
| Langues officielles : | irlandais, anglais |
| IDH : | 8$^e$ rang |

Continent : Europe

## Islande

| | |
|---|---|
| Capitale : | Reykjavik |
| Superficie : | 103 300 km$^2$ |
| Population : | 296 737 hab. (Islandais) |
| Densité de population : | 2,8 hab./km$^2$ |
| Espérance de vie : | 80 ans |
| PIB par hab. : | 34 600 $ US |
| Monnaie : | couronne islandaise |
| Langue officielle : | islandais |
| IDH : | 2$^e$ rang |

Continent : Europe

## Israël

| | |
|---|---|
| Capitale : | Jérusalem |
| Superficie : | 21 060 km$^2$ |
| Population : | 6,3 millions d'hab. (Israéliens) |
| Densité de population : | 298 hab./km$^2$ |
| Espérance de vie : | 79 ans |
| PIB par hab. : | 22 200 $ US |
| Monnaie : | shekel |
| Langues officielles : | hébreu, arabe |
| IDH : | 23$^e$ rang |

Continent : Asie

## Italie

| | |
|---|---|
| Capitale : | Rome |
| Superficie : | 301 340 km$^2$ |
| Population : | 58,2 millions d'hab. (Italiens) |
| Densité de population : | 192,8 hab./km$^2$ |
| Espérance de vie : | 80 ans |
| PIB par hab. : | 28 300 $ US |
| Monnaie : | euro |
| Langue officielle : | italien |
| IDH : | 18$^e$ rang |

Continent : Europe

## Jamaïque

| | |
|---|---|
| Capitale : | Kingston |
| Superficie : | 10 990 km$^2$ |
| Population : | 2,8 millions d'hab. (Jamaïcains) |
| Densité de population : | 248,6 hab./km$^2$ |
| Espérance de vie : | 73 ans |
| PIB par hab. : | 4300 $ US |
| Monnaie : | dollar de la Jamaïque |
| Langue officielle : | anglais |
| IDH : | 98$^e$ rang |

Continent : Amérique (centrale)

## Japon

| | |
|---|---|
| Capitale : | Tokyo |
| Superficie : | 377 800 km$^2$ |
| Population : | 127,5 millions d'hab. (Japonais) |
| Densité de population : | 337,2 hab./km$^2$ |
| Espérance de vie : | 81 ans |
| PIB par hab. : | 30 400 $ US |
| Monnaie : | yen |
| Langue officielle : | japonais |
| IDH : | 11$^e$ rang |

Continent : Asie

## Jordanie

| | |
|---|---|
| Capitale : | Amman |
| Superficie : | 89 210 km$^2$ |
| Population : | 5,8 millions d'hab. (Jordaniens) |
| Densité de population : | 64,5 hab./km$^2$ |
| Espérance de vie : | 78 ans |
| PIB par hab. : | 4800 $ US |
| Monnaie : | dinar jordanien |
| Langue officielle : | arabe |
| IDH : | 90$^e$ rang |

Continent : Asie

## Kazakhstan

| | |
|---|---|
| Capitale : | Astana |
| Superficie : | 2 724 900 km$^2$ |
| Population : | 15,1 millions d'hab. (Kazakhs) |
| Densité de population : | 5,5 hab./km$^2$ |
| Espérance de vie : | 67 ans |
| PIB par hab. : | 8700 $ US |
| Monnaie : | tengue |
| Langue officielle : | kazakh |
| IDH : | 80$^e$ rang |

Continent : Asie

## Kenya

| | |
|---|---|
| Capitale : | Nairobi |
| Superficie : | 580 370 km$^2$ |
| Population : | 33,9 millions d'hab. (Kényans) |
| Densité de population : | 58,2 hab./km$^2$ |
| Espérance de vie : | 48 ans |
| PIB par hab. : | 1200 $ US |
| Monnaie : | shilling du Kenya |
| Langues officielles : | anglais, swahili |
| IDH : | 154$^e$ rang |

Continent : Afrique

## Kirghizstan

| | |
|---|---|
| Capitale : | Bichkek |
| Superficie : | 199 900 km$^2$ |
| Population : | 5,2 millions d'hab. (Kirghiz) |
| Densité de population : | 25,7 hab./km$^2$ |
| Espérance de vie : | 68 ans |
| PIB par hab. : | 1800 $ US |
| Monnaie : | som |
| Langue officielle : | kirghiz |
| IDH : | 109$^e$ rang |

Continent : Asie

## Kiribati

| | |
|---|---|
| Capitale : | Bairiki |
| Superficie : | 730 km$^2$ |
| Population : | 103 092 hab. (Kiribatiens) |
| Densité de population : | 141,2 hab./km$^2$ |
| Espérance de vie : | 62 ans |
| PIB par hab. : | 800 $ US |
| Monnaie : | dollar australien |
| Langue officielle : | anglais |
| IDH : | non disponible |

Continent : Océanie

## Koweït

| | |
|---|---|
| Capitale : | Koweït |
| Superficie : | 17 820 km$^2$ |
| Population : | 2,4 millions d'hab. (Koweïtiens) |
| Densité de population : | 131 hab./km$^2$ |
| Espérance de vie : | 77 ans |
| PIB par hab. : | 22 100 $ US |
| Monnaie : | dinar koweïtien |
| Langue officielle : | arabe |
| IDH : | 44$^e$ rang |

Continent : Asie

## Laos

| | |
|---|---|
| Capitale : | Vientiane |
| Superficie : | 236 800 km² |
| Population : | 6,3 millions d'hab. (Laotiens) |
| Densité de population : | 26,2 hab./km² |
| Espérance de vie : | 55 ans |
| PIB par hab. : | 1900 $ US |
| Monnaie : | kip |
| Langue officielle : | laotien |
| IDH : | 133e rang |

Continent : Asie

## Lesotho

| | |
|---|---|
| Capitale : | Maseru |
| Superficie : | 30 350 km² |
| Population : | 1,9 million d'hab. (Lesothans) |
| Densité de population : | 61,5 hab./km² |
| Espérance de vie : | 34 ans |
| PIB par hab. : | 3300 $ US |
| Monnaie : | loti |
| Langues officielles : | sesotho, anglais |
| IDH : | 149e rang |

Continent : Afrique

## Lettonie

| | |
|---|---|
| Capitale : | Riga |
| Superficie : | 64 600 km² |
| Population : | 2,3 millions d'hab. (Lettons) |
| Densité de population : | 35,4 hab./km² |
| Espérance de vie : | 71 ans |
| PIB par hab. : | 12 800 $ US |
| Monnaie : | lats |
| Langue officielle : | letton |
| IDH : | 48e rang |

Continent : Europe

## Liban

| | |
|---|---|
| Capitale : | Beyrouth |
| Superficie : | 10 400 km² |
| Population : | 3,9 millions d'hab. (Libanais) |
| Densité de population : | 367,8 hab./km² |
| Espérance de vie : | 73 ans |
| PIB par hab. : | 5100 $ US |
| Monnaie : | livre libanaise |
| Langue officielle : | arabe |
| IDH : | 81e rang |

Continent : Asie

## Liberia

| | |
|---|---|
| Capitale : | Monrovia |
| Superficie : | 111 370 km² |
| Population : | 3,5 millions d'hab. (Libériens) |
| Densité de population : | 31,2 hab./km² |
| Espérance de vie : | 39 ans |
| PIB par hab. : | 700 $ US |
| Monnaie : | dollar libérien |
| Langue officielle : | anglais |
| IDH : | non disponible |

Continent : Afrique

## Libye

| | |
|---|---|
| Capitale : | Tripoli |
| Superficie : | 1 759 740 km² |
| Population : | 5,6 millions d'hab. (Libyens) |
| Densité de population : | 3,2 hab./km² |
| Espérance de vie : | 77 ans |
| PIB par hab. : | 8400 $ US |
| Monnaie : | dinar libyen |
| Langue officielle : | arabe |
| IDH : | 58e rang |

Continent : Afrique

## Liechtenstein

| | |
|---|---|
| Capitale : | Vaduz |
| Superficie : | 160 km² |
| Population : | 33 717 hab. (Liechtensteinois) |
| Densité de population : | 210,7 hab./km² |
| Espérance de vie : | 80 ans |
| PIB par hab. : | 25 000 $ US |
| Monnaie : | franc suisse |
| Langue officielle : | allemand |
| IDH : | non disponible |

Continent : Europe

## Lituanie

| | |
|---|---|
| Capitale : | Vilnius |
| Superficie : | 65 200 km² |
| Population : | 3,6 millions d'hab. (Lituaniens) |
| Densité de population : | 5,8 hab./km² |
| Espérance de vie : | 74 ans |
| PIB par hab. : | 13 700 $ US |
| Monnaie : | litas |
| Langue officielle : | lituanien |
| IDH : | 39e rang |

Continent : Europe

## Luxembourg

| | |
|---|---|
| Capitale : | Luxembourg |
| Superficie : | 2586 km² |
| Population : | 468 571 hab. (Luxembourgeois) |
| Densité de population : | 181,1 hab./km² |
| Espérance de vie : | 79 ans |
| PIB par hab. : | 62 700 $ US |
| Monnaie : | euro |
| Langues officielles : | français, luxembourgeois, allemand |
| IDH : | 4e rang |

Continent : Europe

## Macédoine, ancienne République yougoslave de

| | |
|---|---|
| Capitale : | Skopje |
| Superficie : | 25 710 km² |
| Population : | 2,1 millions d'hab. (Macédoniens) |
| Densité de population : | 79,5 hab./km² |
| Espérance de vie : | 74 ans |
| PIB par hab. : | 7400 $ US |
| Monnaie : | denar |
| Langue officielle : | macédonien |
| IDH : | 59e rang |

Continent : Europe

## Madagascar

| | |
|---|---|
| Capitale : | Antananarivo |
| Superficie : | 587 040 km² |
| Population : | 18,1 millions d'hab. (Malgaches) |
| Densité de population : | 30,7 hab./km² |
| Espérance de vie : | 57 ans |
| PIB par hab. : | 900 $ US |
| Monnaie : | ariary |
| Langue officielle : | malgache |
| IDH : | 146e rang |

Continent : Afrique

## Malaisie

| | |
|---|---|
| Capitale : | Kuala Lumpur |
| Superficie : | 329 750 km² |
| Population : | 24 millions d'hab. (Malaisiens) |
| Densité de population : | 72,6 hab./km² |
| Espérance de vie : | 73 ans |
| PIB par hab. : | 10 400 $ US |
| Monnaie : | ringgit |
| Langue officielle : | malais |
| IDH : | 61e rang |

Continent : Asie

## Malawi

Continent: Afrique

| | |
|---|---|
| Capitale: | Lilongwe |
| Superficie: | 118 480 km² |
| Population: | 12,2 millions d'hab. (Malawites ou Malawiens) |
| Densité de population: | 102,6 hab./km² |
| Espérance de vie: | 42 ans |
| PIB par hab.: | 600 $ US |
| Monnaie: | kwacha du Malawi |
| Langue officielle: | anglais |
| IDH: | 165e rang |

## Maldives

Continent: Asie

| | |
|---|---|
| Capitale: | Malé |
| Superficie: | 300 km² |
| Population: | 349 106 hab. (Maldiviens) |
| Densité de population: | 1163,7 hab./km² |
| Espérance de vie: | 64 ans |
| PIB par hab.: | 3900 $ US |
| Monnaie: | rufiyaa |
| Langue officielle: | divéhi |
| IDH: | 96e rang |

## Mali

Continent: Afrique

| | |
|---|---|
| Capitale: | Bamako |
| Superficie: | 1 240 190 km² |
| Population: | 12,3 millions d'hab. (Maliens) |
| Densité de population: | 9,9 hab./km² |
| Espérance de vie: | 49 ans |
| PIB par hab.: | 1000 $ US |
| Monnaie: | franc malien |
| Langue officielle: | français |
| IDH: | 174e rang |

## Malte

Continent: Europe

| | |
|---|---|
| Capitale: | La Valette |
| Superficie: | 320 km² |
| Population: | 398 534 hab. (Maltais) |
| Densité de population: | 1245,4 hab./km² |
| Espérance de vie: | 79 ans |
| PIB par hab.: | 18 800 $ US |
| Monnaie: | livre maltaise |
| Langues officielles: | maltais, anglais |
| IDH: | 32e rang |

## Maroc

Continent: Afrique

| | |
|---|---|
| Capitale: | Rabat |
| Superficie: | 652 090 km² |
| Population: | 32,8 millions d'hab. (Marocains) |
| Densité de population: | 50,1 hab./km² |
| Espérance de vie: | 71 ans |
| PIB par hab.: | 4300 $ US |
| Monnaie: | dirham marocain |
| Langues officielles: | arabe, français |
| IDH: | 124e rang |

## Marshall

Continent: Océanie

| | |
|---|---|
| Capitale: | Delap-Uliga-Darrit |
| Superficie: | 181 km² |
| Population: | 59 071 hab. (Marshallais) |
| Densité de population: | 326,3 hab./km² |
| Espérance de vie: | 70 ans |
| PIB par hab.: | 1600 $ US |
| Monnaie: | dollar des États-Unis |
| Langue officielle: | anglais |
| IDH: | non disponible |

## Maurice

Continent: Afrique

| | |
|---|---|
| Capitale: | Port Louis |
| Superficie: | 2040 km² |
| Population: | 1,3 million d'hab. (Mauriciens) |
| Densité de population: | 603,2 hab./km² |
| Espérance de vie: | 72 ans |
| PIB par hab.: | 13 300 $ US |
| Monnaie: | roupie mauricienne |
| Langues officielles: | anglais, créole, français |
| IDH: | 65e rang |

## Mauritanie

Continent: Afrique

| | |
|---|---|
| Capitale: | Nouakchott |
| Superficie: | 1 025 520 km² |
| Population: | 3,1 millions d'hab. (Mauritaniens) |
| Densité de population: | 3 hab./km² |
| Espérance de vie: | 53 ans |
| PIB par hab.: | 2000 $ US |
| Monnaie: | ouguiya |
| Langue officielle: | arabe |
| IDH: | 152e rang |

## Mexique

Continent: Amérique (du Nord)

| | |
|---|---|
| Capitale: | Mexico |
| Superficie: | 1 958 200 km² |
| Population: | 106,3 millions d'hab. (Mexicains) |
| Densité de population: | 54,2 hab./km² |
| Espérance de vie: | 75 ans |
| PIB par hab.: | 10 000 $ US |
| Monnaie: | peso mexicain |
| Langue officielle: | espagnol |
| IDH: | 53e rang |

## Micronésie

Continent: Océanie

| | |
|---|---|
| Capitale: | Palikir |
| Superficie: | 702 km² |
| Population: | 108 105 hab. (Micronésiens) |
| Densité de population: | 153 hab./km² |
| Espérance de vie: | 70 ans |
| PIB par hab.: | 2000 $ US |
| Monnaie: | dollar des États-Unis |
| Langue officielle: | anglais |
| IDH: | non disponible |

## Moldavie

Continent: Europe

| | |
|---|---|
| Capitale: | Chisinau |
| Superficie: | 33 850 km² |
| Population: | 4,5 millions d'hab. (Moldaves) |
| Densité de population: | 131,6 hab./km² |
| Espérance de vie: | 65 ans |
| PIB par hab.: | 2100 $ US |
| Monnaie: | leu |
| Langue officielle: | roumain |
| IDH: | 115e rang |

## Monaco

Continent: Europe

| | |
|---|---|
| Capitale: | Monaco |
| Superficie: | 1,95 km² |
| Population: | 32 409 hab. (Monégasques) |
| Densité de population: | 16 620 hab./km² |
| Espérance de vie: | 80 ans |
| PIB par hab.: | 27 000 $ US |
| Monnaie: | euro |
| Langues officielles: | français, monégasque |
| IDH: | non disponible |

### Mongolie

| | |
|---|---|
| Capitale : | Oulan-Bator |
| Superficie : | 1 566 500 km² |
| Population : | 2,8 millions d'hab. (Mongols) |
| Densité de population : | 1,7 hab./km² |
| Espérance de vie : | 65 ans |
| PIB par hab. : | 2200 $ US |
| Monnaie : | tugrik |
| Langue officielle : | mongol |
| IDH : | 114e rang |

Continent : Asie

### Népal

| | |
|---|---|
| Capitale : | Katmandou |
| Superficie : | 147 180 km² |
| Population : | 27,7 millions d'hab. (Népalais) |
| Densité de population : | 188 hab./km² |
| Espérance de vie : | 60 ans |
| PIB par hab. : | 1500 $ US |
| Monnaie : | roupie népalaise |
| Langue officielle : | népali |
| IDH : | 136e rang |

Continent : Asie

### Monténégro*

| | |
|---|---|
| Capitale : | Podgorica (bientôt Cetinje) |
| Superficie : | 13 812 km² |
| Population : | 730 000 hab. (Monténégrins) |
| Densité de population : | 52,9 hab./km² |
| Espérance de vie : | 75 ans |
| PIB par hab. : | 2600 $ US |
| Monnaie : | euro |
| Langue officielle : | serbe |
| IDH : | non disponible |

Continent : Europe

### Nicaragua

| | |
|---|---|
| Capitale : | Managua |
| Superficie : | 130 000 km² |
| Population : | 5,5 millions d'hab. (Nicaraguayens) |
| Densité de population : | 42 hab./km² |
| Espérance de vie : | 70 ans |
| PIB par hab. : | 2800 $ US |
| Monnaie : | cordoba |
| Langue officielle : | espagnol |
| IDH : | 112e rang |

Continent : Amérique (centrale)

### Mozambique

| | |
|---|---|
| Capitale : | Maputo |
| Superficie : | 801 590 km² |
| Population : | 19,5 millions d'hab. (Mozambicains) |
| Densité de population : | 24 hab./km² |
| Espérance de vie : | 40 ans |
| PIB par hab. : | 1300 $ US |
| Monnaie : | metical |
| Langue officielle : | portugais |
| IDH : | 168e rang |

Continent : Afrique

### Niger

| | |
|---|---|
| Capitale : | Niamey |
| Superficie : | 1 267 000 km² |
| Population : | 11,7 millions d'hab. (Nigériens) |
| Densité de population : | 9,2 hab./km² |
| Espérance de vie : | 44 ans |
| PIB par hab. : | 900 $ US |
| Monnaie : | franc CFA |
| Langue officielle : | français |
| IDH : | 177e rang |

Continent : Afrique

### Myanmar (Birmanie)

| | |
|---|---|
| Capitale : | Rangoon |
| Superficie : | 676 580 km² |
| Population : | 42,3 millions d'hab. (Birmans) |
| Densité de population : | 63,4 hab./km² |
| Espérance de vie : | 61 ans |
| PIB par hab. : | 1800 $ US |
| Monnaie : | kyat |
| Langue officielle : | birman |
| IDH : | 129e rang |

Continent : Asie

### Nigeria

| | |
|---|---|
| Capitale : | Abuja |
| Superficie : | 923 770 km² |
| Population : | 128,8 millions d'hab. (Nigérians) |
| Densité de population : | 139,3 hab./km² |
| Espérance de vie : | 47 ans |
| PIB par hab. : | 1000 $ US |
| Monnaie : | naira |
| Langue officielle : | anglais |
| IDH : | 158e rang |

Continent : Afrique

### Namibie

| | |
|---|---|
| Capitale : | Windhoek |
| Superficie : | 824 290 km² |
| Population : | 2 millions d'hab. (Namibiens) |
| Densité de population : | 2,4 hab./km² |
| Espérance de vie : | 44 ans |
| PIB par hab. : | 7800 $ US |
| Monnaie : | dollar namibien |
| Langue officielle : | anglais |
| IDH : | 125e rang |

Continent : Afrique

### Norvège

| | |
|---|---|
| Capitale : | Oslo |
| Superficie : | 323 880 km² |
| Population : | 4,6 millions d'hab. (Norvégiens) |
| Densité de population : | 14,1 hab./km² |
| Espérance de vie : | 79 ans |
| PIB par hab. : | 42 400 $ US |
| Monnaie : | couronne norvégienne |
| Langue officielle : | norvégien (bokmal, nynorsk) |
| IDH : | 1er rang |

Continent : Europe

### Nauru

| | |
|---|---|
| Capitale : | Yaren |
| Superficie : | 21,3 km² |
| Population : | 13 048 hab. (Nauriens) |
| Densité de population : | 612,5 hab./km² |
| Espérance de vie : | 63 ans |
| PIB par hab. : | 5000 $ US |
| Monnaie : | dollar australien |
| Langue officielle : | anglais |
| IDH : | non disponible |

Continent : Océanie

### Nouvelle-Zélande

| | |
|---|---|
| Capitale : | Wellington |
| Superficie : | 270 530 km² |
| Population : | 4 millions d'hab. (Néo-Zélandais) |
| Densité de population : | 14,9 hab./km² |
| Espérance de vie : | 79 ans |
| PIB par hab. : | 24 100 $ US |
| Monnaie : | dollar néo-zélandais |
| Langues officielles : | anglais, maori |
| IDH : | 19e rang |

Continent : Océanie

\* À la mise sous presse de cet atlas, la capitale du Monténégro était Podgorica, mais doit être prochainement Cetinje.

| Oman | Capitale : | Mascate |
|---|---|---|
| | Superficie : | 212 460 km² |
| | Population : | 3 millions d'hab. (Omanais) |
| | Densité de population : | 14,2 hab./km² |
| | Espérance de vie : | 73 ans |
| | PIB par hab. : | 13 400 $ US |
| | Monnaie : | riyal omanais |
| Continent : Asie | Langue officielle : | arabe |
| | IDH : | 71e rang |

| Papouasie-Nouvelle-Guinée | Capitale : | Port Moresby |
|---|---|---|
| | Superficie : | 462 840 km² |
| | Population : | 5,6 millions d'hab. (Papouans Néo-Guinéens) |
| | Densité de population : | 11,9 hab./km² |
| | Espérance de vie : | 65 ans |
| | PIB par hab. : | 2400 $ US |
| | Monnaie : | kina |
| Continent : Océanie | Langue officielle : | anglais |
| | IDH : | 137e rang |

| Ouganda | Capitale : | Kampala |
|---|---|---|
| | Superficie : | 241 040 km² |
| | Population : | 27,3 millions d'hab. (Ougandais) |
| | Densité de population : | 113,1 hab./km² |
| | Espérance de vie : | 52 ans |
| | PIB par hab. : | 1700 $ US |
| | Monnaie : | shilling ougandais |
| Continent : Afrique | Langues officielles : | swahili, anglais |
| | IDH : | 144e rang |

| Paraguay | Capitale : | Asuncion |
|---|---|---|
| | Superficie : | 406 752 km² |
| | Population : | 6,4 millions d'hab. (Paraguayens) |
| | Densité de population : | 15,6 hab./km² |
| | Espérance de vie : | 75 ans |
| | PIB par hab. : | 4900 $ US |
| | Monnaie : | guarani |
| Continent : Amérique (du Sud) | Langue officielle : | espagnol |
| | IDH : | 88e rang |

| Ouzbékistan | Capitale : | Tachkent |
|---|---|---|
| | Superficie : | 447 400 km² |
| | Population : | 26,9 millions d'hab. (Ouzbeks) |
| | Densité de population : | 60 hab./km² |
| | Espérance de vie : | 64 ans |
| | PIB par hab. : | 1900 $ US |
| | Monnaie : | soum |
| Continent : Asie | Langue officielle : | ouzbek |
| | IDH : | 111e rang |

| Pays-Bas | Capitale : | Amsterdam |
|---|---|---|
| | Superficie : | 41 530 km² |
| | Population : | 16,5 millions d'hab. (Néerlandais) |
| | Densité de population : | 395 hab./km² |
| | Espérance de vie : | 79 ans |
| | PIB par hab. : | 30 500 $ US |
| | Monnaie : | euro |
| Continent : Europe | Langue officielle : | néerlandais |
| | IDH : | 12e rang |

| Pakistan | Capitale : | Islamabad |
|---|---|---|
| | Superficie : | 796 100 km² |
| | Population : | 162,5 millions d'hab. (Pakistanais) |
| | Densité de population : | 204 hab./km² |
| | Espérance de vie : | 63 ans |
| | PIB par hab. : | 2400 $ US |
| | Monnaie : | roupie pakistanaise |
| Continent : Asie | Langues officielles : | ourdou, anglais |
| | IDH : | 135e rang |

| Pérou | Capitale : | Lima |
|---|---|---|
| | Superficie : | 1 285 220 km² |
| | Population : | 28 millions d'hab. (Péruviens) |
| | Densité de population : | 21,7 hab./km² |
| | Espérance de vie : | 70 ans |
| | PIB par hab. : | 6000 $ US |
| | Monnaie : | nouveau sol |
| Continent : Amérique (du Sud) | Langue officielle : | espagnol |
| | IDH : | 79e rang |

| Palaos (Palau) | Capitale : | Koror |
|---|---|---|
| | Superficie : | 460 km² |
| | Population : | 20 303 hab. (Palauans) |
| | Densité de population : | 44,1 hab./km² |
| | Espérance de vie : | 70 ans |
| | PIB par hab. : | 9000 $ US |
| | Monnaie : | dollar des États-Unis |
| Continent : Océanie | Langues officielles : | palauen, anglais |
| | IDH : | non disponible |

| Philippines | Capitale : | Manille |
|---|---|---|
| | Superficie : | 300 000 km² |
| | Population : | 87,8 millions d'hab. (Philippins) |
| | Densité de population : | 292,8 hab./km² |
| | Espérance de vie : | 70 ans |
| | PIB par hab. : | 5100 $ US |
| | Monnaie : | peso philippin |
| Continent : Asie | Langues officielles : | tagalog, anglais |
| | IDH : | 84e rang |

| Panama | Capitale : | Panama |
|---|---|---|
| | Superficie : | 75 520 km² |
| | Population : | 3 millions d'hab. (Panaméens) |
| | Densité de population : | 40,2 hab./km² |
| | Espérance de vie : | 75 ans |
| | PIB par hab. : | 7300 $ US |
| | Monnaie : | balboa |
| Continent : Amérique (centrale) | Langue officielle : | espagnol |
| | IDH : | 56e rang |

| Pologne | Capitale : | Varsovie |
|---|---|---|
| | Superficie : | 323 250 km² |
| | Population : | 38,7 millions d'hab. (Polonais) |
| | Densité de population : | 119,5 hab./km² |
| | Espérance de vie : | 75 ans |
| | PIB par hab. : | 12 700 $ US |
| | Monnaie : | zloty |
| Continent : Europe | Langue officielle : | polonais |
| | IDH : | 36e rang |

## Portugal

| | |
|---|---|
| Capitale : | Lisbonne |
| Superficie : | 91 980 km² |
| Population : | 10,6 millions d'hab. (Portugais) |
| Densité de population : | 114,8 hab./km² |
| Espérance de vie : | 78 ans |
| PIB par hab. : | 18 400 $ US |
| Monnaie : | euro |
| Langue officielle : | portugais |
| IDH : | 27e rang |

Continent : Europe

## Qatar

| | |
|---|---|
| Capitale : | Doha |
| Superficie : | 11 000 km² |
| Population : | 863 051 hab. (Qataris ou Qatariens) |
| Densité de population : | 78,4 hab./km² |
| Espérance de vie : | 74 ans |
| PIB par hab. : | 26 000 $ US |
| Monnaie : | riyal qatari |
| Langue officielle : | arabe |
| IDH : | 40e rang |

Continent : Asie

## République centrafricaine

| | |
|---|---|
| Capitale : | Bangui |
| Superficie : | 622 980 km² |
| Population : | 3,8 millions d'hab. (Centrafricains) |
| Densité de population : | 6 hab./km² |
| Espérance de vie : | 43 ans |
| PIB par hab. : | 1200 $ US |
| Monnaie : | franc CFA |
| Langues officielles : | français, sango |
| IDH : | 171e rang |

Continent : Afrique

## République dominicaine

| | |
|---|---|
| Capitale : | Saint-Domingue |
| Superficie : | 48 730 km² |
| Population : | 9 millions d'hab. (Dominicains) |
| Densité de population : | 183,6 hab./km² |
| Espérance de vie : | 72 ans |
| PIB par hab. : | 6500 $ US |
| Monnaie : | peso dominicain |
| Langue officielle : | espagnol |
| IDH : | 95e rang |

Continent : Amérique (centrale)

## République tchèque

| | |
|---|---|
| Capitale : | Prague |
| Superficie : | 78 870 km² |
| Population : | 10,3 millions d'hab. (Tchèques) |
| Densité de population : | 129,8 hab./km² |
| Espérance de vie : | 76 ans |
| PIB par hab. : | 18 100 $ US |
| Monnaie : | couronne tchèque |
| Langue officielle : | tchèque |
| IDH : | 31e rang |

Continent : Europe

## Roumanie

| | |
|---|---|
| Capitale : | Bucarest |
| Superficie : | 238 390 km² |
| Population : | 22,4 millions d'hab. (Roumains) |
| Densité de population : | 93,6 hab./km² |
| Espérance de vie : | 71 ans |
| PIB par hab. : | 8300 $ US |
| Monnaie : | leu |
| Langue officielle : | roumain |
| IDH : | 64e rang |

Continent : Europe

## Royaume-Uni

| | |
|---|---|
| Capitale : | Londres |
| Superficie : | 242 910 km² |
| Population : | 61 millions d'hab. (Britanniques) |
| Densité de population : | 248,8 hab./km² |
| Espérance de vie : | 78 ans |
| PIB par hab. : | 30 900 $ US |
| Monnaie : | livre sterling |
| Langue officielle : | anglais |
| IDH : | 15e rang |

Continent : Europe

## Russie

| | |
|---|---|
| Capitale : | Moscou |
| Superficie : | 17 075 400 km² |
| Population : | 143,5 millions d'hab. (Russes) |
| Densité de population : | 8,3 hab./km² |
| Espérance de vie : | 67 ans |
| PIB par hab. : | 10 700 $ US |
| Monnaie : | rouble russe |
| Langue officielle : | russe |
| IDH : | 62e rang |

Continents : Europe-Asie

## Rwanda

| | |
|---|---|
| Capitale : | Kigali |
| Superficie : | 26 340 km² |
| Population : | 8,5 millions d'hab. (Rwandais) |
| Densité de population : | 320,4 hab./km² |
| Espérance de vie : | 50 ans |
| PIB par hab. : | 1300 $ US |
| Monnaie : | franc rwandais |
| Langues officielles : | kinyarwanda, français, anglais |
| IDH : | 159e rang |

Continent : Afrique

## Sainte-Lucie

| | |
|---|---|
| Capitale : | Castries |
| Superficie : | 620 km² |
| Population : | 166 312 hab. (Saint-Luciens) |
| Densité de population : | 268,2 hab./km² |
| Espérance de vie : | 74 ans |
| PIB par hab. : | 5400 $ US |
| Monnaie : | dollar des Caraïbes orientales |
| Langue officielle : | anglais (créole francophone parlé à 75 %) |
| IDH : | 76e rang |

Continent : Amérique (centrale)

## Saint-Kitts-et-Nevis

| | |
|---|---|
| Capitale : | Basseterre |
| Superficie : | 360 km² |
| Population : | 38 958 hab. (Kitticiens et Néviciens) |
| Densité de population : | 108,2 hab./km² |
| Espérance de vie : | 72 ans |
| PIB par hab. : | 8800 $ US |
| Monnaie : | dollar des Caraïbes orientales |
| Langue officielle : | anglais |
| IDH : | 49e rang |

Continent : Amérique (centrale)

## Saint-Marin

| | |
|---|---|
| Capitale : | Saint-Marin |
| Superficie : | 60 km² |
| Population : | 28 880 hab. (Saint-Marinais) |
| Densité de population : | 481,3 hab./km² |
| Espérance de vie : | 82 ans |
| PIB par hab. : | 34 600 $ US |
| Monnaie : | euro |
| Langue officielle : | italien |
| IDH : | non disponible |

Continent : Europe

| Saint-Vincent-et-les-Grenadines | Capitale : | Kingstown |
|---|---|---|
| | Superficie : | 344 km² |
| | Population : | 117 534 hab. (Saint-Vincentais et Grenadins) |
| | Densité de population : | 341,6 hab./km² |
| | Espérance de vie : | 74 ans |
| | PIB par hab. : | 2900 $ US |
| | Monnaie : | dollar des Caraïbes orientales |
| Continent : Amérique (centrale) | Langue officielle : | anglais |
| | IDH : | 87ᵉ rang |

| Serbie | Capitale : | Belgrade |
|---|---|---|
| | Superficie : | 88 361 km² |
| | Population : | 10,4 millions d'hab. (Serbes) |
| | Densité de population : | 117,5 hab./km² |
| | Espérance de vie : | 75 ans |
| | PIB par hab. : | 2600 $ US |
| | Monnaie : | dinar serbe |
| Continent : Europe | Langue officielle : | serbe |
| | IDH : | non disponible |

| Salomon | Capitale : | Honiara |
|---|---|---|
| | Superficie : | 28 900 km² |
| | Population : | 538 032 hab. (Salomonais) |
| | Densité de population : | 18,6 hab./km² |
| | Espérance de vie : | 73 ans |
| | PIB par hab. : | 1700 $ US |
| | Monnaie : | dollar des îles Salomon |
| Continent : Océanie | Langue officielle : | anglais |
| | IDH : | 128ᵉ rang |

| Seychelles | Capitale : | Victoria |
|---|---|---|
| | Superficie : | 450 km² |
| | Population : | 81 188 hab. (Seychellois) |
| | Densité de population : | 180,4 hab./km² |
| | Espérance de vie : | 72 ans |
| | PIB par hab. : | 7800 $ US |
| | Monnaie : | roupie seychelloise |
| Continent : Afrique | Langue officielle : | seychellois |
| | IDH : | 51ᵉ rang |

| Salvador | Capitale : | San Salvador |
|---|---|---|
| | Superficie : | 21 040 km² |
| | Population : | 6,8 millions d'hab. (Salvadoriens) |
| | Densité de population : | 318,6 hab./km² |
| | Espérance de vie : | 71 ans |
| | PIB par hab. : | 5100 $ US |
| | Monnaies : | colon, dollar des États-Unis |
| Continent : Amérique (centrale) | Langue officielle : | espagnol |
| | IDH : | 104ᵉ rang |

| Sierra Leone | Capitale : | Freetown |
|---|---|---|
| | Superficie : | 71 740 km² |
| | Population : | 6 millions d'hab. (Sierra-Léonais) |
| | Densité de population : | 83,8 hab./km² |
| | Espérance de vie : | 40 ans |
| | PIB par hab. : | 800 $ US |
| | Monnaie : | leone |
| Continent : Afrique | Langue officielle : | anglais |
| | IDH : | 176ᵉ rang |

| Samoa | Capitale : | Apia |
|---|---|---|
| | Superficie : | 2840 km² |
| | Population : | 177 287 hab. (Samoans) |
| | Densité de population : | 62,4 hab./km² |
| | Espérance de vie : | 71 ans |
| | PIB par hab. : | 5600 $ US |
| | Monnaie : | tala |
| Continent : Océanie | Langues officielles : | anglais, samoan |
| | IDH : | 74ᵉ rang |

| Singapour | Capitale : | Singapour |
|---|---|---|
| | Superficie : | 620 km² |
| | Population : | 4,5 millions d'hab. (Singapouriens) |
| | Densité de population : | 7138,2 hab./km² |
| | Espérance de vie : | 82 ans |
| | PIB par hab. : | 29 700 $ US |
| | Monnaie : | dollar de Singapour |
| Continent : Asie | Langues officielles : | malais, chinois, tamoul, anglais |
| | IDH : | 25ᵉ rang |

| Sao Tomé-et-Principe | Capitale : | Sao Tomé |
|---|---|---|
| | Superficie : | 960 km² |
| | Population : | 187 410 hab. (Santoméens) |
| | Densité de population : | 195,2 hab./km² |
| | Espérance de vie : | 67 ans |
| | PIB par hab. : | 1200 $ US |
| | Monnaie : | dobra |
| Continent : Afrique | Langue officielle : | portugais |
| | IDH : | 126ᵉ rang |

| Slovaquie | Capitale : | Bratislava |
|---|---|---|
| | Superficie : | 49 010 km² |
| | Population : | 5,5 millions d'hab. (Slovaques) |
| | Densité de population : | 110,8 hab./km² |
| | Espérance de vie : | 75 ans |
| | PIB par hab. : | 15 700 $ US |
| | Monnaie : | couronne slovaque |
| Continent : Europe | Langue officielle : | slovaque |
| | IDH : | 42ᵉ rang |

| Sénégal | Capitale : | Dakar |
|---|---|---|
| | Superficie : | 196 720 km² |
| | Population : | 11,2 millions d'hab. (Sénégalais) |
| | Densité de population : | 56,5 hab./km² |
| | Espérance de vie : | 59 ans |
| | PIB par hab. : | 1800 $ US |
| | Monnaie : | franc CFA |
| Continent : Afrique | Langue officielle : | français |
| | IDH : | 157ᵉ rang |

| Slovénie | Capitale : | Ljubljana |
|---|---|---|
| | Superficie : | 20 250 km² |
| | Population : | 2,1 millions d'hab. (Slovènes) |
| | Densité de population : | 99,3 hab./km² |
| | Espérance de vie : | 76 ans |
| | PIB par hab. : | 20 900 $ US |
| | Monnaie : | tolar |
| Continent : Europe | Langue officielle : | slovène |
| | IDH : | 26ᵉ rang |

## Somalie

| | |
|---|---|
| Capitale : | Muqdisho (Mogadiscio) |
| Superficie : | 637 660 km² |
| Population : | 8,6 millions d'hab. (Somaliens) |
| Densité de population : | 13,4 hab./km² |
| Espérance de vie : | 48 ans |
| PIB par hab. : | 600 $ US |
| Monnaie : | shilling somali |
| Langues officielles : | somali, arabe |
| IDH : | non disponible |

Continent : Afrique

## Swaziland

| | |
|---|---|
| Capitale : | Mbabane |
| Superficie : | 17 360 km² |
| Population : | 1,2 million d'hab. (Swazis) |
| Densité de population : | 67,6 hab./km² |
| Espérance de vie : | 33 ans |
| PIB par hab. : | 5300 $ US |
| Monnaie : | lilangeni |
| Langues officielles : | anglais, siswati |
| IDH : | 147e rang |

Continent : Afrique

## Soudan

| | |
|---|---|
| Capitale : | Khartoum |
| Superficie : | 2 505 810 km² |
| Population : | 40,2 millions d'hab. (Soudanais) |
| Densité de population : | 16 hab./km² |
| Espérance de vie : | 59 ans |
| PIB par hab. : | 2100 $ US |
| Monnaie : | dinar soudanais |
| Langue officielle : | arabe |
| IDH : | 141e rang |

Continent : Afrique

## Syrie

| | |
|---|---|
| Capitale : | Damas |
| Superficie : | 185 180 km² |
| Population : | 18,5 millions d'hab. (Syriens) |
| Densité de population : | 99,6 hab./km² |
| Espérance de vie : | 70 ans |
| PIB par hab. : | 3500 $ US |
| Monnaie : | livre syrienne |
| Langue officielle : | arabe |
| IDH : | 106e rang |

Continent : Asie

## Sri Lanka

| | |
|---|---|
| Capitale : | Colombo |
| Superficie : | 65 610 km² |
| Population : | 20,1 millions d'hab. (Sri Lankais) |
| Densité de population : | 305,8 hab./km² |
| Espérance de vie : | 73 ans |
| PIB par hab. : | 4300 $ US |
| Monnaie : | roupie sri-lankaise |
| Langues officielles : | cinghalais, tamoul |
| IDH : | 93e rang |

Continent : Asie

## Tadjikistan

| | |
|---|---|
| Capitale : | Douchanbé |
| Superficie : | 143 100 km² |
| Population : | 7,2 millions d'hab. (Tadjiks) |
| Densité de population : | 50 hab./km² |
| Espérance de vie : | 65 ans |
| PIB par hab. : | 1200 $ US |
| Monnaie : | rouble tadjik |
| Langue officielle : | tadjik |
| IDH : | 122e rang |

Continent : Asie

## Suède

| | |
|---|---|
| Capitale : | Stockholm |
| Superficie : | 449 960 km² |
| Population : | 9,2 millions d'hab. (Suédois) |
| Densité de population : | 20 hab./km² |
| Espérance de vie : | 80 ans |
| PIB par hab. : | 29 600 $ US |
| Monnaie : | couronne suédoise |
| Langue officielle : | suédois |
| IDH : | 6e rang |

Continent : Europe

## Taiwan

| | |
|---|---|
| Capitale : | Taipei |
| Superficie : | 35 961 km² |
| Population : | 22,9 millions d'hab. (Taiwanais) |
| Densité de population : | 636,6 hab./km² |
| Espérance de vie : | 77 ans |
| PIB par hab. : | 26 700 $ US |
| Monnaie : | dollar de Taiwan |
| Langue officielle : | chinois |
| IDH : | non disponible |

Continent : Asie

## Suisse

| | |
|---|---|
| Capitale : | Berne |
| Superficie : | 41 290 km² |
| Population : | 7,5 millions d'hab. (Suisses) |
| Densité de population : | 181,3 hab./km² |
| Espérance de vie : | 80 ans |
| PIB par hab. : | 35 000 $ US |
| Monnaie : | franc suisse |
| Langues officielles : | français, allemand, italien, romanche |
| IDH : | 7e rang |

Continent : Europe

## Tanzanie

| | |
|---|---|
| Capitale : | Dodoma |
| Superficie : | 945 090 km² |
| Population : | 36,8 millions d'hab. (Tanzaniens) |
| Densité de population : | 38,9 hab./km² |
| Espérance de vie : | 45 ans |
| PIB par hab. : | 700 $ US |
| Monnaie : | shilling tanzanien |
| Langues officielles : | anglais, swahili |
| IDH : | 164e rang |

Continent : Afrique

## Suriname

| | |
|---|---|
| Capitale : | Paramaribo |
| Superficie : | 163 270 km² |
| Population : | 438 144 hab. (Surinamais) |
| Densité de population : | 2,6 hab./km² |
| Espérance de vie : | 69 ans |
| PIB par hab. : | 4700 $ US |
| Monnaie : | dollar du Suriname |
| Langue officielle : | néerlandais |
| IDH : | 86e rang |

Continent : Amérique (du Sud)

## Tchad

| | |
|---|---|
| Capitale : | Ndjamena |
| Superficie : | 1 284 000 km² |
| Population : | 9,9 millions d'hab. (Tchadiens) |
| Densité de population : | 7,6 hab./km² |
| Espérance de vie : | 47 ans |
| PIB par hab. : | 1900 $ US |
| Monnaie : | franc CFA |
| Langues officielles : | français, arabe |
| IDH : | 173e rang |

Continent : Afrique

### Thaïlande

| | |
|---|---|
| Capitale: | Bangkok |
| Superficie: | 513 120 km² |
| Population: | 65,5 millions d'hab. (Thaïlandais) |
| Densité de population: | 127,5 hab./km² |
| Espérance de vie: | 72 ans |
| PIB par hab.: | 8300 $ US |
| Monnaie: | baht |
| Langue officielle: | thaï |
| IDH: | 73e rang |

Continent: Asie

### Timor oriental

| | |
|---|---|
| Capitale: | Dili |
| Superficie: | 18 997 km² |
| Population: | 1,1 million d'hab. (Est-Timorais) |
| Densité de population: | 54,7 hab./km² |
| Espérance de vie: | 66 ans |
| PIB par hab.: | 400 $ US |
| Monnaie: | dollar des États-Unis |
| Langue officielle: | portugais |
| IDH: | non disponible |

Continent: Asie

### Togo

| | |
|---|---|
| Capitale: | Lomé |
| Superficie: | 56 790 km² |
| Population: | 5,7 millions d'hab. (Togolais) |
| Densité de population: | 100 hab./km² |
| Espérance de vie: | 57 ans |
| PIB par hab.: | 1600 $ US |
| Monnaie: | franc CFA |
| Langue officielle: | français |
| IDH: | 143e rang |

Continent: Afrique

### Tonga

| | |
|---|---|
| Capitale: | Nuku'alofa |
| Superficie: | 750 km² |
| Population: | 112 422 hab. (Tonguiens) |
| Densité de population: | 149,8 hab./km² |
| Espérance de vie: | 70 ans |
| PIB par hab.: | 2300 $ US |
| Monnaie: | pa'anga |
| Langues officielles: | tonguien, anglais |
| IDH: | non disponible |

Continent: Océanie

### Trinité-et-Tobago

| | |
|---|---|
| Capitale: | Port of Spain |
| Superficie: | 5130 km² |
| Population: | 1,1 million d'hab. (Trinidadiens) |
| Densité de population: | 212,2 hab./km² |
| Espérance de vie: | 68 ans |
| PIB par hab.: | 12 700 $ US |
| Monnaie: | dollar de Trinité-et-Tobago |
| Langue officielle: | anglais |
| IDH: | 57e rang |

Continent: Amérique (centrale)

### Tunisie

| | |
|---|---|
| Capitale: | Tunis |
| Superficie: | 163 610 km² |
| Population: | 10,1 millions d'hab. (Tunisiens) |
| Densité de population: | 61,5 hab./km² |
| Espérance de vie: | 75 ans |
| PIB par hab.: | 7600 $ US |
| Monnaie: | dinar tunisien |
| Langue officielle: | arabe |
| IDH: | 89e rang |

Continent: Afrique

### Turkménistan

| | |
|---|---|
| Capitale: | Achgabat |
| Superficie: | 488 100 km² |
| Population: | 5 millions d'hab. (Turkmènes) |
| Densité de population: | 10,1 hab./km² |
| Espérance de vie: | 61 ans |
| PIB par hab.: | 5900 $ US |
| Monnaie: | manat turkmène |
| Langue officielle: | turkmène |
| IDH: | 97e rang |

Continent: Asie

### Turquie

| | |
|---|---|
| Capitale: | Ankara |
| Superficie: | 774 820 km² |
| Population: | 69,7 millions d'hab. (Turcs) |
| Densité de population: | 89,9 hab./km² |
| Espérance de vie: | 72 ans |
| PIB par hab.: | 7900 $ US |
| Monnaie: | livre turque |
| Langue officielle: | turc |
| IDH: | 94e rang |

Continents: Europe-Asie

### Tuvalu

| | |
|---|---|
| Capitale: | Vaiaku |
| Superficie: | 26 km² |
| Population: | 11 636 hab. (Tuvaluans) |
| Densité de population: | 447,5 hab./km² |
| Espérance de vie: | 68 ans |
| PIB par hab.: | 1100 $ US |
| Monnaies: | dollars tuvaluan et australien |
| Langues officielles: | tuvaluan, anglais |
| IDH: | non disponible |

Continent: Océanie

### Ukraine

| | |
|---|---|
| Capitale: | Kiev |
| Superficie: | 603 700 km² |
| Population: | 47,5 millions d'hab. (Ukrainiens) |
| Densité de population: | 78,5 hab./km² |
| Espérance de vie: | 70 ans |
| PIB par hab.: | 6800 $ US |
| Monnaie: | grivna |
| Langue officielle: | ukrainien |
| IDH: | 78e rang |

Continent: Europe

### Uruguay

| | |
|---|---|
| Capitale: | Montevideo |
| Superficie: | 176 220 km² |
| Population: | 3,5 millions d'hab. (Uruguayens) |
| Densité de population: | 19,3 hab./km² |
| Espérance de vie: | 76 ans |
| PIB par hab.: | 10 000 $ US |
| Monnaie: | peso uruguayen |
| Langue officielle: | espagnol |
| IDH: | 46e rang |

Continent: Amérique (du Sud)

### Vanuatu

| | |
|---|---|
| Capitale: | Port-Vila |
| Superficie: | 12 190 km² |
| Population: | 205 754 hab. (Vanatuans) |
| Densité de population: | 16,8 hab./km² |
| Espérance de vie: | 62 ans |
| PIB par hab.: | 2900 $ US |
| Monnaie: | vatu |
| Langues officielles: | français, anglais, bichlamar |
| IDH: | 118e rang |

Continent: Océanie

## Vatican

| | | |
|---|---|---|
| **Capitale:** | Cité du Vatican |
| **Superficie:** | 0,44 km² |
| **Population:** | 921 hab. (Vaticanais) |
| **Densité de population:** | 2093,1 hab./km² |
| **Espérance de vie:** | non disponible |
| **PIB par hab.:** | non disponible |
| **Monnaie:** | euro vaticanais |
| **Langues officielles:** | français, italien, latin pour les actes officiels |
| **IDH:** | non disponible |

**Continent:** Europe

## Venezuela

| | |
|---|---|
| **Capitale:** | Caracas |
| **Superficie:** | 912 050 km² |
| **Population:** | 25,4 millions d'hab. (Vénézuéliens) |
| **Densité de population:** | 27,8 hab./km² |
| **Espérance de vie:** | 74 ans |
| **PIB par hab.:** | 6400 $ US |
| **Monnaie:** | bolivar |
| **Langue officielle:** | espagnol |
| **IDH:** | 75e rang |

**Continent:** Amérique (du Sud)

## Vietnam

| | |
|---|---|
| **Capitale:** | Hanoï |
| **Superficie:** | 331 690 km² |
| **Population:** | 83,6 millions d'hab. (Vietnamiens) |
| **Densité de population:** | 251,8 hab./km² |
| **Espérance de vie:** | 71 ans |
| **PIB par hab.:** | 3000 $ US |
| **Monnaie:** | dong |
| **Langue officielle:** | vietnamien |
| **IDH:** | 108e rang |

**Continent:** Asie

## Yémen

| | |
|---|---|
| **Capitale:** | Sanaa |
| **Superficie:** | 527 970 km² |
| **Population:** | 20,8 millions d'hab. (Yéménites) |
| **Densité de population:** | 39,2 hab./km² |
| **Espérance de vie:** | 62 ans |
| **PIB par hab.:** | 800 $ US |
| **Monnaie:** | riyal yéménite |
| **Langue officielle:** | arabe |
| **IDH:** | 151e rang |

**Continent:** Asie

## Zambie

| | |
|---|---|
| **Capitale:** | Lusaka |
| **Superficie:** | 752 610 km² |
| **Population:** | 11,3 millions d'hab. (Zambiens) |
| **Densité de population:** | 14,9 hab./km² |
| **Espérance de vie:** | 40 ans |
| **PIB par hab.:** | 900 $ US |
| **Monnaie:** | kwacha de Zambie |
| **Langue officielle:** | anglais |
| **IDH:** | 166e rang |

**Continent:** Afrique

## Zimbabwe

| | |
|---|---|
| **Capitale:** | Harare |
| **Superficie:** | 390 760 km² |
| **Population:** | 12,8 millions d'hab. (Zimbabwéens) |
| **Densité de population:** | 32,6 hab./km² |
| **Espérance de vie:** | 39 ans |
| **PIB par hab.:** | 1900 $ US |
| **Monnaie:** | dollar zimbabwéen |
| **Langue officielle:** | anglais |
| **IDH:** | 145e rang |

**Continent:** Afrique

## UTILISATION DE L'INDEX

Cet index contient la plupart des toponymes, ou noms de lieux, qui figurent sur les cartes de l'atlas. L'énumération des toponymes suit l'ordre alphabétique intégral. Par conséquent, ni les traits d'union, ni les espaces, ni les apostrophes entre les composants spécifiques d'un nom n'interrompent la séquence alphabétique.

Quand un toponyme se trouve sur plusieurs cartes, le renvoi est fait à la carte où il est le mieux représenté. Si un toponyme a deux noms, il apparaît avec le signe = entre les deux noms et selon l'ordre alphabétique de chaque nom. Les noms des 194 pays du monde sont composés en caractère gras et les hydronymes (fleuves, rivières, lacs, mers, baies, golfes, etc.) sont de couleur bleue.

### ■ Comment trouver un toponyme dans l'atlas à l'aide de l'index ?

Pour trouver un toponyme sur une carte, il suffit de le repérer dans l'index et de se reporter aux indications données à cette entrée. Un exemple est proposé ci-contre.

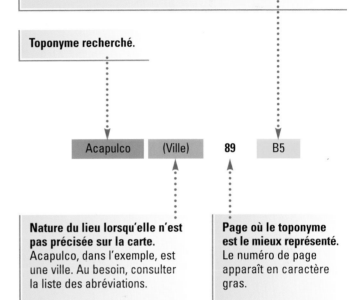

**Section de la carte où se trouve le toponyme.**
Pour repérer sur la carte de la page 89 le toponyme « Acapulco », il suffit de suivre la ligne imaginaire qui correspond à la colonne de la lettre B et celle qui correspond à la rangée du chiffre 5. Le toponyme « Acapulco » figure à la rencontre de ces deux lignes.

**Toponyme recherché.**

| Acapulco | (Ville) | **89** | B5 |

**Nature du lieu lorsqu'elle n'est pas précisée sur la carte.**
Acapulco, dans l'exemple, est une ville. Au besoin, consulter la liste des abréviations.

**Page où le toponyme est le mieux représenté.**
Le numéro de page apparaît en caractère gras.

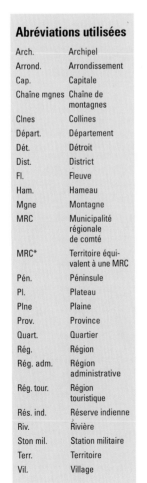

# BIBLIOGRAPHIE

## Définition des pictogrammes

Ce pictogramme indique les livres ou les périodiques à consulter pour approfondir les connaissances sur chacun des sujets traités.

Ce pictogramme indique des mots clés précis qui permettront d'effectuer une recherche efficace dans Internet.

**Remarque** : Tous les textes de l'atlas ont été rédigés à partir des ouvrages listés dans cette bibliographie.

## 1) ATLAS ET DOCUMENTS GÉNÉRAUX

*Atlas encyclopédique mondial 2006,* Outremont, 6e édition, Libre Expression, 2005, 736 p.

*Goode's World Atlas,* Chicago, 21st Ed., Rand McNally and Company, 2006, 371 p.

*Grand atlas du monde,* Paris, Sélection du Reader's Digest, 2006, 400 p.

*L'Atlas du monde Héritage Jeunesse,* Saint-Lambert, Éditions Héritage inc., 2005, 128 p.

*Le grand atlas du Canada et du monde,* Montréal, ERPI / DE BOECK, 2005, 185 p.

*Le grand atlas du monde,* Paris, Éditions Atlas, 2005, 340 p.

*Le grand atlas géographique et encyclopédique du monde,* Paris, Éditions Atlas, 2005, 480 p.

*The Little Green Data Book,* Washington, The World Bank, 2005, 235 p.

*World Development Indicators 2005,* Washington, The World Bank, 2005, 242 p.

*World Development Report 2006 : Equity and Development,* Washington, The World Bank, 2005, 336 p.

## 2) LIVRES, PÉRIODIQUES ET SITES INTERNET

### ALBERTA

*Les sables bitumineux du Canada – Perspectives et défis jusqu'en 2015 : Mise à jour – Juin 2006,* Calgary, Office national de l'Énergie, 2006, 93 p.

Alberta Saoudite

### AMAZONIE

GLOAGUEN, Philippe. *Brésil,* coll. Guide du routard, Paris, Éditions Hachette Tourisme, 2005, 499 p.

ROULIER, Guy. *Fabuleuse Amazonie,* Paris, Éditions Dangles, 2005, 96 p.

Déforestation en Amazonie

### ATHÈNES

GLOAGUEN, Philippe. *Athènes et les îles grecques,* coll. Guide du routard, Paris, Éditions Hachette Tourisme, 2006, 600 p.

Athènes (Wikipédia)

Dossier Athènes (TV5)

### BANFF

*Le guide des montagnes : Guide officiel de Parcs Canada,* Gatineau, Parcs Canada, 2006-2007, 24 p.

Parcs Canada (Parc national du Canada Banff)

### BANGLADESH

BALDIZZONE, Gianni, et Tiziana BALDIZZONE. *Brahmapoutre : Légendes du fleuve, Tibet, Inde, Bangladesh,* Genève, Éditions Olizane, 2004, 240 p.

Bangladesh : vivre avec les forces de la nature

### BEIJING

BOBIN, Frédéric, et Wang ZHE. *Pékin en mouvement,* coll. Villes en mouvement, Paris, Éditions Autrement, 2005, 202 p.

COATALEM, Jean-Luc (directeur). « Pékin, porte de la Chine », *Géo,* no 289, mars 2003, p. 50-104.

Beijing 2008 (Jeux de la XXIXe olympiade)

### COLOMBIE-BRITANNIQUE

FARR, Ken. *Les forêts du Canada,* Ottawa, Service canadien des forêts, 2004, 152 p.

FOURNIER, Luc. *Les dernières forêts d'arbres libres,* Montréal, Lanctôt Éditeur, 2006, 123 p.

Service canadien des forêts

### CÔTE-NORD

BARONET, Robert, Claude BOUCHARD et Jean O'NEIL. *Côtes du Nord,* coll. Coins de pays, Québec, Les publications du Québec, 2005, 176 p.

L'énergie au Québec, édition 2004

L'énergie pour construire le Québec de demain

### GASPÉSIE

AUDET, Gabriel. *Gaspésie, Bas-Saint-Laurent, Îles de la Madeleine,* Montréal, Éditions Ulysse, 2005, 208 p.

Association touristique de la Gaspésie

Ministère du tourisme du Québec (Le tourisme en bref 2004)

### GOLFE PERSIQUE

GOODSTEIN, David L. *Panne sèche, la fin de l'ère du pétrole,* Paris, Éditions Buchet-Chastel, 2005, 155 p.

Golfe Persique (Wikipédia)

Organisation des pays exportateurs de pétrole (Wikipédia)

Pétrole (Wikipédia)

## GRANDS LACS AFRICAINS

- BAILLET, Christine, Christine DENIS-HUOT et Michel DENIS-HUOT. *Kenya, Tanzanie,* coll. Géo Partance, Paris, Éditions de Lodi, 2006, 215 p.
- Parc national de Serengeti

  Tanzanie (Wikipédia)

## GRANDS LACS AMÉRICAINS ET CANADIENS

- *Les Grands Lacs : Atlas écologique et manuel des ressources,* Toronto, Gouvernement du Canada, United States Environmental Protection Agency, 2006, 118 p.
- Réseau Grands Lacs Voie maritime du Saint-Laurent

## ÎLE-DE-FRANCE

- GLOAGUEN, Philippe. *Île-de-France,* coll. Guide du routard, Paris, Éditions Hachette Tourisme, 2005, 559 p.

  *Paris : Île-de-France,* coll. Une région, un patrimoine, Évreux, Éditions Atlas, 2004, 128 p.
- Chiffres clés du tourisme en France

  Site officiel du tourisme Paris Île-de-France

## ÎLES GALAPAGOS

- BAILLET, Christine, et Alain PONS. *Galapagos, paradis de l'Équateur,* coll. Aujourd'hui, Paris, Éditions Empreinte et Territoires, 2005, 72 p.
- Fondation Charles Darwin (Îles Galapagos)

## JAMÉSIE

- GAGNON, Alain-G., et Guy ROCHER. *Regard sur la convention de la Baie-James et du Nord,* Montréal, Éditions Québec Amérique, 2002, 610 p.
- Hydro-Québec

  Municipalité de la Baie-James

## LE CAIRE

- DALLE, Olivier. *Le Caire,* Sommières, Éditions Romain Pages, 2004, 159 p.

  DJEMAI, Abdelkader. *Le Caire qui bat,* Paris, Éditions Michalon, 2006, 128 p.
- Cités du monde : Le Caire

  Le Caire (Wikipédia)

  Métropoles en mouvement (Le Caire)

## MANILLE

- BARDINTZEFF, Jacques-Marie. *L'ABCdaire des volcans,* Paris, Éditions Flammarion, 2001, 120 p.

  MARTIN, Jean-Louis. *Le grand livre des cyclones et tempêtes tropicales,* Paris, Éditions Orphie, 2003, 160 p.

  NEVEU, Roland, et Marc MANGIN. *Manille éternelle,* coll. Villes éternelles, Bruxelles, Éditions ASA Indochine, 1997, 95 p.
- Les périls du développement

  Les Philippines dévastées par les typhons

  Manille (Wikipédia)

## MAURICIE

- *Portrait socioéconomique des régions du Québec,* Québec, Gouvernement du Québec, 2005, 118 p.

  RÉMY, Charles-Pierre. *Le Québec : Contrée des vastes forêts,* Montréal, Éditions Ulysse, 1999, 143 p.
- Portrait forestier régional de la Mauricie

## MEXICO

- BEAUMONT, Hervé. *Mexique,* coll. Terre de Passion, Paris, Éditions Vilo, 2002, 160 p.

  COURAU, Jean-Pierre. *Mexique,* Paris, Éditions du Garde-Temps, 2005, 384 p.
- Métropoles en mutation et Amériques

  Mexico, au risque de son développement

  Mexico (OVPM) Organisation des villes du patrimoine mondial

## MONTÉRÉGIE

- *Portrait socioéconomique des régions du Québec,* Québec, Gouvernement du Québec, 2005, 118 p.
- Portail gouvernemental (Montérégie)

## MONTRÉAL

- PROULX, Monique, et Benoît CHALIFOUR. *Montréal, Montréal,* Montréal, Éditions Art Global, 2002, 192 p.

  ROY, Jean-Louis. *Montréal : ville nouvelle, ville plurielle,* Montréal, Éditions Hurtubise HMH, 2005, 240 p.
- Données statistiques sur la ville de Montréal

  Site officiel de la ville de Montréal

## NEW YORK

- ANTIER, Gilles. *Les stratégies des grandes métropoles,* Paris, Éditions Armand Colin, 2005, 252 p.

  GLOAGUEN, Philippe. *New York,* coll. Guide du routard, Paris, Éditions Hachette Tourisme, 2006, 339 p.

  MARSHALL, Bruce, Christopher GRAY et Lucie DELPLANQUE. *New York : Cité géante,* coll. Perspectives, Paris, Éditions Gründ, 2005, 304 p.
- Site officiel de New York (official site of New York)

## NUNAVUT

- THERRIEN, Michèle. *Printemps inuit, naissance du Nunavut,* Montpellier, Éditions Indigène, 1999, 143 p.
- Gouvernement du Nunavut

## PARIS

- CHAUDUN, Nicolas. *L'ABCdaire de Paris,* coll. L'ABCdaire-Patrimoine, Paris, Éditions Flammarion, 1999, 119 p.
- Paris (OVPM) Organisation des villes du patrimoine mondial

  Ville de Paris

## PRAIRIE CANADIENNE

NEVEU, André. *Les grandes heures de l'agriculture mondiale*, Paris, Éditions L'Harmattan, 2005, 203 p.

Agriculture et agroalimentaire Canada

Prairies canadiennes (crise de l'eau)

Statistique Canada (données agricoles)

## QUÉBEC *INTRA-MUROS*

*Histoire de voir Québec*, Québec, Éditions Sylvain Harvey, 2005, 72 p.

Québec (OVPM) Organisation des villes du patrimoine mondial

Ville de Québec

## QUITO

AUZIAS, Dominique, et Jean-Paul LABOURDETTE. *Équateur*, Bruxelles, coll. Le petit futé, Nouvelles éditions de l'université, 2005, 363 p.

Volcans magiques et fascinants (IRD) Institut de recherche pour le développement

## ROME

BONAFOUX, Pascal. *L'ABCdaire de Rome*, coll. L'ABCdaire-Patrimoine, Paris, Éditions Flammarion, 2000, 119 p.

Rome (OVPM) Organisation des villes du patrimoine mondial

Ville de Rome (site officiel)

## SAHEL

FROMENTIN, Eugène. *Sahara et Sahel*, Paris, Éditions Paris-Méditerranée, 2006, 416 p.

TERSIGUEL, Philippe, et Charles BECKER (directeurs). *Développement durable au Sahel*, Paris, Éditions Karthala, 1997, 280 p.

Institut du Sahel (INSAH)

## SAN FRANCISCO

COULAIS, Jean-François, et Pierre GENTILLE. *San Francisco*, coll. Terre des villes, Paris, Éditions Belin, 2004, 119 p.

Dispositions parasismiques

United States Geological Survey

## SAVOIE

LAMORY, Jean-Marc, et Martine GONTHIER. *Savoie*, Grenoble, Éditions Libris (coll. Itinéraires), 2004, 192 p.

Tourisme en Savoie

## SYDNEY

SHAFIR, Yvonne. *Sydney*, coll. Great Cities, New York, Éditions New Line Books 2005, 96 p.

Australie Info

Office de tourisme d'Australie

## TAHITI

LAUDON, Paule, et Jean-Michel BARRAULT. *Tahiti et ses îles*, Paris, Éditions Nathan, 2004, 190 p.

Ministère de l'Outre-Mer (Polynésie-Française)

Tourisme Tahiti

## TERRITOIRE AGRICOLE DE LA CALIFORNIE

NEVEU, André. *Les grandes heures de l'agriculture mondiale*, Paris, Éditions L'Harmattan, 2005, 203 p.

California Department of Food and Agriculture

Équiterre

United States Department of Agriculture

## TERRITOIRE AGRICOLE DU JAPON

AUZIAS, Dominique. *Japon*, coll. Le petit futé, Bruxelles, Nouvelles éditions de l'université, 2005, 506 p.

BORNOFF, Nicholas. *Japon*, Paris, Éditions National Geographic, 2005, 399 p.

Annuaire statistique de la FAO 2004

Ministry of Agriculture, Forestry and Fisheries of Japan

## TERRITOIRE AGRICOLE DU QUÉBEC

*L'activité bioalimentaire au Québec : Bilan 2005*, Québec, MAPAQ, 2006, 43 p.

*Profil sectoriel de l'industrie bioalimentaire au Québec*, édition 2005, Québec, MAPAQ-ISQ, 2006, 122 p.

Ministère de l'Agriculture, des Pêcheries et de l'Alimentation du Québec (statistiques)

## TERRITOIRE DES CRIS

*Eeyou Astchee, notre territoire : Les cris du Québec*, coll. Les Premières nations, Boucherville, Musée de la civilisation, 1998, 40 p.

Secrétariat aux affaires autochtones du Québec, Profil des nations, Cris

## TERRITOIRE DES NASKAPIS

*Naskapi Iyuch, chez les Naskapis : Les Naskapis du Québec*, Boucherville (coll. Les Premières nations), Musée de la civilisation, 2002, 40 p.

Secrétariat aux affaires autochtones du Québec, Profil des nations, Naskapis

## VENISE

TOMASI, Sandro. *Venise*, coll. GÉO Ville, Paris, Éditions de Lodi, 2004, 175 p.

Venise (OVPM) Organisation des villes du patrimoine mondial